Tout va bien! 2

Méthode de français

LIVRE DE L'ÉLÈVE

ISBN : 978-2-09-035294-8

TABLE DES MATIÈRES

AVANT-PROPOS 5
CONTENUS 6

UNITÉ 0 : DÉMARRAGE 8

UNITÉ 1 : AU FIL DES JOURS 13

Leçon 1

Situation : Nouvel emploi 14
Quel type d'Européen êtes-vous ? 15
Grammaire 16
Lexique / Prononciation 18
Civilisation : Pour une hôtellerie à la page ! 20
Compétences 21

Leçon 2

Situation : C'était comment avant ? 24
Tu te souviens ? 25
Grammaire 26
Lexique / Prononciation 28
Civilisation : L'enseignement en France et dans d'autres pays francophones 30
Compétences 31
BILAN 34

UNITÉ 2 : TEMPS, CONTRETEMPS 35

Leçon 3

Situation 1 : Plus de peur que de mal ! 36
Situation 2 : Racket 37
Grammaire 38
Lexique / Prononciation 40
Civilisation : C'est pour rire 42
Compétences 43

Leçon 4

Situation : Découverte de Fribourg 46
Le progrès 47
Grammaire 48
Lexique / Prononciation 50
Civilisation : Les transports au fil du siècle 52
Compétences 53
BILAN 56

PROJET 1 : DÉTENTE ! 57

UNITÉ 3 : TERRE DES HOMMES 61

Leçon 5

Sentiments… 62
Sentiments ! 63
Grammaire 64
Lexique / Prononciation 66
Civilisation : Le mariage et les traditions 68
Compétences 69

Leçon 6

Situation 1 : Radio sport 72
Situation 2 : Une enquête au salon du livre 73
Grammaire 74
Lexique / Prononciation 76

Civilisation : Pleins feux sur les festivals de cinéma 78
Compétences 79
BILAN **82**

UNITÉ 4 : PLANÈTE TECHNO **83**

Leçon 7

Situation 1 : Pour ou contre le progrès ? 84
Situation 2 : La gestion des déchets ménagers 85
Grammaire 86
Lexique / Prononciation 88
Civilisation : On en parle, ils ont dit, elles accusent 90
Compétences 91

Leçon 8

Situation 1 : Une affaire à ne pas manquer 94
Situation 2 : Conversations téléphoniques 95
Grammaire 96
Lexique / Prononciation 98
Civilisation : Concours Lépine : ingénuosité et astuce toujours 100
Compétences 101
BILAN **104**

PROJET 2 : SÉRIE NOIRE **105**

UNITÉ 5 : DANS TOUS SES ÉTATS **109**

Leçon 9

Problème de santé 110
Situation : Consultation vétérinaire 111
Grammaire 112
Lexique / Prononciation 114
Civilisation : La protection sociale en France 116
Compétences 117

Leçon 10

Faits divers 120
Situation : Interview 121
Grammaire 122
Lexique / Prononciation 124
Civilisation : La presse en France 126
Compétences 127
BILAN **130**

UNITÉ 6 : FAITS ET MERVEILLES **131**

Leçon 11

Conte du bon vieux temps 132
Grammaire 134
Lexique / Prononciation 136
Civilisation : L'heure du conte francophone 138
Compétences 139

Leçon 12

Projet 142
BILAN **149**

PRÉCIS GRAMMATICAL **150**
CONJUGAISONS **158**
TRANSCRIPTIONS **162**

✔ TOUT VA BIEN ! 2 est une méthode pour adultes et grands adolescents ayant déjà dépassé le niveau A1 (« percée » ou « découverte ») et abordé le niveau A2 (« survie ») du Cadre Commun Européen de Référence.

✔ Elle est prévue pour 130 heures de cours environ, soit de 8 à 10 heures par leçon et elle suit un découpage régulier : 6 unités de 2 leçons chacune, 6 bilans, 3 projets.

✔ Conçue pour un enseignement en groupe-classe, elle laisse une large part à l'apprentissage individualisé en autonomie, notamment grâce au *Portfolio* qui accompagne le Livre de l'élève et au Cahier d'exercices.

OBJECTIFS ET CONTENUS

TOUT VA BIEN ! 2 vise l'acquisition d'une compétence de communication d'un niveau intermédiaire. Les objectifs et contenus de la méthode ont été déterminés à partir des niveaux A2 et B1 du Cadre Européen de Référence. Ils répondent donc en particulier aux besoins langagiers –tant écrits qu'oraux– d'une personne ayant des contacts suivis avec des natifs (par exemple, au cours d'un séjour professionnel ou touristique en territoire francophone). L'apprenant pourra se situer dans son apprentissage et acquérir une autonomie progressive : une récapitulation et un bilan sont à faire après chaque unité. Il disposera aussi toutes les deux unités d'une activité spécifique qui lui permettra de *faire le point*.

COMPÉTENCES

TOUT VA BIEN ! 2 poursuit la progression amorcée au niveau débutant. La méthode propose un travail rigoureux qui porte soit sur une compétence isolée, soit sur plusieurs simultanément. Systématiquement, l'apprenant est conduit à développer ses propres stratégies de réception et de production. À ce niveau, la langue écrite devient de plus en plus importante et les médias (radio et presse) apparaissent comme des supports récurrents.

OUTILS

• **Les documents et les projets répondent à quatre critères :**
- proposer à l'apprenant des situations de communication dans lesquelles il pourra se trouver ;
- le familiariser avec les médias qui seront à sa disposition ;
- l'habituer aux registres de langue grâce à des supports authentiques ou très proches de l'authentique ;
- renforcer sa motivation et lui apporter les éléments interculturels qui faciliteront ses contacts avec des natifs.

• **Les activités, explications et exercices répondent aux critères suivants :**
- diversification en fonction du profil des apprenants ;
- progression en spirale et reprise des contenus des niveaux A1 et A2 abordés avec TOUT VA BIEN ! 1;
- variété des modes de travail : les activités de classe se font, soit avec le groupe-classe dans son ensemble, soit en petits groupes, soit individuellement.

• **Les conseils, stratégies, bilans et mises au point visent un objectif essentiel :**
- autonomisation de l'apprenant et, en particulier, auto-évaluation des compétences et du processus d'apprentissage.

• **Le *Portfolio* et le *passeport* qui accompagnent le livre servent à l'apprenant à :**
- prendre conscience de son parcours individuel par compétences ;
- attester de son profil linguistique.

TABLEAU DES CONTENUS

	COMMUNICATION	GRAMMAIRE
UNITÉ 0	▶ Prendre contact ▶ Faire connaissance et communiquer avec les membres de la classe ▶ Parler de soi (profession, goûts...)	
UNITÉ 1	▶ Rechercher des informations ▶ Introduire, soutenir une conversation ▶ Évoquer des souvenirs personnels ▶ Décrire des photos ▶ Récits autobiographiques ▶ Offres d'emploi ▶ Lettres professionnelle et amicale	▶ Pronoms interrogatifs ▶ Pronoms démonstratifs ▶ Adverbes ▶ Imparfait et plus-que-parfait ▶ Pronom relatif *dont*
UNITÉ 2	▶ Raconter, commenter des incidents ▶ Plaindre, imputer une responsabilité, s'inquiéter ▶ Messages radio et sur répondeur ▶ Conversations (tourisme) ▶ Constat d'assurance, faits divers ▶ Extrait d'encyclopédie, chanson ▶ Lettre officielle	▶ Accord du participe passé dans les temps composés ▶ Alternance passé composé, imparfait ▶ Adjectifs et pronoms indéfinis ▶ Expression du temps ▶ Futur antérieur
PROJET 1		
UNITÉ 3	▶ Marques d'expressivité et réactions d'interlocuteurs ▶ Identifier / Décrire des sensations, des états, des sentiments ▶ Donner et réfuter un avis (activités culturelles) ▶ Courrier des lecteurs ▶ Manifestations culturelles, programmes (cinéma, télévision), critiques (livres, musique, cinéma)	▶ Pronoms possessifs ▶ Subjonctif présent ▶ Alternance indicatif / subjonctif ▶ Négation
UNITÉ 4	▶ Exprimer des désirs, des souhaits ▶ Donner / Refuser des arguments ▶ Douter, se fâcher, (se) calmer, (se) justifier ▶ Vanter / Dénoncer le fonctionnement d'un appareil ▶ Messages personnels ▶ Texte de science-fiction, BD ▶ Lettre de réclamation	▶ Conditionnel présent ▶ Expression de la condition ▶ Expression de la cause ▶ Conditionnel passé ▶ Expression de l'hypothèse ▶ Expression de la conséquence
PROJET 2		
UNITÉ 5	▶ Exprimer son (dés)accord, indignation, insistance ▶ Demander / Établir un diagnostic médical ▶ Demander / Donner des explications ▶ Intervenir dans une conversation ▶ Chercher ses mots ▶ Féliciter / Accuser quelqu'un ▶ Rappeler quelque chose à quelqu'un ▶ Journal intime, lettre amicale ▶ Journaux, faits divers	▶ Expression de l'opposition et de la concession ▶ Style indirect ▶ Expression du but ▶ Forme passive
UNITÉ 6	▶ Exprimer son hésitation, son empressement, le chagrin, le découragement ▶ Registres soutenu, standart et familier	▶ Participe présent et gérondif ▶ Tournure présentative
PROJET 3		

	LEXIQUE	PRONONCIATION	CIVILISATION
U0		▶ L'alphabet phonétique international	
U1	▶ Le monde du travail : statuts, rapports, qualités, formations, carrière ▶ Le monde de l'école : jeux et activités scolaires	▶ L'accent d'insistance ▶ Voyelles : révision	▶ Caractéristiques nationales de pays francophones, clichés culturels ▶ L'enseignement en France et quelques informations sur l'éducation dans certains pays francophones
U2	▶ Incidents et accidents divers : infractions au code de la route, accidents de la route, délits, accidents et incidents domestiques ▶ Transformation des personnes, des paysages et des objets	▶ Les sons [b] / [d] / [g] ▶ Les consonnes en position finale	▶ Aperçu de l'humour francophone ▶ Les transports en France et leur évolution
P1			
U3	▶ Les sentiments et leurs manifestations : amour, joie, colère... ▶ Le monde de la culture et des médias : lecture, musique, manifestations culturelles et sportives	▶ Voyelles nasales	▶ Mariage et traditions en Francophonie ▶ Les festivals de cinéma francophones
U4	▶ Environnement et société du futur ▶ « Modes d'emploi » de produits alimentaires et d'appareils ménagers	▶ Groupes consonnantiques ▶ Semi-voyelles	▶ Protection de l'environnement ▶ Bricolage et inventions
P2			
U5	▶ Le corps et les maladies : parties du corps, maladies et accidents de santé ▶ Animaux ▶ Accidents et catastrophes : catastrophes naturelles ou engendrées par l'homme	▶ Liaisons ▶ *e* caduc	▶ Protection sociale en France ▶ Les médias : revues et journaux français
U6	▶ Lexique du récit ▶ Lexique administratif	▶ Révision des sons	▶ Contes francophones ▶ Traditions culturelles
P3			

UNITÉ

0 Démarrage

OBJECTIFS

- Prendre contact.
- Faire connaissance et communiquer avec les membres de la classe (par groupes et individuellement).
- Autoévaluer ses capacités de compréhension orale et d'expression écrite.
- Parler de soi (profession, goûts, tendances).
- Découvrir l'alphabet phonétique international.

Pour se connaître

1 Jeu. Lisez les consignes sur la page ci-contre.

Combien de personnes

Y a-t-il des personnes ?

Qui pense dans cette classe que ?

... ?

... ?

les hommes seront tous heureux ?

1) Formez quatre groupes. Chaque groupe reçoit un carton. Lisez les trois questions qui se trouvent sur le carton et répondez-y rapidement et précisément.
2) Notez les réponses de chacun des membres de votre groupe.
3) Allez poser ces trois questions aux autres étudiants de la classe et notez leurs réponses. Mais avant, lisez bien les règles du jeu données ci-dessous !

> ***Règles du jeu :***
>
> ***Temps :*** *pour poser ces questions, vous avez exactement 18 minutes (Attention ! Les autres groupes ont aussi des questions à vous poser).*
>
> ***Langue de communication :*** *en français, s'il vous plaît !*
>
> ***Déroulement :***
>
> *1) Établissez rapidement votre stratégie d'enquête : comment obtenir le maximum d'informations en très peu de temps ?*
>
> *2) Procédez à l'enquête et regroupez les réponses de tous les étudiants, par question.*
>
> *3) Nommez un porte-parole de votre petit groupe pour transmettre les résultats à l'ensemble de la classe.*
>
> *4) Vérifiez les résultats que vous allez donner parce que toute information inexacte peut être remise en question par un étudiant.*

Pour vous aider, voici quelques phrases que vous pouvez utiliser :

2 Après l'activité, interrogez-vous.

- A-t-il été difficile de parler en français ?
- Avez-vous pu parler sans vous arrêter trop souvent ?
- Pensez-vous qu'il a été facile de vous comprendre ?
- Avez-vous compris tout ce que vous avez entendu ?
- Qu'est-ce que vous avez le plus tendance à oublier : la grammaire, le lexique... ?

3 Commentez avec le groupe-classe les difficultés que vous avez rencontrées.

Randonnée dans les bois

1 Écoutez le dialogue, puis répondez aux questions.

1) Pour quelle raison Alexis et Stéphane se retrouvent-ils ?
2) De qui Alexis parle-t-il ? Pourquoi ?
3) Quelle description Alexis fait-il de cette personne ?
4) Quel est le métier de cette personne ?
5) De quoi Stéphane et Pierrick parlent-ils ?
6) Qu'est-ce que Stéphane a fait comme études ?
7) Quel a été son premier travail et que s'est-il passé ?
8) Pour quelle raison Alexis intervient-il à la fin ?

2 Retrouvez les questions qui manquent dans la transcription ci-contre, à l'aide des réponses qui y sont données et de l'enregistrement.

3 Évaluez-vous.

a) Combien de bonnes réponses avez-vous obtenues à l'activité n° 1 ?
b) Qu'est-ce qui vous a posé problème pour bien comprendre le dialogue ?
c) Avez-vous su retrouver les questions posées ? Combien ?

■ Salut, Stéphane, ça va ? Tu es prêt pour la rando ?
■ Bof. Je me suis couché tard hier et puis avec le temps qu'il fait ce matin...
■ T'inquiète pas, en principe, il ne pleuvra pas. Enfin, d'après les infos ! Tu sais qui j'ai rencontré vendredi au concert ? Pierrick ! Il vient aujourd'hui.
■ Pierrick, je ne connais pas. ... (1) ?
■ Mais si, c'est un type du club, le Breton qui vient faire de la musculation.
■ Je ne vois pas qui c'est. ... (2) ?
■ Ben, il est grand, pas très gros, tu sais, un blond frisé avec des lunettes et qui est toujours en short.
■ Oui, ça y est ! ... (3) ?
■ Oui, oui, il a trouvé les musiciens super, lui aussi. Alors après, on a pris un pot et on a discuté un peu ; eh bien tu sais ce qu'il fait comme boulot ? Il est jardinier !
■ Lui, jardinier, il a plutôt une tête de prof.
■ Oui mais c'est comme ça ! Tiens, regarde, il arrive, t'as qu'à lui demander, si tu ne me crois pas ! Salut, Pierrick, je suis en train d'expliquer à Stéphane que tu travailles comme jardinier pour la ville...
■ Ah oui ! Ça te surprend ?
■ Oui, c'est vrai mais ça m'intéresse, ma sœur veut faire ça aussi. ... (4) ?
■ À l'École des Paysages de Versailles, je lui recommande, à ta sœur, c'est bien ! Et du travail, on en trouve ! ... (5) ?
■ Moi, maintenant, je suis ingénieur mais d'abord j'ai fait des études de droit, bon, pour faire plaisir à mon père. J'ai commencé à travailler pour un avocat, j'ai pas aimé et j'ai abandonné la profession.
■ ... (6) ?
■ Mon père ? Il a assez mal réagi quand je lui ai annoncé et puis il s'est calmé, alors j'ai pu m'inscrire dans une école d'ingénieur. Voilà !
■ Pas mal ! Bon, enfin si ta sœur veut des infos sur l'école de Versailles, j'en ai.
■ Merci, c'est sympa, elle va être contente.
■ Bon, vous venez ? On va partir, vous aurez le temps de discuter en chemin.

Fiche d'identité

1 **Lisez la présentation de Fabien Florentini qui se trouve sur sa page web, puis répondez aux questions.**

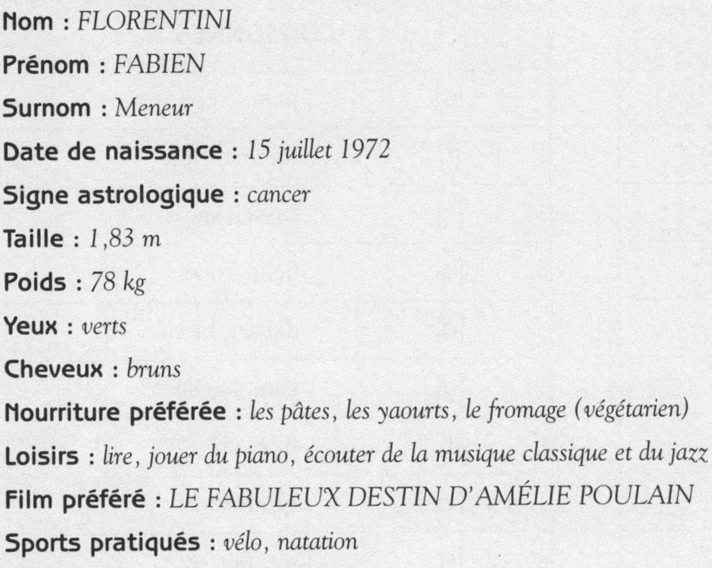

Nom : *FLORENTINI*
Prénom : *FABIEN*
Surnom : *Meneur*
Date de naissance : *15 juillet 1972*
Signe astrologique : *cancer*
Taille : *1,83 m*
Poids : *78 kg*
Yeux : *verts*
Cheveux : *bruns*
Nourriture préférée : *les pâtes, les yaourts, le fromage (végétarien)*
Loisirs : *lire, jouer du piano, écouter de la musique classique et du jazz*
Film préféré : *LE FABULEUX DESTIN D'AMÉLIE POULAIN*
Sports pratiqués : *vélo, natation*
Idoles : *Érik Satie, Daniel Auteuil*
Langues : *français, anglais, italien, allemand*

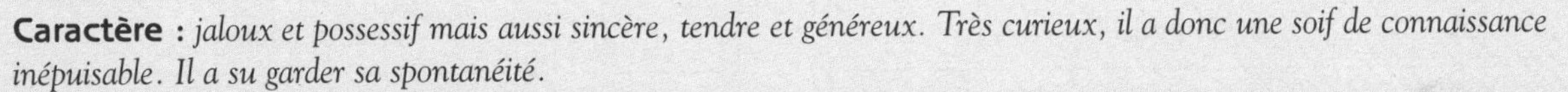

Caractère : *jaloux et possessif mais aussi sincère, tendre et généreux. Très curieux, il a donc une soif de connaissance inépuisable. Il a su garder sa spontanéité.*
Vie privée : *Jessica, sa compagne, est animatrice de radio (« Chroniques au quotidien ») à RDF. Ils ne souhaitent pas d'enfant pour le moment.*
Il adore : *le travail en équipe, le calme, mais aussi les émotions parce qu'il a besoin de contrastes pour se sentir vivant. La nature et les animaux sont l'une de ses grandes passions. Il s'entend bien avec les gens qui ont le sens de l'humour.*
Il déteste : *l'hypocrisie et les prétentieux parce qu'il en connaît beaucoup dans son métier. Il supporte mal la paresse et l'inactivité. La guerre lui semble la pire des solutions.*
Filmographie : *DE TOUT ET DE RIEN, L'HOMME QUI ALLAIT BIEN, UN ÉTÉ À BAMAKO, DES BÊTES ET DES HOMMES, DÉCHAÎNÉ, SANS CONTACT...*
Le contacter : *Polyson, 7 rue des Fosses, 75005 Paris.*

1) Décrivez la photo. Qu'apprenez-vous sur ce personnage célèbre ?
2) Quel est le métier de Fabien Florentini ? Justifiez votre réponse.
3) La description de son caractère correspond-elle aux tendances de son signe astrologique ?

2 **Et vous, quel est votre signe ? Donnez-en deux caractéristiques.**

3 **Par écrit, reprenez les rubriques de cette page web pour vous présenter au reste de la classe. Mettez une photo qui évoque votre personnalité.**

Alphabet phonétique international

L'API peut vous être utile pour trouver seuls, dans le dictionnaire, la prononciation des mots.

1 Regardez attentivement les symboles et écoutez les exemples enregistrés.

VOYELLES	
[i]	île, ville, partis
[e]	bébé, parler, et
[ɛ]	mais, serre, très
[a]	pas, là, basse
[ɔ]	homme, prof, port
[o]	mot, beau, aux
[u]	vous, doux
[y]	une, venue, dû
[ø]	jeu, bleue
[œ]	beurre, sœur
[ə]	je, le, petit
[ɛ̃]	vin, africain
[ɑ̃]	blanc, an, en
[ɔ̃]	son, non, ongle
[œ̃]	un, brun

CONSONNES	
[p]	pain, crêpe
[t]	tomber, flûte
[k]	casser, sac
[b]	belle, robe
[d]	danser, blonde
[g]	gant, bague
[f]	fille, vif
[v]	venir, rêve
[s]	sot, fausse
[z]	zoo, française
[ʃ]	chaud, cache
[ʒ]	jouer, rouge
[m]	marin, âme
[n]	nez, âne
[ɲ]	gnangnan, consigne
[l]	lune, bal
[ʀ]	rire, arrêter

SEMI-VOYELLES	
[j]	hier, lion, famille
[ɥ]	huit, suivre
[w]	oui, voiture

2 Amusez-vous à déchiffrer les messages.

1) [kɛskəsavødiʀ]
2) [nuzavɔ̃finilɛgzɛʀsis]
3) [kɔmɑ̃ɔ̃diɑ̃fʀɑ̃sɛ]
4) [typøeplesiltəplɛ]
5) [ʒəkʀwakilnjapadaksɑ̃]
6) [nunavɔ̃pakɔ̃pʀi]

UNITÉ 1

Au fil des jours

OBJECTIFS

- Communiquer en contexte professionnel, familial et amical (registres formel, standard et familier).
- Caractériser et commenter des aspects psychologiques de groupes sociaux.
- Raconter et commenter des faits et des activités passés.
- Comprendre et écrire des textes informatifs du domaine professionnel.
- Comprendre des récits autobiographiques et rédiger une lettre amicale évoquant le passé.
- Utiliser des stratégies de compréhension orale globale et des critères d'évaluation de l'expression orale.

L1 LEÇON 1

COMMUNICATION
- Rechercher des informations
- Introduire, soutenir une conversation
- Offres d'emploi
- Lettre professionnelle

GRAMMAIRE
- Pronoms interrogatifs et démonstratifs
- Adverbes

LEXIQUE
- Le monde du travail : statuts, rapports, qualités, formations, carrière

PRONONCIATION
- Accent d'insistance dans la phrase

CIVILISATION
- Caractéristiques nationales de quelques pays francophones, clichés culturels

L2 LEÇON 2

COMMUNICATION
- Évoquer des souvenirs personnels
- Décrire des photos
- Récits autobiographiques
- Lettre amicale

GRAMMAIRE
- Imparfait et plus-que-parfait
- Pronom relatif *dont*

LEXIQUE
- Le monde de l'école, des jeux et des activités scolaires

PRONONCIATION
- Voyelles : révision

CIVILISATION
- L'enseignement en France et informations sur l'éducation dans certains pays francophones

Situation > Nouvel emploi

1 **Écoutez le dialogue, puis répondez aux questions. Justifiez vos réponses.**

1) Où sont les trois personnes qui parlent ?
2) Quelles fonctions occupent-elles ?
3) De quoi et de qui Michel parle-t-il avec Nerida ?
4) Nerida et Michel vont-ils faire le même travail ?
5) Est-ce que M. Vautier veut parler avec Nerida ?
6) Pourquoi est-ce que Nerida parle des malades à M. Vautier ?
7) Que va faire Nerida avec Mme Santini ?
8) Michel et le médecin-chef parlent-ils de la même manière à Nerida ?

2 **Vérifiez vos réponses avec la transcription.**

- Bonjour ! Vous cherchez quelque chose ?
- Oui, bonjour. Je vais travailler ici, je dois commencer aujourd'hui.
- Ah, c'est toi la nouvelle ! Bienvenue dans le service. Moi, je m'appelle Michel, je suis infirmier.
- Moi, c'est Nerida, Nerida Solnyziak... Je cherche le médecin-chef.
- M. Vautier ? Eh bien justement, tu vois ce type là-bas en blouse blanche ?
- Lequel ? Il y en a deux.
- Celui de gauche, qui porte des lunettes, assez grand, l'air sérieux...
- Ah merci ! En fait, j'ai un peu le trac..., c'est mon premier emploi, et travailler dans un centre hospitalier, ce n'est pas évident.
- T'inquiète pas, tout se passera bien !
- Oui, il y a longtemps que tu travailles ici ?
- Oui, plusieurs années. Qu'est-ce que tu vas faire comme boulot ?
- Socio-esthéticienne, je vais m'occuper du physique des malades.
- C'est pas mal.

Cinq minutes plus tard...

- Ah, le chef est libre. Vite, on y va ? Monsieur Vautier ! Voil Nerida, le nouveau *premier emploi* ! Elle vous cherchait.
- Ah bonjour, très bien. Venez, justement, j'ai un moment. Je vais vous présenter d'abord à madame Santini de l'administration : vous établirez vos horaires avec elle... Ensuite, vous viendrez me voir dans mon bureau pour un court entretien.
- Oui, oui, bien sûr monsieur. Quand est-ce qu'on me présentera les malades ?
- Vous les connaîtrez aujourd'hui certainement. Ce sont surtout des personnes âgées, on leur a parlé de vous et elle vous attendent impatiemment, paraît-il. Excusez-moi, votre nom de famille, c'est... ?
- Solnyziak, Nerida Solnyziak.
- Bonjour madame Santini, comment ça va ? Je vous présente Nerida Solnyziak, c'est son premier emploi. Voye avec elle pour ses horaires. Bien, je vous laisse et je vous attends dans mon bureau dans un petit moment.
- Merci, monsieur, à tout à l'heure !

Quel type d'Européen êtes-vous ?

1 Lisez ce questionnaire, puis répondez-y (a, b ou c). Ensuite, lisez les résultats pour connaître votre profil.

Quel type d'Européen êtes-vous ?

1 Vous pensez que votre vie privée s'organise indépendamment de votre vie professionnelle ?
- **a** Non, elle s'organise en fonction de ma vie professionnelle.
- **b** Oui, c'est pour moi une priorité.
- **c** Cela dépend des périodes.

2 Votre entreprise / université vous propose d'aller travailler / suivre une formation dans un autre pays d'Europe.
- **a** J'accepte prudemment, sous certaines conditions.
- **b** Je n'ai pas envie de partir vivre à l'étranger pour le moment.
- **c** Je suis vraiment ravi(e) et j'accepte immédiatement.

3 Parmi ces pays européens, lesquels aimeriez-vous connaître en priorité ?
- **a** Ceux du Nord.
- **b** Ceux de l'Europe centrale.
- **c** Ceux de la Méditerranée.

4 Si vous partez en vacances dans un pays européen, quelle est votre attitude par rapport à la langue ?
- **a** Sur place, j'apprends les mots de base.
- **b** Je pense que j'arriverai à me faire comprendre sans parler la langue.
- **c** J'apprends quelques rudiments de la langue avant de partir.

5 Qu'est-ce que le passage à l'euro a représenté pour vous ?
- **a** Il m'a simplifié la vie.
- **b** Il m'a compliqué la vie.
- **c** Il a changé peu de choses dans ma vie.

6 Vous pensez que la disparition des frontières a plutôt...
- **a** facilité les échanges commerciaux.
- **b** permis toutes sortes de trafics.
- **c** simplifié la vie des voyageurs.

7 Qu'est-ce qui fait la richesse de l'Europe ? C'est avant tout...
- **a** le dynamisme et la capacité créative de ses entrepreneurs.
- **b** la beauté et la diversité de ses paysages.
- **c** son énorme patrimoine historique et culturel.

8 Lequel de ces hommes politiques choisissez-vous pour l'Europe ?
- **a** Celui qui a des projets d'avenir.
- **b** Celui qui est rigoureux et compétent.
- **c** Celui qui est sympathique et me comprend.

Vous avez une majorité de a :
Vous appartenez à la catégorie « Européen constructeur ». L'Europe des conquêtes économiques et commerciales vous intéresse et vous y croyez. Mais vous savez être prudent.

Vous avez une majorité de b :
Vous faites partie des « Européens touristes ». Vous appréciez l'Europe pour voyager. L'Union Européenne ne vous laisse pas indifférent, mais à distance. Vous êtes du genre pragmatique et réservé.

Vous avez une majorité de c :
Votre catégorie est celle des « Européens humanistes ». Vos intérêts vont à l'Europe des hommes. Vous êtes tolérant et plutôt idéaliste mais vous savez passer à l'action.

2 Êtes-vous d'accord avec les résultats du test ? Commentez-les avec le groupe-classe.

Les adverbes

L'adverbe est un mot **invariable** qui peut être complément :
– d'un verbe : *Vous les connaîtrez aujourd'hui.*
– d'un adjectif : *Je suis vraiment ravi.*
– d'un autre adverbe : *Très bien, venez.*

Attention ! Ne confondez pas :
Sa voiture est rapide (adj.), elle roule vite (adv.).
C'est un bon (adj.) chirurgien, il opère bien (adv.).

À QUOI ÇA SERT ?

- À donner des précisions sur :
  – le lieu : *ici, là-bas, dedans, dehors...*
  – le temps : *après, parfois, ensuite, souvent...*
  – la manière : *bien, mal, vite, lentement...*
  – la quantité : *beaucoup, trop, peu, assez...*
- À donner son opinion : *oui, si, non, probablement, peut-être, aussi, mieux...*

FORMATION DES ADVERBES EN *-MENT*

ADJECTIF	ADVERBE	ADJECTIF	ADVERBE
rapide nécessaire	rapidement nécessairement	prudent [ɑ̃] indépendant [ɑ̃]	prudemment [a] indépendamment [a]
immédiat → immédiate doux → douce heureux → heureuse	immédiatement doucement heureusement	Attention ! gentiment / vraiment / poliment	

PLACE DES ADVERBES

Observez les phrases ci-contre. Quelle est la place de l'adverbe avec un adjectif, avec un adverbe, avec des verbes aux temps simples ?

Philippe parle peu, il est très timide avec les gens qu'il ne connaît pas.
Lorraine voyage très peu en Europe pour son travail, mais elle va souvent en Asie.

1 Formez des adverbes à partir des adjectifs ci-dessous, puis utilisez-les pour faire des phrases.
fréquent / sérieux / franc / méchant / confus / difficile / naïf / violent / sage / chaleureux

Les pronoms interrogatifs

Observez ce tableau et repérez les nouvelles formes qui vous sont inconnues.

Pour interroger		+ formel →		– formel
à propos d'une personne	Sujet	**Qui** cherche le directeur ?	**Qui est-ce qui** cherche le directeur ?	
	C.O.D.	**Qui** cherches-tu ?	**Qui est-ce que** tu cherches ?	Tu cherches **qui** ?
à propos d'une chose	Sujet		**Qu'est-ce qui** fait la richesse de l'Europe ?	
	C.O.D.	**Que** ferez-vous ?	**Qu'est-ce que** vous ferez ?	Vous ferez **quoi** ?

Observez ces phrases.
Tu vois ce type en blouse blanche ?
*–**Lequel** ? Il y en a deux.*

	MASCULIN	FÉMININ
SINGULIER	**lequel**	**laquelle**
PLURIEL	**lesquels**	**lesquelles**

Attention à la prononciation ! À l'oral, il n'y a que trois formes différentes. Lesquelles ?

À QUOI ÇA SERT ?

- À faire préciser ou à interroger sur un choix.

2 Trouvez les questions.

1) Un croque-monsieur. J'ai faim !
2) Son frère. Elle le cherche partout.
3) Oh, non, je ne suis pas fatigué.
4) Un livre pour mon mari.

3 Quel pronom allez-vous choisir ? Complétez.

1) Il hésite entre deux musées. ... visitera-t-il ?
2) Deux voitures te plaisent. ... choisis-tu ?
3) Mon fiancé va m'offrir des fleurs. Il choisira ... ?
4) Elle aime porter des gants. ... va-t-elle mettre ?

Les pronoms démonstratifs

Observez ces phrases.
Quels pays européens aimeriez-vous connaître ?
a) Ceux du Nord.
b) Ceux de l'Europe centrale.
c) Ceux de la Méditerranée.

Quel mot remplace le pronom *ceux* ?

Observez le tableau.

	MASCULIN	FÉMININ
SINGULIER	celui	celle
PLURIEL	ceux	celles

- Les pronoms démonstratifs sont toujours accompagnés :
  - **d'un adverbe :** *Quelle secrétaire aura le poste ?* ***Celle-ci*** *ou* ***celle-là*** *?*
  - **d'une proposition relative :** *Le directeur ? C'est* ***celui qui*** *porte des lunettes.*
  - **de la préposition *de* suivie d'un nom :** *Je n'ai pas de vélo, c'est* ***celui de*** *ma mère.*

Attention à la prononciation !
À l'oral, il n'y a que trois formes différentes. Lesquelles ?

À QUOI ÇA SERT ?

- À désigner des objets ou des personnes présents dans la situation : *–C'est qui l'administrateur ? –**Celui-là**.*
- À éviter des répétitions : *Quel homme politique je choisis pour l'Europe ?* ***Celui qui*** *a des projets d'avenir.*

Il existe aussi un pronom démonstratif neutre :

ce (c')	ceci / cela (ça)
+ verbe *être* : ***C'est*** *toi la nouvelle ?* **+ pronom relatif :** *Il lui demande* ***ce qu'****elle pense des malades.* *Il critique tout* ***ce qui*** *l'intéresse.*	***Ceci*** **et** ***cela*** **annoncent ou reprennent quelque chose :** *Vous allez taper* ***ceci*** *: Monsieur le directeur...* *Il est passé à la télé,* ***cela (ça)*** *l'a rendu célèbre.*

Réfléchissez et comparez.
Combien de pronoms démonstratifs avez-vous dans votre langue maternelle ? Est-ce que vous disposez aussi d'un démonstratif neutre ? Qu'est-ce qui détermine le choix d'une forme ou d'une autre en français ?

4 De quoi parlent-ils ? Écoutez et cochez la bonne réponse.

1) a) d'une roulotte — b) d'une voiture — c) d'un camion
2) a) d'un programme de télé — b) d'une pièce de théâtre — c) d'un concert
3) a) de plusieurs CD — b) de romans — c) de chansons
4) a) d'un appartement — b) de fromages — c) de plages

5 Complétez les phrases suivantes avec un pronom démonstratif.

1) La voiture qui est garée devant chez moi est ... de mon frère.
2) Je ne peux pas toujours faire ... que tu désires !
3) Les enfants que je vais garder demain sont ... de la voisine.
4) Ne crois pas tout ... qu'on te dit !

Le monde du travail

1 Voici les différentes pièces du puzzle *Le monde du travail*. Utilisez les éléments nécessaires pour présenter votre situation professionnelle ou celle d'une personne de votre choix.

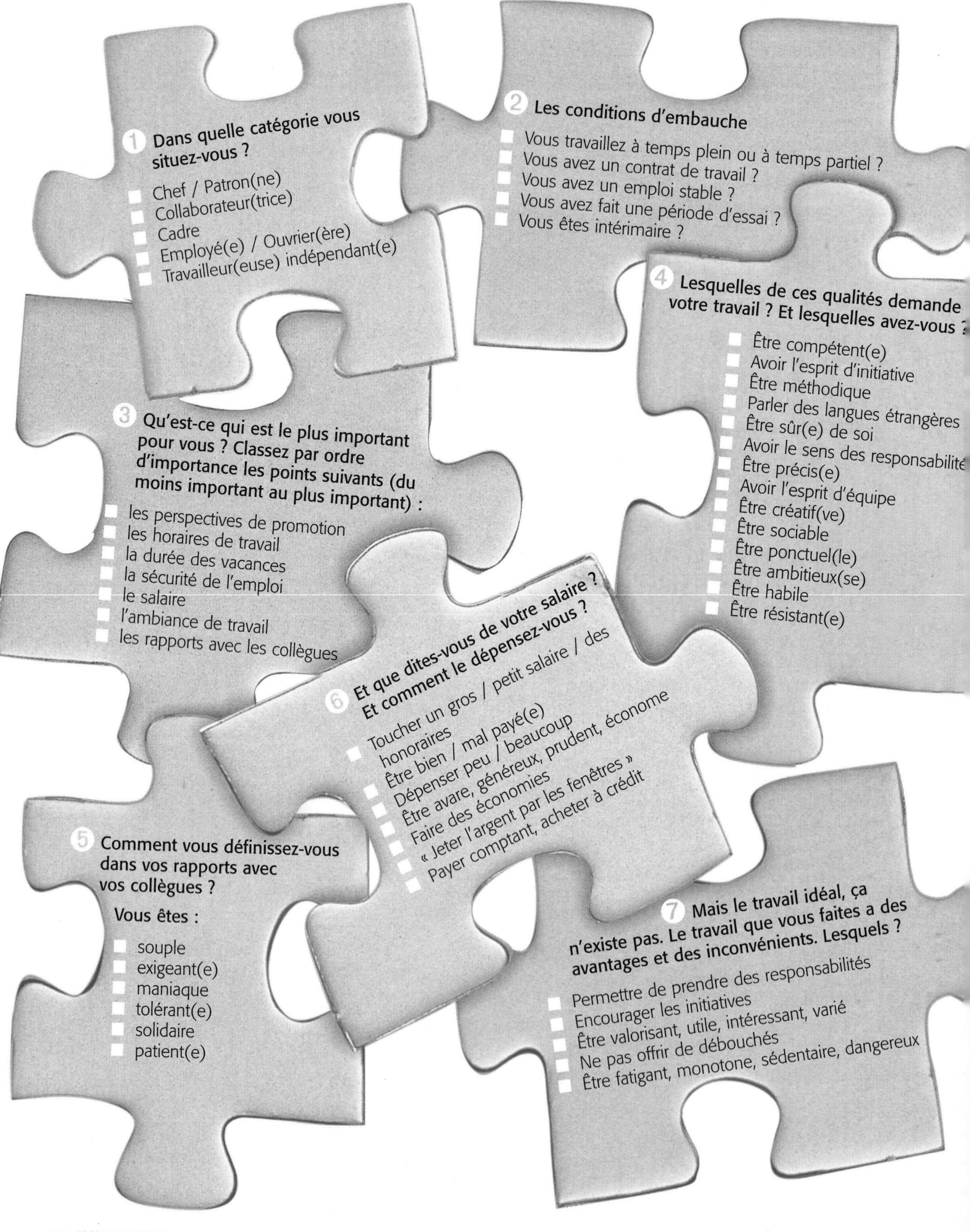

2 Voici trois professions. Utilisez le vocabulaire de la page ci-contre pour présenter ces métiers.

L'ACCENT D'INSISTANCE

1 Indiquez pour chaque série de phrases celle qui est prononcée en premier lieu (1), en deuxième lieu (2) et en troisième lieu (3).

1) a) Pierre vient ici ? b) Pierre, viens ici ! c) Pierre vient ici.
2) a) Il arrive demain ! b) Il arrive demain ? c) Il arrive demain.
3) a) Elles l'ont reconnu ? b) Elles l'ont reconnu. c) Elles l'ont reconnu !

2 Écoutez et comparez chaque série de phrases.

3 Écoutez les phrases suivantes. Quel est le mot qui est mis en relief ?

1) Ils ne veulent jamais venir dîner à la maison.
2) Julien est vraiment très radin.
3) Moi, je n'ai pas envie de le connaître.
4) Son père a dépensé 300 euros cette semaine.
5) Tu pourras aller là-bas après.

4 Réécoutez les phrases de l'exercice précédent et répétez-les d'après le modèle.

L'avenir du chat, Philippe Geluck © CASTERMAN, S.A.

Pour une hôtellerie à la page !

Le service formation d'une grande chaîne hôtelière francophone, *La Nouvelle Marianne*, a édité, dans le cadre de stages organisés pour son personnel, une brochure qui présente les particularités et signes distinctifs de plusieurs nationalités. Voici les caractéristiques qui concernent les Belges, les Suisses et les Canadiens.

NM La Nouvelle Marianne **/ 17**

	Traits de personnalité et comportement	Opinions sur la France et les Français
Belges	Leur sens du réalisme et leur sens pratique sont remarquables, en particulier dans leur manière de travailler. Ils aiment s'amuser. Salut : ils serrent fréquemment la main.	*Ce qu'ils préfèrent de la France :* la bonne table, la bonne vie, la diversité de sa cuisine régionale, la chaleur et le bord de mer. *Ce qu'ils pensent des Français :* ils aiment beaucoup parler et "bien" vivre ; ils sont très fiers de leur pays, souvent contents d'eux et parfois chauvins.
Suisses	Très tranquilles, ils ont le sens de l'organisation et de la coordination. Ils sont toujours à l'heure ; sens écologique très développé. Salut : ils serrent fréquemment la main.	*Ce qu'ils préfèrent de la France :* son climat, son soleil ; sa diversité gastronomique, géographique, culturelle, sa politesse. *Ce qu'ils pensent des Français :* chaleureux, passionnés, contents d'eux, méditerranéens, ne parlant souvent que le français.
Canadiens	Aiment la fête, se lient très facilement même s'ils tiennent à leur indépendance. Grand souci pour l'écologie. Ils ont une manière d'être très naturelle et directe. Salut : ils serrent rarement la main.	*Ce qu'ils préfèrent de la France :* sa diversité géographique, gastronomique, culturelle ; sa situation au cœur de l'Europe. Pour les Québécois, la communauté linguistique. *Ce qu'ils pensent des Français :* se sentent de la même famille et en France, se sentent comme chez eux.

1 Quelles sont les ressemblances et les différences entre les Belges, les Suisses et les Canadiens qui sont présentées ici ?

2 Est-ce que ces trois nationalités francophones ont, d'après cette présentation, la même vision de la France et des Français ?

3 Quelles caractéristiques donnez-vous à votre nationalité ? Et quelle image des Français vous faites-vous ?

4 Pensez-vous que l'image que l'on se fait des caractéristiques d'un peuple est vraiment fiable ou pensez-vous qu'il s'agit de clichés ?

Écouter

1 Écoutez cet extrait de l'émission de radio *Devinettes*.

2 Dites si les phrases ci-dessous sont vraies ou fausses. Justifiez vos réponses.

1) C'est une émission qui a lieu tout au long de l'année.
2) Sonia est plus jeune que Loïc et Karim.
3) Cette émission n'est pas différente de celle des autres jours.
4) Les définitions concernent seulement des personnes.
5) Un candidat doit répondre correctement à trois devinettes pour gagner un prix.
6) Florine a 10 ans.

3 Quelles sont, pour chaque personne, les caractéristiques que les enfants ont données ? Comparez vos réponses avec celles de votre voisin(e).

Réfléchissons !
Comment faites-vous pour comprendre de manière globale un document enregistré ?

- Je regarde le(s) dessin(s) qui illustre(nt) la situation avant de l'écouter.
- J'écoute les bruits pour deviner où on est et ce qui se passe.
- J'écoute les voix pour savoir combien de personnages il y a et de quel sexe ils sont.
- J'écoute les voix pour deviner les caractéristiques physiques et psychologiques de chaque personnage.
- Je me pose les questions QUI, OÙ, QUAND, QUOI, POURQUOI.
- Je répertorie le nombre d'informations données dans le document.
- Je répertorie les informations données dans le document en fonction de leur nature.
- Je note les mots ou parties de phrases que je comprends.
- Je fais des interprétations à partir des mots transparents (qui ressemblent à des mots de ma langue maternelle).
- Je transpose mon expérience de situations similaires dans ma langue maternelle pour interpréter les informations qui me sont données.

Utilisez-vous d'autres procédés ? Lesquels ? Pourquoi ?

Commentez rapidement avec les autres membres du groupe les stratégies que vous préférez.

Lire

Offres d'emploi

❶ *Stagiaire assistant ressources humaines*

Andal est un groupe de communication multidisciplinaire, composé de 300 collaborateurs et implanté dans 5 pays européens. Profil souhaité : vous êtes dynamique, ouvert(e) et organisé(e). Vous souhaitez acquérir une première expérience professionnelle solide.

Profil requis : Bac + 4, Bac + 5 et plus.

Anglais courant.

Contactez Odette Linux, 12 rue Mons, 75020 Paris

Tél : 01.42.61.11.07 Télécopie : 01.42.30.12.14

❷ Assistante juridique

Description : Bac +2 / +3

Connaissance juridique exigée

Rédaction de procès-verbaux

Prise en charge de sinistres

Lieu : Paris
Langue : français
Salaire Brut : 1600 € mensuels
Contact : Dominique Leturc,
12 rue Argent, 75012 Paris
Téléphone : 01 43 36 12 15

❸ Garçon de salle

Restaurant Triplein, cuisine traditionnelle.
Salaire selon expérience et qualification.
Avantages complémentaires : logé et nourri
Contact : Virginie Dollon,
17 rue Montparnasse, 75014 Paris
Téléphone : 0145 61 36 42
Télécopie : 01 45 71 34 21

❹ *Acheteur électronique*

Au sein d'un service de 8 personnes, vous êtes chargé(e) des achats de pièces électromécaniques. Vous êtes exigeant(e) en matière de coûts, qualité et délais. Vous élaborez la politique d'achats. Vous avez une formation BAC +2 électrotechnique / électronique, complétée par une expérience industrielle significative et vous maîtrisez l'anglais.

Si vous souhaitez rejoindre un milieu professionnel stimulant, adressez votre dossier de candidature à

André Lement, 14 rue Pigalle, 75009 Paris

❺ AGENCE DE CONCEPTION GRAPHIQUE REC. :

Secrétaire polyvalent(e). Maîtrise Windows et Internet.
Autonomie souhaitée. 3 ans exp. mini. Salaire brut mensuel 35 h 1409 €.
Env. CV + LM + photo à :

Pireau, 25 rue des célibataires, 75019 Paris.

1 Profil du candidat. Dans quelle(s) offre(s) d'emploi demande-t-on...

1) des qualités personnelles précises ? Lesquelles ?
2) une formation professionnelle précise ?
3) une expérience professionnelle préalable ?
4) des langues étrangères ?

2 Présentation de l'entreprise. Quelle(s) offre(s) d'emploi donne(nt) des informations sur l'entreprise ?

3 Conditions de travail. Quelle(s) offre(s) d'emploi mentionne(nt)...

1) un salaire ?
2) des tâches concrètes ? Lesquelles ?
3) des informations complémentaires ? Lesquelles ?

Écrire

Sélectionnez une offre d'emploi qui vous intéresse. Écrivez une lettre de motivation pour accompagner votre CV (curriculum vitae). Aidez-vous de la lettre ci-dessous.

Mónica López
C/ Huelva, 85
08027 Barcelona

Barcelone, le 12 avril 2004

M. et Mme Vochard
22, rue Paul-Valéry
80080 Amiens

Madame, Monsieur,

Âgée de 21 ans, je fais des études universitaires pour devenir professeur de français langue étrangère. Je recherche un emploi de jeune fille au pair en France pour un an car je souhaite perfectionner mon niveau de langue.
Votre annonce, parue dans la revue « Échanges », m'intéresse beaucoup : j'adore m'occuper d'enfants et j'ai travaillé comme monitrice tous les étés dans ma ville natale. J'aimerais savoir plus précisément en quoi consiste le travail que vous proposez, le nombre d'heures par semaine et s'il est possible de suivre des cours de français dans votre ville. Je suis libre dès le 1er juillet et pourrais commencer à partir de cette date.
Dans l'attente de vos nouvelles, je vous prie d'agréer, Madame, Monsieur, mes respectueuses salutations.

Mónica López

expressions pour...

Retrouvez dans la leçon les expressions pour :

- Accueillir quelqu'un.
- Faire préciser / Préciser.
- Parler de son travail.
- Donner une appréciation.
- Rassurer.
- Exprimer la peur.
- Caractériser.
- Féliciter.

Parler

1 Renseignements.

Par groupes de 2, jouez la scène. Un nouveau collègue / étudiant arrive dans votre entreprise / école. Il vous demande des renseignements sur l'établissement, les horaires, le chef...

2 Métiers.

Par groupes de 2, jouez la scène. Interviewez votre voisin(e) sur son travail : horaires, aspects positifs et négatifs, tâches, responsabilités, et notez ses réponses. Ensuite, préparez un monologue pour présenter son métier et, avec le groupe-classe, commentez le panorama de vos professions.

3 Devinettes.

Préparez des définitions par groupes de 4 ou 5. Puis faites-les deviner au reste du groupe-classe.
Vous pouvez décrire...
- petit(e) ami(e), mari / femme, fiancé(e)...
- grand-père, mère, belle-mère...
- maire, homme politique...

Situation > C'était comment avant ?

- Dis papi, c'était comment quand t'étais petit ?
- Quand j'étais petit ?
- Oui, quand t'étais grand comme moi, qu'est-ce que tu faisais ?
- Oh ben, c'était pas du tout comme maintenant, tu sais... Il n'y avait pas la télé à la maison, par exemple.
- T'avais pas la télé ?
- Non, elle existait déjà mais on ne l'avait pas à la ferme... Tu sais, je t'ai raconté que je vivais dans une ferme, à la campagne, avec mes parents... La télé, c'était un luxe à l'époque !
- Et alors, qu'est-ce que tu faisais le soir après l'école ?
- Oh, on s'amusait bien ! Ce dont je me souviens le plus c'est qu'avec les petits voisins, on jouait tous ensemble ; et puis on avait des vaches, un cheval, trois chiens et j'avais un vélo que papa m'avait acheté pour mes sept ans et dont les pneus étaient complètement usés... On était toujours dehors sauf quand il pleuvait...
- Et le dimanche ?
- Quand j'avais bien travaillé pendant la semaine, j'allais avec mon père ramasser des champignons et plus tard, même, chasser des lièvres.
- Et pendant les vacances ?
- Pendant les vacances ? Oh... Eh ben, je partais presque tous les ans en colonie de vacances, au mois de juillet ; sinon, je restais à la ferme... Mais on ne s'ennuyait pas, tu sais... On grimpait aux arbres, on se baignait dans la rivière, et puis j'adorais les pique-niques ! On allait aussi aux fêtes des villages et en septembre, on faisait les vendanges...
- C'était mieux que maintenant ?
- Je ne sais pas si c'était mieux ; c'était différent... La vie était dure aussi, tu sais... Allez, viens, on parle, on parle et mamie nous attend. Elle a préparé ton gâteau préféré !
- Le mercredi, c'est super : pas d'école l'après-midi, papi vient me chercher et mamie me fait des gâteaux !

1  **Écoutez l'enregistrement, puis répondez aux questions. Justifiez vos réponses.**

1) Qui sont les personnages ? Où sont-ils ? Que font-ils ? Quand ? Pourquoi ?
2) De quoi parle le grand-père de Benjamin ? Pourquoi en parle-t-il ?
3) Quelles étaient les activités du grand-père le soir après la classe, le dimanche et pendant les vacances ?
4) Pensez-vous que Benjamin a les mêmes activités de loisirs ?
5) Est-ce que Benjamin aime être avec ses grands-parents ?

2 **Vérifiez vos réponses avec la transcription.**

Tu te souviens ?

–C'est vrai que tu te souviens pas de moi ?
–Non, c'est pas vrai.
–Tu t'en souviens ?
–Oui.
–Tu te souviens de quoi ?
–Je me souviens que t'avais dix ans, que tu mesurais 1 mètre 29, que tu pesais 26 kilos et que t'avais eu les oreillons l'année d'avant, je m'en souviens de la visite médicale. Je me souviens que t'habitais à Choisy-Le-Roi et à l'époque ça m'aurait coûté 42 francs de venir te voir en train. Je me souviens que ta mère s'appelait Catherine et ton père Jacques. Je me souviens que t'avais une tortue d'eau qui s'appelait Candy et ta meilleure copine avait un cochon d'Inde qui s'appelait Anthony. Je me souviens que tu avais un maillot de bain vert avec des étoiles blanches et ta mère t'avait même fait un peignoir avec ton nom brodé dessus. Je me souviens que tu avais pleuré un matin parce qu'il n'y avait pas de lettres pour toi. Je me souviens que tu t'étais collé des paillettes sur les joues le soir de la boum et qu'avec Rébecca, vous aviez fait un spectacle sur la musique de *Grease*...
–Oh là là, mais c'est pas croyable la mémoire que t'as !!!

Anna Gavalda. *J'aimerais que quelqu'un m'attende quelque part.*

Anna Gavalda
Je voudrais que quelqu'un m'attende quelque part

« Quand j'arrive à la gare de l'Est, j'espère toujours secrètement qu'il y aura quelqu'un pour m'attendre. C'est con. J'ai beau savoir que ma mère est encore au boulot à cette heure-là et que Marc n'est pas du genre à traverser la banlieue pour porter mon sac, j'ai toujours cet espoir débile. »

Les personnages de ces douze nouvelles sont pleins d'espoirs futiles, ou de désespoir grave. Ils ne cherchent pas à changer le monde. Quoi qu'il leur arrive, ils n'ont rien à prouver. Ils ne sont pas héroïques. Simplement humains. On les croise tous les jours sans leur prêter attention, sans se rendre compte de la charge d'émotion qu'ils transportent et que révèle tout à coup la plume si juste d'Anna Gavalda. En pointant sur eux ce projecteur, elle éclaire par ricochet nos propres existences.

Anna Gavalda
est née en 1970 en région parisienne, où elle vit toujours. Je voudrais que quelqu'un m'attende quelque part, *qui fut l'un des titres événements de la rentrée 1999 avec plus de 200 000 ventes, est son premier livre publié.*

Texte intégral

9 782290 311783
Illustration de couverture : © Pix
J00970 ISBN 2-290-31178-2
Catégorie G

1 **Lisez le texte en haut, à gauche, puis imaginez les réponses aux questions suivantes.**

1) Qui est la personne qui raconte ses souvenirs et à qui les raconte-t-elle ?
2) Quand et pourquoi se produit cette conversation ?
3) À quel moment de leur vie se sont connues ces deux personnes et dans quelles circonstances ?
4) Quelles activités avaient-elles en commun ?
5) Se connaissaient-elles bien ?
6) Quel sentiment les unissait autrefois ?
7) Quels sentiments éprouvent-elles maintenant en se racontant ces souvenirs ?

2 **Préparez la lecture de ce texte à haute voix. Efforcez-vous d'exprimer les émotions des deux interlocuteurs et de lire sans trop vous arrêter en prononçant le plus correctement possible.**

L'imparfait

Rappelez-vous : L'imparfait permet de présenter l'action comme étant en train de se dérouler dans le passé.

À QUOI ÇA SERT ?

- À décrire une situation dans le passé : *C'était différent. La vie était dure aussi.*
- À évoquer des habitudes passées : *Je partais presque tous les ans en colonie de vacances.*

Attention à la prononciation !

À l'oral, il n'existe que trois terminaisons différentes : *-ais, -ait, -aient* se prononcent de la même façon.

FORMATION

L'imparfait se forme à partir du radical de la 1re personne du pluriel au présent de l'indicatif suivi des terminaisons suivantes : *-ais, -ais, -ait, -ions, -iez, -aient.*

FAIRE	PARTIR
je fais**ais** tu fais**ais** il/elle/on fais**ait** nous fais**ions** vous fais**iez** ils/elles fais**aient**	je part**ais** tu part**ais** il/elle/on part**ait** nous part**ions** vous part**iez** ils/elles part**aient**

Exception pour le verbe *être* : *j'étais.*

1 Complétez le texte en mettant les verbes entre parenthèses à l'imparfait.

Il ... (être) midi. Il ... (faire) chaud. Les gens ... (marcher) vite. J' ... (être) fatiguée et ... (avoir) très envie de rentrer chez moi. Paul ... (marcher) à côté de moi. Nous ... (ne pas parler). Nous ... (n'avoir plus rien) à nous dire. Notre histoire d'amour ... (s'achever).

2 Dites quelle est, pour chacune des phrases suivantes, la valeur de l'imparfait : description ou habitude.

a) L'année dernière, elle venait me voir tous les soirs.
b) Il pleuvait beaucoup, les rues étaient désertes.
c) Ils partaient tous les ans en août.
d) Les enfants nous regardaient, l'air très surpris.
e) Quand j'étais jeune, je sortais beaucoup plus que maintenant.
f) La nuit était noire, pas une étoile ne brillait.

Le plus-que-parfait

Observez le passage suivant.

Je me souviens que t'avais six ans [...] et que ***tu avais eu*** *les oreillons l'année d'avant. [...] Je me souviens que* ***tu t'étais collé*** *des paillettes sur les joues le soir de la boum et qu'avec Rébecca,* ***vous aviez fait*** *un spectacle sur la musique de* Grease...

FORMATION

Le plus-que-parfait se forme avec un auxiliaire (*avoir* ou *être*) à l'imparfait + le participe passé du verbe conjugué.

PARLER	PARTIR
j'avais parlé tu avais parlé il/elle/on avait parlé nous avions parlé vous aviez parlé ils/elles avaient parlé	j'étais parti(e) tu étais parti(e) il/elle/on était parti(e)(s) nous étions parti(e)s vous étiez parti(e)(s) ils/elles étaient parti(e)s

À QUOI ÇA SERT ?

- À marquer l'antériorité par rapport à un verbe à l'imparfait :
  J'avais un vélo que papa m'avait acheté quand j'avais sept ans.
  Quand j'avais bien travaillé pendant la semaine, j'allais avec mon père ramasser des champignons [...]
- À marquer l'antériorité par rapport à un verbe au passé composé :
  Mamie a préparé un gâteau, comme elle te l'avait promis.

3 **Conjuguez les verbes entre parenthèses à l'imparfait ou au plus-que-parfait.**

1) J' ... (être) très fier du vélo que mon père ... (acheter). Il ... (être) vieux mais je l'... (repeindre).
2) L'après-midi, quand nous ... (terminer) nos devoirs, nous ... (aller) jouer avec nos amis. Ma mère nous ... (appeler) quand elle ... (finir) de préparer le dîner.
3) Ma sœur ... (sortir) avec un jeune homme qu'elle ... (connaître) chez des amis. Il ... (être) belge mais il ... (vivre) en Espagne jusqu'a l'âge de 20 ans.
4) Ma grand-mère nous ... (préparer) des sandwiches avec le pain qu'elle ... (faire).
5) Ma mère ... (passer) ses vacances à la campagne, dans la maison où ... (grandir) son père.
6) En été, nous ... (faire) une promenade quand nous ... (finir) de dîner.

Le pronom relatif *dont*

Rappelez-vous les pronoms relatifs *qui, que, où* :
*La femme **qui** est venue est ma mère.*
*La femme **que** tu vois est ma mère.*
*La maison **où** il habite est grande.*

Observez ces phrases.

*J'avais un vélo. Les pneus **de ce vélo** étaient usés.* → *J'avais un vélo **dont** les pneus étaient usés.*

- Le pronom relatif *dont* remplace des substantifs précédés de la préposition *de*. Le substantif remplacé peut être complément...
  - d'un nom : *J'avais un ami dont le frère jouait dans la fanfare municipale.* (le frère de mon ami)
  - d'un verbe : *La chose dont je me souviens le plus est qu'on jouait tous ensemble.* (se souvenir de quelque chose)
  - d'un adjectif : *Mon père n'aimait pas du tout le garçon dont ma sœur était amoureuse.* (être amoureux(se) de quelqu'un)

4 **Reliez les phrases suivantes à l'aide du pronom *dont*.**

1) J'ai une nouvelle voiture. Je suis très content de cette nouvelle voiture.
2) Elle a enfin trouvé une jupe. Elle rêvait de cette jupe.
3) Voilà les clés. Tu avais besoin de ces clés.
4) Il a obtenu une très bonne note. Il est très fier de cette note.
5) J'avais une fiancée. Le père de ma fiancée était instituteur.
6) Il va me présenter une fille. Il m'a montré une photo de cette fille.
7) Elle est amoureuse de Vladislas. La mère de Vladislas est polonaise.
8) Il m'a parlé de son professeur de yoga. La femme de ce professeur de yoga travaille avec moi.
9) Nous sommes descendus dans un hôtel. Rémi nous avait parlé de cet hôtel.
10) J'ai oublié le titre du film. Tu m'as parlé de ce film.
11) Nous avions des voisins très sympas. Le père de ces voisins était un célèbre journaliste.
12) Je n'aime pas ce quartier. Les rues de ce quartier sont très larges.

5 **Terminez les phrases suivantes.**

1) Jean Reno est un acteur dont...
2) Nous avons appris un jeu dont...
3) *Indochine* est un film dont...
4) J'ai rencontré Laure, la fille dont...
5) Ils vont finalement s'acheter la voiture dont...
6) La religion est un sujet dont...
7) Ce sont les enfants dont...
8) J'ai lu le livre dont...
9) Cette actrice a joué dans le film dont...
10) J'ai visité le musée dont...
11) Ils m'ont raconté l'histoire de cette personne dont...
12) J'ai revu cette voisine dont...

À l'école

GRANDE JOURNÉE PORTES OUVERTES À L'ÉCOLE PIERRE ET MARIE CURIE

Nous, les enfants de l'école primaire, nous vous invitons à connaître notre école, le samedi 9 juin toute la journée pour...

▶ **rencontrer :**
- ✦ l'instituteur (l'instit)
- ✦ le maître
- ✦ le surveillant
- ✦ les élèves
- ✦ et le *chouchou*

▶ **visiter :**
- ✦ les classes
- ✦ la cantine
- ✦ la garderie
- ✦ la cour de récréation
- ✦ notre coin potager

▶ **découvrir nos activités...**

en classe :
- ✦ comment le maître nous apprend à lire
- ✦ les matières qu'on étudie
- ✦ les chansons et les récitations qu'on sait déjà
- ✦ nos dessins sur les murs
- ✦ les activités manuelles qu'on fait

en dehors de la classe :
- ✦ l'animation en garderie
- ✦ le carnaval
- ✦ la classe de neige
- ✦ la classe verte ou classe nature
- ✦ les rencontres sportives avec les autres écoles

et pendant la récré, on joue :
- ✦ à la marelle
- ✦ à la corde
- ✦ à la balle au prisonnier
- ✦ à cache-cache
- ✦ aux billes

Pour finir sur un jeu, notre charade...

Mon premier est un moyen de transport
Mon deuxième est un meuble de salle à manger
Mon tout sert à l'écolier pour transporter ses livres, sa trousse et ses cahiers

À la maison, on fait les devoirs et on joue...

- à la poupée
- à la dînette
- aux petites voitures
- au mécano
- à se déguiser

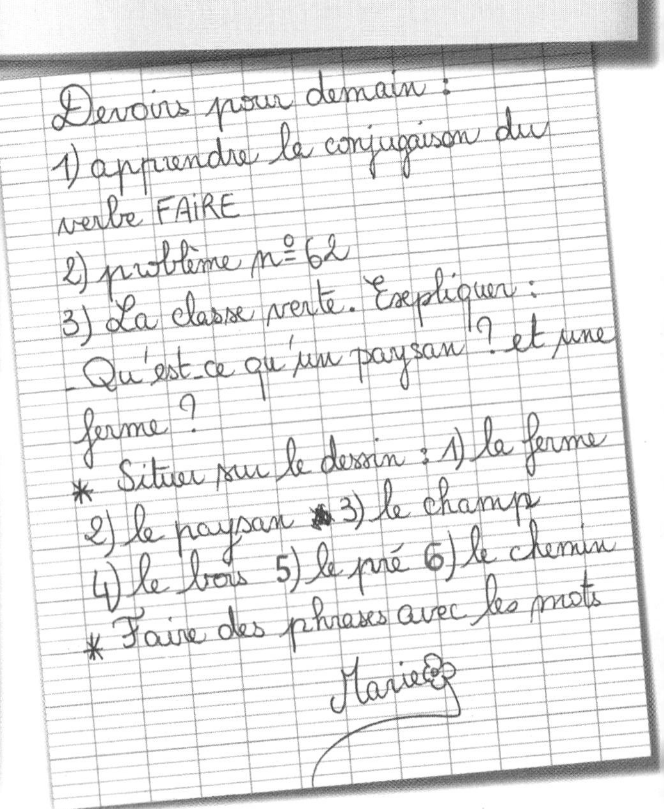
Devoirs pour demain :
1) apprendre la conjugaison du verbe FAIRE
2) problème n° 62
3) La classe verte. Expliquer :
_ Qu'est-ce qu'un paysan ? et une ferme ?
* Situer sur le dessin : 1) la ferme 2) le paysan 3) le champ 4) le bois 5) le pré 6) le chemin
* Faire des phrases avec les mots
Marie

1 Lisez la page ci-contre. Vos souvenirs d'école primaire sont liés à qui ? À quoi ? À quel endroit ?

2 Quelles matières avez-vous étudiées à l'école primaire ? Quelles activités extra-scolaires avez-vous faites ?

3 Quels sont, à la récré, les jeux préférés des filles ? Et ceux des garçons ?

4 Avez-vous trouvé la solution de la charade ? Les devoirs de Marie, savez-vous les faire ? Essayez !

LP LES VOYELLES : RÉVISION

1 Comment prononcez-vous les mots suivants ? Entraînez-vous avant l'écoute.

a) pot - pont - pote - peau
b) lit - loupe - lu - loup
c) l'orage - la rage - l'arrache - l'orange
d) avis - habite - avise - habit
e) port - pur - porte - père

2 Écoutez l'enregistrement et soulignez dans les séries ci-dessus le mot que vous entendez.

3 Écoutez l'enregistrement, puis lisez à haute voix les mots de l'exercice n° 1.

4 Vous allez entendre cinq séries de trois phrases. Pour chaque série, indiquez la phrase qui est différente.

	a	b	c	d	e
1)					
2)					
3)					

1. Quelques informations sur l'enseignement en France et dans d'autres pays francophones

SAVEZ-VOUS QUE :
La scolarisation obligatoire va, dans presque tous les pays francophones, de 6 à 16 ans.

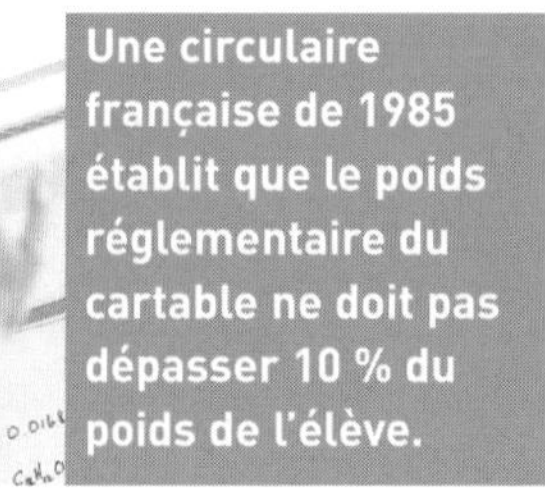

Une circulaire française de 1985 établit que le poids réglementaire du cartable ne doit pas dépasser 10 % du poids de l'élève.

EN FRANCE, L'ÂGE MOYEN DE FIN DES ÉTUDES ÉTAIT EN 1998 DE 18 ANS.

QUAND LES ÉPREUVES DU BAC, QUI SONT LES MÊMES PARTOUT, COMMENCENT À 8 HEURES DU MATIN À PARIS, IL EST 8 HEURES DU SOIR EN NOUVELLE-CALÉDONIE.

La durée des vacances scolaires varie considérablement d'un pays francophone à un autre. Par exemple, en Belgique elle est de 182 jours et en France, elle est de 117 jours.

Le pourcentage de bacheliers est :
en Belgique de 85%
en France de 75%
en Suisse de 88%

En France, l'enseignement obligatoire peut être donné dans des établissements publics, privés (religieux ou non) ou dans la famille elle-même, sur déclaration au maire et à l'inspecteur de l'académie.

2. Les structures générales de l'enseignement en France

ENSEIGNEMENT PRÉ-ÉLÉMENTAIRE **3 - 5/6 ans**	▶ **École maternelle**	3 sections	**ENSEIGNEMENT SUPÉRIEUR**
ENSEIGNEMENT PRIMAIRE **6 - 10/11 ans**	▶ **Cours élémentaire**	3 cycles	▶ **Écoles spécialisées** Diplômes d'écoles spécialisées
ENSEIGNEMENT SECONDAIRE **11 - 14/15 ans**	▶ **Collège** Diplôme de fin d'études : -le brevet des collèges	De la 6e à la 3^{e}	
15 - 17/18 ans	▶ **Lycée** Diplômes de fin d'études : -le Baccalauréat -le Baccalauréat technique	De la 2nde à la Terminale	▶ **Lycées professionnels** BTS (brevet de technicien supérieur) Diplômes des grandes Écoles...
	▶ **Lycée professionnel** Diplômes de fin d'études : -le C.A.P. (certificat d'aptitude professionnelle) -le B.E.P. (brevet d'enseignement professionnel)	2 années	▶ **Universités** Licences, maîtrises, doctorats et diplômes de docteurs...

1 Le système éducatif de votre pays ressemble-t-il à celui de la France ?

2 Que pensez-vous des informations qui sont présentées sur cette page ? Lesquelles vous semblent les plus anecdotiques ? Les plus surprenantes ?

expressions pour...

Retrouvez dans la leçon les expressions pour...

- Évoquer des souvenirs.
- Comparer le présent et le passé.
- Situer dans un temps passé.
- Manifester sa joie, son enthousiasme.
- Demander de confirmer.

Parler

1 Enfance.

Choisissez une photo de vous enfant. Préparez un court récit sur vous à cette époque, en suivant comme modèle la présentation de l'écrivain Marc Lambron, ci-dessous.

> « C'était dans la Nièvre, pas très loin du jardin de mon grand-père maternel. J'allais chez lui passer un mois de vacances d'été. Je dois avoir 3 ans, mais je garde le souvenir d'un très vieux monde, et du boulanger qui passait avec sa voiture le matin. Je pose devant l'Ariane de mon père, et avec mes manches bouffantes, mes chaussettes blanches, mon ballon très pop art, et mes oreilles décollées, j'ai l'air malin ! Je me souviens de mon enfance comme d'une bulle enchantée. La France sortait de la guerre, elle était marquée par la mort, le poids des veuves, et mes parents, comme tous ceux qui avaient vécu cette période, voulaient avant tout le bonheur pour leurs enfants. Faire de chacun d'eux un petit roi, un magicien d'Oz... Derrière cette photo, il y a tout cela. »
>
> Marc Lambron, *Jardins d'enfance*
> © Le Cherche Midi

a) Utilisez les points qu'il a abordés pour faire votre présentation.
b) Maintenant, réunissez toutes vos photos et essayez de deviner qui est qui. Quand vous avez été reconnu, faites votre présentation oralement.
c) Après avoir écouté une présentation, notez-la de 1 à 3 (1 = - ; 3 = +). Aidez-vous de la grille d'évaluation ci-dessous.

Évaluation globale	1) L'apprenant a un discours compréhensible et bien organisé ? 2) Il est capable de dire l'essentiel de ce qu'il veut dire ?	... / 3
Vocabulaire	1) L'apprenant possède un vocabulaire suffisant pour s'exprimer ? 2) Il utilise des mots qui permettent de relier les énoncés ?	... / 3
Grammaire	1) L'apprenant communique avec une correction suffisante ? 2) Il utilise des structures grammaticales adéquates ?	... / 3
Prononciation	1) L'apprenant prononce de façon intelligible même s'il a un accent étranger ? 2) Son intonation est adéquate ?	... / 3

2 Souvenirs.

Quels sont vos souvenirs liés à l'école primaire, au collège, au lycée, à l'université... ?
Quels instituteurs, professeurs, copains, activités, jeux... vous rappelez-vous ?

3 La campagne.

Quels sont vos souvenirs de séjours à la campagne ? Comparez la campagne d'autrefois à celle de maintenant.

Écouter

1 Écoutez le dialogue, puis dites quelle est la bonne réponse.

1) Combien de personnes entendez-vous parler ?
a) un homme et trois femmes.
b) deux hommes et trois femmes.
c) trois hommes et trois femmes.

2) Ces personnes...
a) ont travaillé dans la même école.
b) ont étudié dans la même école et se sont toutes perdues de vue.
c) ont étudié dans la même école et certaines sont restées en contact.

3) Loïc...
a) avait une âme d'organisateur mais il a beaucoup changé.
b) avait une âme d'organisateur et il est resté le même.
c) n'est pas présent aux retrouvailles.

4) Latif et Chloé évoquent...
a) une exposition où il y avait des vaches et des poissons.
b) des souvenirs d'activités scolaires.
c) des souvenirs d'activités de loisirs.

5) Latif...
a) aimait en secret son institutrice.
b) était amoureux de son institutrice et Chloé le savait.
c) réveille la jalousie de Chloé par sa révélation.

6) Stéphanie...
a) est absente parce qu'on ne l'a pas prévenue.
b) n'est pas là mais elle a pris contact avec tout le monde.
c) s'est excusée de ne pas être là car elle habite très loin.

7) Elle transmet...
a) des félicitations à tout le monde.
b) un grand bonjour à tous les assistants et les embrasse.
c) des félicitations à ceux qui ont eu un prix artistique et une médaille de natation.

Le CV

Adrien Romain demande un poste d'assistant de conversation de français dans un pays hispanophone. Lisez son CV ci-dessous.

ROMAIN
Adrien
Français
Né le 12 juin 1978 (24 ans)
à Arles (France)
Célibataire
Adresse permanente : 5, rue des Allées, 84000 Avignon (FRANCE)
Téléphone personnel : 00 34 4 90 58 32 04

Formation

Maîtrise d'espagnol à Avignon juin 2001
Licence (espagnol), Paris IV, Sorbonne juin 2000

Langues pratiquées

Langue maternelle : français
Langues étrangères :
- Espagnol : très bon niveau (universitaire et professionnel)
- Anglais : courant
- Italien : notions

Expérience professionnelle

Soutien scolaire à cinq adolescents d'origine espagnole 1998-2001

Divers

Moniteur de colonies de vacances 1996-2002
Sports : natation, gymnastique
Intérêts : littérature, peinture

1 Quelles sont les différentes parties du CV ?

2 L'ordre des parties vous semble-t-il fixe pour tout CV ? Pourquoi ?

3 Dans quel ordre sont présentées les informations à l'intérieur de chaque partie ?

Écrire

À votre tour, écrivez votre CV pour accompagner la lettre de motivation que vous avez faite dans la leçon précédente.

U1 BILAN LANGUE

GRAMMAIRE

1 Choisissez la bonne réponse.

1) Quand j'étais petite, je ... des mensonges.
a) disais b) disait c) avais dit
2) Je ne comprends pas ... que tu veux dire.
a) ce b) ça c) cela
3) ... veux-tu faire demain matin ?
a) Qui b) Que c) Quoi
4) Ils sont toujours en retard, mais avant, ils ... à l'heure.
a) était b) sont arrivés c) arrivaient
5) La stagiaire ? C'est ... qui est en noir.
a) ceux b) celui c) celle
6) C'est un beau garçon ... je suis amoureuse.
a) qui b) dont c) que
7) Écoute-moi, je te parle ... .
a) sérieusement b) sérieux c) heureux
8) Jean et moi, on ... l'habitude d'aller dans ce café.
a) avions b) avait c) avaient
9) Regarde ces deux tableaux, ... tu préfères ?
a) lequel b) laquelle c) quel
10) J'ai un copain dont ... frère est prof de judo.
a) son b) ce c) le
11) ... tu vas faire cet après-midi ?
a) Est-ce que b) Qu'est-ce que c) Que
12) Je suis ... heureuse de vous voir !
a) mal b) beaucoup c) très
13) Nadine habitait Montmartre parce que ses parents ... un studio bon marché.
a) avaient trouvé b) trouvaient c) trouveront
14) Quel village avez-vous envie de revoir ? ... mon enfance.
a) Celui-ci b) Celui que c) Celui de
15) ... je ... vais ... au cinéma avec mes voisins.
a) Souvent / - /- b) - / souvent / - c) - / - / souvent

LEXIQUE

2 Placez les mots suivants dans le texte ci-dessous. Attention, 6 mots sont en trop.

devoirs - touche - campagne - cantine apprendre - conditions de travail - esprit d'équipe - champs - faire des économies récréation - rivière - habile - esprit d'initiative - horaires de travail - résistant paysans - valorisant - marelle - ferme garderie - payer comptant

Le père : « Pour ma fille, la journée d'école est longue car elle mange à la ... (1). Elle aime les travaux manuels et elle est très ... (2). Son jeu préféré dans la cour de ... (3), c'est la ... (4). Le soir, ma femme et moi nous l'aidons à faire ses ... (5). »
La fille : « Mon père est entraîneur de football, il dit que l'important pour un joueur, c'est d'avoir l'... (6) et d'être ... (7). Il trouve que les ... (8) sont bonnes. Il ... (9) un bon salaire mais, pour l'instant, il ne veut pas m'acheter de vélo car il dit qu'il faut ... (10) pour acheter une maison. »
La maîtresse : « L'objectif des classes vertes est double : faire découvrir aux enfants la vie à la ... (11) et leur ... (12) à respecter la nature. Les activités d'observation vont dans ce sens ; un groupe part en promenade et au retour, il doit expliquer ce qu'il a vu : des vaches dans un pré, des ... (13), etc. L'autre groupe prépare des questions à poser à des ... (14) sur leur travail et sur la vie dans une ... (15) »

PRONONCIATION

3 Indiquez si les phrases suivantes correspondent à l'enregistrement.

		Oui	Non
a)	Elle l'a laissé sous le pont.		
b)	J'ai fini à l'heure ?		
c)	Il n'a pas envie de le rencontrer.		
d)	Elle me l'a dit !		
e)	Il a peint l'orage.		
f)	Ils s'aiment beaucoup.		

U1 BILAN COMMUNICATION : PORTFOLIO PAGE 5

UNITÉ

2 Temps, contretemps

OBJECTIFS

- Communiquer dans des contextes privé, officiel et touristique (registres standard et familier).
- Interroger sur la nature, les caractéristiques et l'évolution de personnes, de lieux et d'objets. Répondre au même type de questions.
- Exposer ses goûts, ses préférences sur des lieux ou des activités.
- Donner des explications sur des faits, des activités, des comportements et des opinions.
- Comprendre et écrire des textes explicatifs et argumentatifs : domaines administratif et personnel.
- Réfléchir à des stratégies de compensation à l'oral et de compréhension de textes à l'écrit.
- Élaborer son profil d'apprenant et faire le point sur son apprentissage.

L3 LEÇON 3

COMMUNICATION	GRAMMAIRE	LEXIQUE	PRONONCIATION	CIVILISATION
▸ Raconter, commenter des incidents ▸ Plaindre, imputer une responsabilité, s'inquiéter ▸ Constat d'accident ▸ Faits divers	▸ Accord du participe passé dans les temps composés ▸ Alternance passé composé, imparfait ▸ Adjectifs et pronoms indéfinis	▸ Incidents et accidents divers	▸ [b], [d], [g]	▸ Aperçu de l'humour francophone

L4 LEÇON 4

COMMUNICATION	GRAMMAIRE	LEXIQUE	PRONONCIATION	CIVILISATION
▸ Messages radio, sur répondeur ▸ Conversations (tourisme) ▸ Extrait d'encyclopédie ▸ Chanson ▸ Lettre officielle	▸ Expression du temps ▸ Futur antérieur	▸ Transformation des personnes, paysages et objets	▸ Les consonnes en position finale	▸ Les transports en France et leur évolution

Situation 1 > Plus de peur que de mal !

- C'est toi, Marianne ?
- Oui, c'est moi.
- Mais qu'est-ce qu'il t'est arrivé ?
- Ben, comme tu peux voir, un petit accident...
- T'es pas blessée, au moins ?
- Non j'ai rien, t'inquiète pas. Bon, je t'explique : j'arrivais au carrefour en mobylette, j'allais tout droit, une voiture m'a doublée, elle a tourné à droite tout à coup, sans mettre le clignotant et voilà : j'ai freiné pour l'éviter, mais c'était trop tard.
- Et alors, elle t'a renversée ?
- Oui, je suis tombée sur le côté. J'ai eu de la chance, rien de cassé mais tu as vu mon jean, il est tout déchiré.
- Oh là là, ma petite Marianne, tu es sûre que tout va bien ? Il y avait des gens ?
- Oui, plusieurs m'ont aidée à me relever, un autre s'est occupé de la mobylette.
- Et la bagnole ?
- Le conducteur s'est garé. Infect, le type. Il a commencé par dire que j'étais dans mon tort.
- Personne n'a réagi ?
- Si, un témoin est intervenu, moi j'étais un peu choquée.
- Et le conducteur, qu'est-ce qu'il a dit ?
- Il criait que la place des femmes est à la maison. Quelqu'un a dû prévenir la police, cinq minutes après, elle était là.
- Je suppose que ça l'a calmé.
- Ça oui ! On a pu faire le constat, les flics voulaient voir nos papiers, on les a donnés. Un couple a accepté d'être témoin.
- C'est sympa !
- Oui, des gens adorables ! Après ça, ils m'ont offert un pot, on a parlé, ça allait mieux, alors ils m'ont accompagnée jusqu'au garage pour laisser la mobylette.
- Ah oui, la mobylette ! Elle est dans quel état ?
- Rien de très grave mais bon, il faut la réparer ! Et c'est le conducteur qui paiera, enfin, son assurance. C'est une bonne chose !

1 Écoutez l'enregistrement, puis répondez aux questions. Justifiez vos réponses.

1) Qu'est-il arrivé à Marianne ? Est-ce grave ?
2) Que s'est-il passé exactement ? Qu'ont fait le conducteur de la voiture et Marianne ?
3) Comment a réagi le conducteur ? Et les gens ?
4) Qu'ont fait la police, Marianne et le conducteur ?
5) Qui a aidé Marianne et comment ?
6) Que se passe-t-il pour la mobylette ? Qui va payer ?

2 Vérifiez vos réponses avec la transcription.

3 Donnez l'équivalent en français standard des mots suivants : *le type, les flics, la bagnole, un pot.*

Situation 2 > Racket

1 **Écoutez l'enregistrement, puis lisez le fait divers tel qu'il a été publié dans deux journaux différents. Quelle est la version fidèle à l'incident ?**

a) **Interpellation**

P.R., jeune récidiviste de 15 ans, a été interpellé hier, en fin de matinée, devant une école primaire du 6e arrondissement dont il rackettait les élèves. Accusé de vols de baskets et de blousons, il a été conduit au commissariat de police où il a été interrogé, puis remis en liberté.

b) **Interpellation**

Nouvelle interpellation d'un jeune ! P.R. menaçait et rackettait depuis 15 jours déjà des élèves d'une école primaire du 6e arrondissement. Des parents ayant porté plainte contre lui, il a été interpellé hier, en début d'après-midi, par la police qui l'a interrogé.

2 Comment Pierrot explique-t-il...

a) sa présence dans le 6e arrondissement et devant l'école primaire ?

b) la présence de montres et de portables sur lui ?

c) sa fuite devant les policiers ?

3 **Réécoutez l'enregistrement.**

Relevez, dans le dialogue, six mots de la langue familière et donnez leur équivalent en français standard.

4 **Comparez la transcription du dialogue et son enregistrement : quelles différences remarquez-vous en ce qui concerne la manière de parler de Pierrot ?**

■ Alors Pierrot, raconte, qu'est-ce que tu faisais à 2 heures de l'après-midi, dans le 6e, si tu habites dans le 20e ?
■ Rien, je vous jure, rien du tout. Je me baladais... J'ai le droit !
■ Ah, tu te promenais, mais explique-moi un peu, tu ne travailles pas, tu n'as rien à faire l'après-midi ?
■ Non, en ce moment, justement, je cherche du boulot !
■ Ah bon ! tu cherches du travail... devant une école ?
■ Mais je passais... c'est mon chemin... j'allais chercher un pote, au métro Odéon... je vous assure...
■ Et dis-moi... comment se fait-il que tu avais ces trois montres dans tes poches ?
■ Je sais pas ; je comprends pas. C'est pas moi qui les ai mises... Quelqu'un a dû me les passer...
■ Quelqu'un ? Qui, par exemple ?... Tu étais tout seul !
■ Je sais pas, moi... J'ai rien vu... C'est pas de ma faute !
■ Et les portables ? Quelqu'un te les avait donnés aussi ?
■ Je sais pas, je vous dis ! Je comprends pas pourquoi ils étaient dans mon sac.
■ Écoute, arrête de dire des bêtises... Tout le monde vous a remarqués, toi et deux copains, je te dis... depuis 15 jours, des parents vous ont vus en train de rôder autour de l'école, d'aborder et de racketter des gamins... plusieurs ont porté plainte... Alors, avoue, ça vaut mieux pour toi...
■ Mais non, mais c'est pas vrai... j'ai rien fait !
■ Et pourquoi tu t'es mis à courir quand les policiers ont voulu t'interpeller, si tu n'avais rien fait ?
■ Mais j'ai pas compris que c'étaient des flics, moi ! Il y en avait trois, des costauds alors, j'ai eu peur, quand ils ont couru après moi, j'ai cru qu'ils voulaient m'attaquer...
■ Peur, peur... je te plains moi... un type qui menace des gamins de 10 ans ! Tu as 18 ans et déjà deux arrestations pour vol. C'est bien ça ?
■ Mais puisque je vous dis que j'ai rien fait !

L'accord du participe passé

Rappelez-vous la formation des temps composés.

Verbes qui se conjuguent avec l'auxiliaire *être* :	Verbes qui se conjuguent avec l'auxiliaire *avoir* :
Marianne ne s'est pas blessée. *Le conducteur s'est garé.*	*Les policiers ont voulu l'interpeller.* *Ils m'ont offert un pot.*
L'accord du participe passé avec le sujet est obligatoire.	On ne fait pas l'accord entre le participe passé et le sujet.

Observez ces phrases.

Et les portables, quelqu'un te les avait donnés ?
Et ces montres, qui les a mises dans tes poches ?

- Pour les verbes qui se conjuguent avec l'auxiliaire *avoir*, le participe passé s'accorde (en genre et en nombre) avec le C.O.D. quand le complément précède le verbe.
- Quels C.O.D. peuvent se placer devant le verbe ?

– Les pronoms personnels *me, te, la, nous, vous, les* : *La voiture **t'**a renversée ?*
– Le pronom relatif *que* : *Les témoins* ***que*** *la police a interrogés m'ont offert un pot.*

Attention à la prononciation !

Comment prononcez-vous le féminin des participes passés ci-dessous ?

[e] : donné / aidé / arrêté
[y] : vu / voulu / eu
[i] : mis / pris / réuni / choisi / dit / écrit
[ɛʀ] : ouvert / couvert
[ɛ̃] : peint / craint / atteint
[ɛ] : fait
[ɔ] : mort
[wɛ̃] : joint

1 Complétez les terminaisons si nécessaire.

1) Les nouvelles que j'ai entendu... à la radio ce matin ne sont pas bonnes.
2) Je lui ai prêté... un disque il y a deux mois et il ne me l'a pas encore rendu.
3) Qu'est-ce qui se passe entre ta mère et toi ? Tu l'as regardé... d'un air bizarre.
4) La pièce de théâtre qu'il a écrit... a gagné... un prix important.
5) L'exposition de Botero ? Nous l'avons visité... la semaine dernière.
6) Les enfants que j'ai gardé... hier soir sont mes neveux.
7) Elle nous a envoyé... une carte postale de Montréal.
8) La fille qu'il a rencontré... au mariage lui a beaucoup plu.

2 Lisez les phrases ci-dessous et imaginez de qui ou de quoi on parle.

1) Il l'a écrite en anglais.
2) Je l'ai prise à Cuba.
3) Tu les a offertes à ta mère ?
4) Je les ai achetées en solde.
5) Je l'ai vue trop tard.
6) Nous les avons choisis pour toi.
7) Vous l'avez peint en gris.
8) Il les a emmenés au zoo.

3 Lisez ce poème de Jacques Prévert. Observez les participes passés et commentez les accords.

LE MESSAGE

La porte que quelqu'un a ouverte
La porte que quelqu'un a refermée
La chaise où quelqu'un s'est assis
Le chat que quelqu'un a caressé
Le fruit que quelqu'un a mordu
La lettre que quelqu'un a lue
La chaise que quelqu'un a renversée
La porte que quelqu'un a ouverte
La route où quelqu'un court encore
Le bois que quelqu'un traverse
La rivière où quelqu'un se jette
L'hôpital où quelqu'un est mort

Jacques Prévert, *Paroles* © Editions GALLIMARD

L'alternance passé composé / imparfait

Regardez ces dessins et observez les temps verbaux utilisés.

J'étais un peu choquée.

Un homme est intervenu.

Quand on raconte une histoire au passé, le passé composé et l'imparfait sont deux temps complémentaires.

PASSÉ COMPOSÉ	IMPARFAIT
Il sert à présenter l'action comme un événement, un fait ponctuel qui s'est produit à un moment précis du passé.	Il sert à décrire « le décor » d'un événement particulier, la situation, les circonstances.

4 Mettez le texte suivant au passé.

Il fait beau. Il y a beaucoup de gens dans les rues. Je décide d'aller me promener au bois de Vincennes. Je téléphone à Richard et je lui demande s'il veut m'accompagner. Il est trop fatigué, il a envie de se reposer. Je sors de la maison et je prends le métro à Odéon. Les rames sont vides, la climatisation ne marche pas. J'ai très chaud.

Adjectifs et pronoms indéfinis

Observez ces phrases.

Des parents vous ont vus. ***Plusieurs*** *ont porté plainte.*
Quelques *passants sont intervenus en ma faveur.*
Tout *le monde vous a remarqués, toi et deux copains.*
Personne *n'a réagi ?*
La porte que ***quelqu'un*** *a ouverte.*

	ADJECTIFS INDÉFINIS + NOM	PRONOMS INDÉFINIS
La quantité imprécise	plusieurs quelques certain(e)s aucun } + nom	plusieurs, certain(e)s quelque chose, quelqu'un, quelques-un(e)s personne, rien, aucun
La ressemblance	la même, le même, les mêmes*	la même, le même, les mêmes*
La différence	un(e) autre, d'autres, l'autre, les autres*	un(e) autre, d'autres, l'autre, les autres*
L'individualité	chaque	chacun(e)
La totalité	**tout le, toute la, tous les, toutes les	tout, tous, toutes

* Les adjectifs et pronoms qui indiquent la ressemblance et la différence sont toujours précédés d'un article.
** Les adjectifs indiquant la totalité sont toujours suivis d'un article.

5 Complétez les phrases suivantes à l'aide d'un adjectif ou d'un pronom indéfini.

1) ... parents vous ont vus. ... ont porté plainte.
2) Un passant m'a aidée à me relever, ... a appelé la police.
3) ... fois que je prends la mobylette, j'ai ... problème : il n'y a plus d'essence.
4) –Je n'ai pas entendu, tu as dit ... ? –Non, monsieur le commissaire, je n'ai ... dit.
5) ... t'avait donné ces portables ? –Non, monsieur le commissaire, ...
6) Le suspect a passé ... la soirée au commissariat de police.

Catastrophes et délits

1 **Donnez-vous la même importance à ces infractions au code de la route ? Lesquelles estimez-vous les plus dangereuses ?**

a) Brûler un feu rouge.
b) Refuser la priorité à droite.
c) Doubler sur une ligne blanche.
d) Tourner sans clignotant.
e) Prendre un sens interdit.
f) Se garer en double file.

La conséquence de ces infractions : avoir une amende, un PV.

2 **Accidents de la route. Avez-vous déjà été témoin d'un accident ? Que s'est-il passé ?**

Heurter un piéton, une moto.
Renverser un cycliste.
Être blessé.
Faire un constat.
Être dans son tort / dans son droit.

3 **Délits et intervenants. Avez-vous déjà été victime d'un délit, vous ou une personne de votre entourage ? Lequel ? Y a-t-il eu des suites ?**

un vol
un racket
un cambriolage
un délinquant : un cambrioleur, un racketteur...
un commissaire
un juge d'instruction
une victime

ACCIDENTS DOMESTIQUES

Vous êtes rentré(e) chez vous sain(e) et sauf(ve). Mais quels dangers peuvent vous guetter à la maison ?

4 **Observez ces dessins, puis associez-les avec les incidents / accidents domestiques ci-dessous. Puis reliez chaque incident / accident à une des solutions proposées (plusieurs solutions sont possibles).**

1) Brûler un plat ou un vêtement.
2) Casser la vaisselle.
3) Faire déborder la baignoire.
4) Se couper.
5) Se taper sur le doigt avec un marteau.
6) Tomber d'une chaise.
7) Laisser déborder le lait.
8) Provoquer un court-circuit.

a) Éponger l'eau par terre.
b) Appliquer une pommade contre les contusions.
c) Nettoyer la cuisinière.
d) Réparer la chaise.
e) Brancher l'électricité.
f) Jeter à la poubelle.
g) Mettre un pansement.

5 **Répondez aux questions suivantes.**

a) Les solutions proposées dans l'exercice précédent correspondent-elles à votre façon de faire ? En avez-vous d'autres à proposer ? Lesquelles ?
b) Quels autres petits accidents vous sont déjà arrivés ? Qu'avez-vous fait alors ? Racontez-en un à votre voisin(e).
c) Y a-t-il des petits accidents domestiques qui vous ont fait rire ? Et celui-ci, le trouvez-vous drôle ? Connaissez-vous un inventeur comme Gaston Lagaffe ?

[b], [d], [g]

Rappelez-vous ces mots de la leçon : *tu habites, l'après-midi, du boulot, des bêtises, des gamins.*

1 **Lisez les paires de mots suivants, puis écoutez l'enregistrement.**

a) pierre - bière
b) potée - beauté
c) parage - barrage
d) toit - doigt
e) tousse - douce
f) tête - dette
g) cacher - gâcher
h) quand - gant
i) coûte - goutte

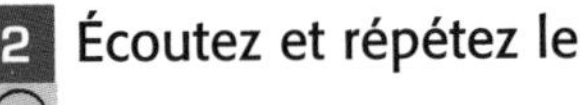

2 **Écoutez et répétez les séries de mots.**

3 **Écoutez et répétez les phrases enregistrées.**

4 **Complétez les mots suivants à l'aide des lettres suivantes : « b », « d », « g ».**

1) _ on _ on
2) can _ i _ at
3) _ e _ out
4) é _ aux
5) jam _ on
6) ma _ asin
7) mé _ iter
8) ri _ eau
9) va _ a _ ond

C'est pour rire

LE DICTON DU JOUR

« Mieux vaut rire comme une baleine que pleurer comme une madeleine. »

UNE PERLE D'UNE COMPAGNIE D'ASSURANCE

« Je conduisais depuis trente-huit ans quand je me suis endormi au volant »

UN PROVERBE AFRICAIN

« Celui qui rame dans le sens du courant fait rire le crocodile. »

HUMOUR FRANÇAIS

- Pourquoi les Français enlèvent toujours leurs lunettes quand ils font un alcootest ?
- Parce que ça fait toujours deux verres en moins.

HUMOUR SUISSE

Deux Suisses se promènent. Tout à coup, il y en a un qui se retourne et qui écrase un escargot : « Il m'énervait celui-là ! Ça fait une demi-heure qu'il me suit. »

HUMOUR BELGE

Un Belge qui veut vérifier ses clignotants demande à sa femme :
-Chérie, est-ce que mes clignotants fonctionnent à l'arrière ?
Il met en route les clignotants et entend sa femme répondre :
-Oui ! Non ! Oui ! Non ! Oui ! Non !

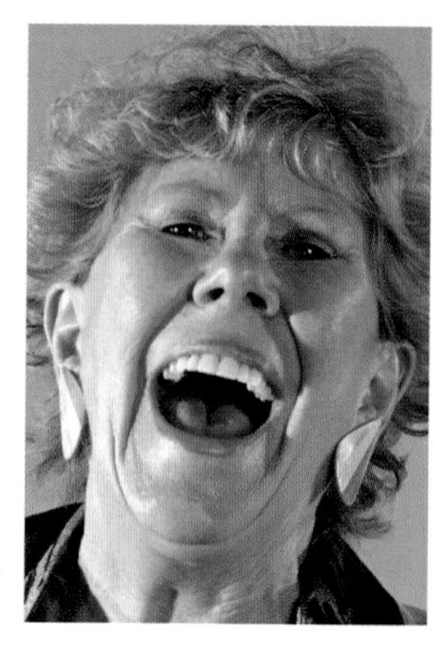

HUMOUR QUÉBÉCOIS

À la clinique, un médecin examine un malade qui a eu une fracture de la jambe droite.
-Parfait, tout se remet bien, lui dit le praticien, vous pourrez danser le rock.
-Docteur, c'est vraiment un miracle !
-Pourquoi donc ?
-Eh bien, parce qu'avant mon accident, je ne savais pas danser !

HUMOUR TUNISIEN

Quatre copains vont au camping. Il y a un Tunisien, un Français, un Anglais et un Américain. L'Américain dit : « Moi, je rapporterai la tente. » Le Français dit : « Moi, je ramènerai les ustensiles de cuisine. » L'Anglais dit : « Moi, je rapporterai la bouffe. » et le Tunisien dit : « Moi, je ramènerai mon copain. »

DANS LA COUR DE RÉCRÉ

Trois amis ont des noms bizarres. L'un s'appelle Fou, le deuxième Rien et le dernier Personne. Un jour, Personne tombe à l'eau. Rien qui l'a vu dit à Fou d'appeler la police. Fou appelle le commissariat et dit : « Allô ! bonjour, je suis Fou, j'appelle pour Rien, Personne est tombé à l'eau ! »

A votre avis, ce type d'humour est basé sur des jeux de mots ? Sur l'absurde ? Sur une critique d'un individu ou d'un groupe social ? Si oui, quel est le trait de caractère qui est critiqué ?

expressions pour...

Retrouvez dans la leçon des expressions pour :

- Demander de raconter / Raconter des incidents et des anecdotes.
- Demander de donner des précisions sur un événement.
- Demander / Donner la confirmation d'un fait
- Commenter des faits.
- Exprimer son ignorance ou sa connaissance d'un fait.
- Refuser / Imputer à quelqu'un la responsabilité d'un fait.
- Manifester de l'inquiétude / Dire de ne pas s'inquiéter.

1 Contretemps.

Vous êtes parti(e) en vacances dans un pays étranger. Vous avez eu un contretemps au cours de ce voyage : des papiers volés ou perdus, un incident de transport, des problèmes pour vous faire comprendre dans une langue étrangère... Racontez à votre voisin(e).

Réfléchissons !
Pendant une conversation en français, s'il vous arrive de ne pas connaître un mot dont vous avez besoin, que faites-vous ?

- J'utilise une expression qui me permet de gagner du temps et de trouver une solution comme par exemple : *Euh... ; Je ne sais pas, moi ; Comment dirais-je...*
- J'utilise un mot plus simple et approximatif, par exemple *machine* pour *magnétophone.*
- J'explique ce que le mot veut dire.
- Je fais un dessin sur un papier.
- Je francise le mot de ma langue maternelle.
- Je fais des mimiques pour me faire comprendre.
- J'utilise un mot vide comme *chose* ou *truc.*
- J'utilise des mots de ma langue maternelle.

Commentez vos réponses avec le groupe-classe. Dans les situations suivantes, utilisez les stratégies que vous venez de commenter.

2 Interrogatoire.

Par groupes de 2, jouez la scène. Votre copain / copine, petit(e) ami(e), mari / femme... arrive très en retard à votre rendez-vous. Il / Elle vous donne une explication invraisemblable / incroyable. Vous l'interrogez pour connaître la vérité.

3 Panne de voiture.

Par groupes de 2, jouez la scène. Agnès téléphone à Suzanne pour lui expliquer qu'elle a eu une panne de voiture et qu'elle ne peut pas arriver le jour prévu. Mais elle tombe sur son petit ami André. Elle lui explique ce qui lui est arrivé.

Écrire

1 Vous avez eu un accident et vous devez utiliser la feuille de constat amiable pour votre assurance. Voici la version en français de ce document. À partir du croquis, racontez brièvement ce qui vous est arrivé. Attention : vous devez l'écrire au passé.

constat amiable d'accident automobile

Ne constitue pas une reconnaissance de responsabilité, mais un relevé des identités et des faits, servant à l'accélération du règlement.

à signer obligatoirement par les DEUX conducteurs

1. date de l'accident heure

2. lieu (pays, n° dépt, localité)

3. blessé(s) même léger(s) non oui *

4. dégâts matériels autres qu'aux véhicules A et B non oui *

5. témoins noms, adresses et tél (à souligner s'il s'agit d'un passager de A ou B)

véhicule A

6. assuré souscripteur *(voir attest. d'assur.)*
Nom *(majuscule)*
Prénom
Adresse *(rue et n°)*
Localité *(et code postal)*
N° de tél *(de 9h à 17h)*
L'Assuré peut-il récupérer la TVA afférente au véhicule ? non oui

7. véhicule
Marque, type
N° d'immatric. *(ou de moteur)*

8. société d'assurance
N° de contrat
Agence *(ou bureau ou courtier)*
N° de carte verte *(pour les étrangers)*
Attest. ou carte verte } valable jusqu'au
Les dégâts matériels du véhicule sont-ils assurés ? non oui

9. conducteur *(voir permis de conduire)*
Nom *(majuscule)*
Prénom
Adresse
Permis de conduire n°
catégorie (A,B...) délivré par
le
permis valable du au
(pour les catégories C, C1, D, E, F et les taxis)

12. circonstances

Mettre une croix (x) dans chacune des cases utiles pour préciser le croquis.

A		B
1	en stationnement	1
2	quittait un stationnement	2
3	prenait un stationnement	3
4	sortait d'un parking, d'un lieu privé, d'un chemin de terre	4
5	s'engageait dans un parking, un lieu privé, un chemin de terre	5
6	s'engageait sur une place à sens giratoire	6
7	roulait sur une place à sens giratoire	7
8	heurtait l'arrière de l'autre véhicule qui roulait dans le même sens et sur la même file	8
9	roulait dans le même sens et sur une file différente	9
10	changeait de file	10
11	doublait	11
12	virait à droite	12
13	virait à gauche	13
14	reculait	14
15	empiétait sur la partie de chaussée réservée à la circulation en sens inverse	15
16	venait de droite (dans un carrefour)	16
17	n'avait pas observé un signal de priorité	17
☐	← indiquer le nombre de cases marquées d'une croix →	☐

véhicule B

6. assuré souscripteur *(voir attest. d'assur.)*
Nom *(majuscule)*
Prénom
Adresse *(rue et n°)*
Localité *(et code postal)*
N° de tél *(de 9h à 17h)*
L'Assuré peut-il récupérer la TVA afférente au véhicule ? non oui

7. véhicule
Marque, type
N° d'immatric. *(ou de moteur)*

8. société d'assurance
N° de contrat
Agence *(ou bureau ou courtier)*
N° de carte verte *(pour les étrangers)*
Attest. ou carte verte } valable jusqu'au
Les dégâts matériels du véhicule sont-ils assurés ? non oui

9. conducteur *(voir permis de conduire)*
Nom *(majuscule)*
Prénom
Adresse
Permis de conduire n°
catégorie (A,B...) délivré par
le
permis valable du au
(pour les catégories C, C1, D, E, F et les taxis)

10. indiquer par une flèche (→) le point de choc initial (véhicule A)

13. croquis de l'accident
Préciser : 1, le tracé des voies - 2, la direction (par des flèches) des véhicules A et B - 3, leur position au moment du choc - 4, les signaux routiers - 5, le nom des rues (ou routes).

10. indiquer par une flèche (→) le point de choc initial (véhicule B)

11. dégâts apparents (A)

11. dégâts apparents (B)

14. observations (A)

15. signature des conducteurs
A B

14. observations (B)

* En cas de blessures ou en cas de dégâts matériels autres qu'aux véhicules A et B, relever les indications d'identité, d'adresse, etc.

Ne rien modifier au constat après les signatures et la séparation des exemplaires des 2 conducteurs.

Voir déclaration de l'Assuré au verso →

2 Vous devez absolument aller chez le mécanicien. Vous laissez un mot chez vous pour prévenir que vous ne rentrerez pas déjeuner. Inspirez-vous du modèle suivant.

Michèle,
Ce soir, j'arriverai en retard parce que j'ai une réunion avec mon chef. J'avais oublié que c'était aujourd'hui. On ne pourra pas aller au cinéma. Mes excuses.
Bises
Marie

Vous venez d'écrire un message. Par petits groupes, observez si le texte produit présente des structures correctes et variées.
Faites des propositions afin d'améliorer le message écrit.

1 Pour chacun de ces faits divers retrouvez : de quel type de fait divers il s'agit, quelle est la situation initiale, quelle est la situation finale.

Belgique

Il rapporte un objet volé pour demander le mode d'emploi (Leuven)

Un homme d'une cinquantaine d'années vient d'être arrêté à Leuven en Belgique après avoir réclamé le manuel d'utilisation d'une machine à coudre dérobée quelques semaines plus tôt au même endroit. Il était entré dans le magasin d'électroménager en portant l'objet sous le bras et s'était immédiatement adressé au vendeur pour acheter des aiguilles correspondant au modèle.
L'homme a par la suite précisé qu'il tenait cette machine neuve d'un ami dont la femme venait de mourir subitement. Lorsque le personnel du magasin a vérifié le numéro de série de l'appareil de marque Singer, l'homme s'est subitement enfui. Il a bientôt été rattrapé par un véhicule de police qui patrouillait dans le quartier.

La Réunion

Saint-Denis : Totalement ivre

Hier, vers 16 h 40, une voiture est allée se jeter dans un lac dans le secteur de Domenjod. Des quatre occupants du véhicule, trois, blessés légèrement, ont été transportés par les sapeurs-pompiers à l'hôpital de Saint-Pierre, tandis que le conducteur, sorti indemne du véhicule, était interpellé par les gendarmes à cause de son état d'ivresse.

2 Reconstituez le fait divers donné ci-dessous dans le désordre.

Argentine

Son lave-linge récalcitrant la conduit en prison.

A. Elle a par la suite expliqué à un quotidien régional que sa nouvelle machine n'avait cessé de lui poser des problèmes depuis sa sortie du magasin et qu'elle entendait porter plainte contre le fabricant pour « escroquerie caractérisée ».

B. Puis, elle l'a forcé à signer un document stipulant que « le lave-linge ne tomberait plus jamais en panne ».

C. La femme a immédiatement été arrêtée puis relâchée.

D. Une femme au foyer de 44 ans totalement excédée par les pannes à répétition de sa nouvelle machine à laver a forcé un technicien à la réparer sous la menace d'une arme à feu.

E. Une fois la réparation effectuée, le technicien s'est directement rendu à la police pour porter plainte.

Situation > Découverte de Fribourg

1 Écoutez l'enregistrement, puis répondez aux questions. Justifiez vos réponses.

1) Quelle est la ville visitée ?
2) Combien de touristes s'adressent à la guide ? Se comportent-ils de la même manière ?
3) Comment réagit la guide aux interventions du premier touriste ?
4) Quelles informations donne la guide au sujet de l'histoire de la ville (lieux, monuments, personnages, dates) ?
5) Quelles sont les réactions des touristes à la fin de la visite ?
6) Quelle suggestion fait-elle pour poursuivre la visite de la région ?

2 Que pouvez-vous dire du registre de langue ? Est-il familier, standard ou soutenu ? Donnez des exemples.

■ Bonjour, je me présente, Sabine... c'est avec moi que vous découvrir Fribourg aujourd'hui. D'abord nous allons comm par le centre historique, ensuite dès que nous aurons term nous irons voir les ponts. Si vous voulez bien me suivre, nous allons descendre la rue de Lausanne jusqu'à la place de l'Hôtel de Ville.

■ La promenade dure longtemps, mademoiselle ?

■ Il faut compter trois heures environ. Bien ! Tout le monde est là ? Si je ne parle pas assez fort, dites-le-moi. Devant v l'Hôtel de Ville, construit il y a cinq siècles. Mais ce qui a f la célébrité de cette place, c'est son tilleul, un arbre associ à l'histoire de la ville depuis 1476 et...

■ Septante-six, c'est soixante-seize, n'est-ce pas mademois

■ Oui, monsieur. Bon, je reprends : en 1476, la Confédératio Helvétique, gagnait la guerre contre Charles le Téméraire. annoncer la victoire aux habitants de Fribourg, un homme parti de Morat, avec une branche de tilleul à la main, à pie et il est tombé mort en arrivant sur cette place et, en son honneur, on a planté ce tilleul.

■ Mais il y a combien de kilomètres de Morat à Fribourg ?

■ Comment, mais tout le monde sait ça ! Il y a 18 km.

■ Non, monsieur, 17 exactement. Nous voici maintenant sur pont de Zähringen qui...

■ D'où vient le nom du pont ?

■ Zähringen, c'est le nom du duc qui a fondé la ville au XIIe s

■ Bravo, monsieur a lu son guide touristique avant la visite. à son inauguration, en 1834, le pont était le plus grand pon suspendu en métal d'Europe, puis on l'a remplacé en 1924 celui-ci. Nous avons ici un point de vue extraordinaire sur falaise.

1 heure plus tard...

■ Notre promenade s'achève, si vous avez des questions à me poser...

■ Merci beaucoup, mademoiselle, vous faites votre travail remarquablement bien, nous avons pris beaucoup de plais à vous écouter.

■ Ah oui, je suis tout à fait d'accord avec vous. Dites, mademoiselle, nous sommes ici pour six jours, vous avez u suggestion à nous faire pour une excursion quand nous au vu toute la ville ?

■ Je vous recommande Gruyère, une très jolie ville, vous pou la voir en une journée et visiter également une de ses fromageries.

Le progrès

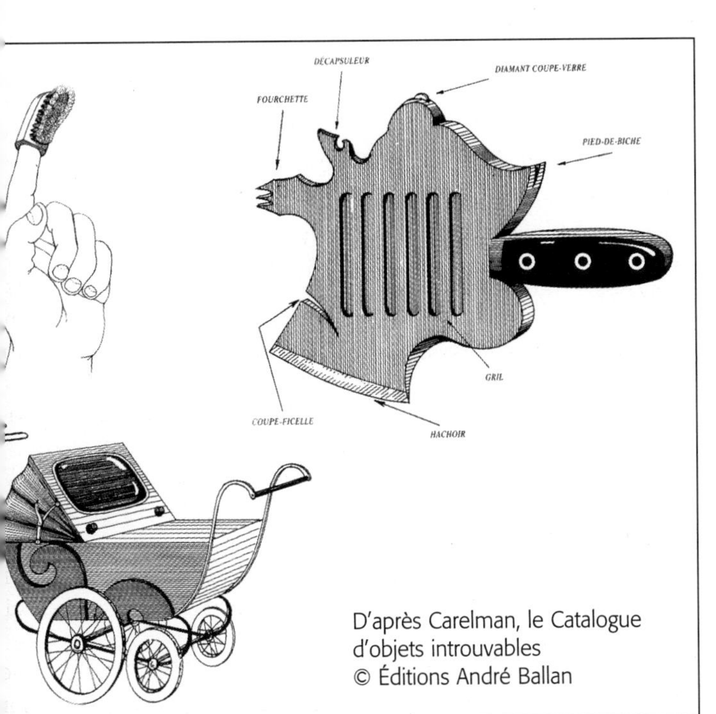

D'après Carelman, le Catalogue d'objets introuvables
© Éditions André Ballan

1 **Observez les illustrations ci-dessus, puis répondez aux questions.**

1) Pourquoi ces objets sont-ils appelés « fous » ?
2) Quel est l'objet que vous préférez ?
3) Que pensez-vous de ses usages ?

2 **Que vous suggèrent les noms d'objets suivants et quels peuvent être leurs usages :** ***une pelle à gâteau, un aérateur, un pistolet à gaufres ?***

3 **Écoutez cette chanson avec la transcription. Choisissez quatre objets qui sont cités et faites des hypothèses sur la signification de leur nom et sur leurs usages. Vérifiez vos réponses avec un dictionnaire français.**

4 **Pourquoi, selon vous, Boris Vian les a-t-il imaginés ? Pour donner des idées à des inventeurs ou pour... ?**

5 **En quoi consiste le progrès selon Boris Vian ? À quelle époque renvoie, d'après vous,** ***autrefois*** **?**

La complainte du progrès

Autrefois pour faire sa cour
On parlait d'amour
Pour mieux prouver son ardeur
On offrait son cœur

Maintenant c'est plus pareil
Ça change ça change
Pour séduire le cher ange
On lui glisse à l'oreille
-Ah Gudule !
Viens m'embrasser
Et je te donnerai
Un frigidaire
Un joli scooter
Un atomizer
*Et du Dunlopillo**
Une cuisinière
Avec un four en verre
Des tas de couverts
Et des pelles à gâteaux

Une tourniquette
Pour faire la vinaigrette
Un bel aérateur
Pour bouffer les odeurs
Des draps qui chauffent
Un pistolet à gaufres
Un avion pour deux
Et nous serons heureux
Autrefois s'il arrivait
Que l'on se querelle
L'air lugubre on s'en allait
En laissant la vaisselle

Et maintenant que voulez-vous
La vie est si chère
On dit rentre chez ta mère
Et l'on se garde tout.

-Ah Gudule !
Excuse-toi
Ou je reprends tout ça
Mon frigidaire
Mon armoire à cuillères
Mon évier en fer
Et mon poêle à mazout
Mon cire-godasses
Mon repasse-limaces
Mon tabouret à glace
Et mon chasse-filous.

Boris Vian © WARNER / CHAPPEL MUSIC SPAIN, S.A.

* Dunlopillo : marque de matelas.

L'expression du temps

Comment faire pour situer des événements dans le temps ? Observez les possibilités que vous offre le français.

POUR SITUER UN MOMENT PASSÉ, PRÉSENT OU FUTUR

	PASSÉ	PRÉSENT	FUTUR
Précis	hier avant-hier en 1476, au XIIe siècle il y a ... jours / ans... l'année dernière le mois dernier la semaine dernière	aujourd'hui maintenant actuellement cette année ce mois-ci cette semaine	demain après-demain dans deux ans l'année prochaine le mois prochain la semaine prochaine
Imprécis	autrefois, jadis, à ce moment-là...		dans quelques années, bientôt...

POUR INDIQUER L'ANTÉRIORITÉ OU LA POSTÉRIORITÉ AVEC LES TEMPS VERBAUX

Lisez les phrases ci-dessous et indiquez l'ordre de déroulement des actions.
Quels sont les temps verbaux utilisés ?

–*Nous avons marché pendant trois heures et nous avons besoin de nous reposer.*
–*Nous sommes allés à Gruyère, comme nous l'avait recommandé Sabine. Elle nous avait aussi conseillé de visiter la fromagerie mais nous n'avons pas eu le temps.*
–*Quand nous aurons terminé la visite du centre historique, nous irons voir les ponts. Puis quand nous aurons vu les ponts et la falaise, nous rentrerons à l'hôtel.*

POUR EXPRIMER L'IDÉE DE DURÉE

la durée absolue :
– ***pendant :*** *Nous avons marché pendant trois heures.*
– ***pour :*** *Nous sommes ici pour six jours.*
– ***en :*** *Vous pouvez voir la ville en une journée.*
– ***de ... à :*** *Le musée est ouvert de 8 h à midi.*

la durée relative (point de repère : le moment du locuteur)
– ***depuis :*** *Le tilleul est associé à l'histoire de la ville depuis 1476.*
– ***il y a... :*** *L'Hôtel de Ville a été construit il y a cinq siècles.*
– ***ça fait ... que... :*** *Ça fait longtemps que nous marchons, je n'en peux plus.*
– ***dans :*** *Vous repartez dans combien de jours ?*
– ***jusqu'à :*** *Ce touriste insupportable lui a posé des questions jusqu'à la fin de la visite.*

1 Complétez les phrases suivantes.

1) Cet arbre est associé à l'histoire de la ville ... 1476.
2) Nous sommes ici ... 6 jours, vous avez une suggestion à nous faire ?
3) ... une journée vous pouvez voir la ville de Gruyère et visiter une de ses fromageries.
4) Vous pouvez me contacter à l'agence ... midi trente.
5) ... 5 siècles ... ce tilleul est associé à l'histoire de la ville.
6) Nous avons marché ... 3 heures et il n'a pas arrêté de poser des questions !
7) .... deux jours, les grands départs du mois d'août !
8) Le matin, je travaille ... 8 heures ... 13 heures puis je m'arrête pour déjeuner.
9) ... longtemps ... le centre historique n'a pas été rénové.
10) Nous sommes restés ... la fin de la visite. C'était très intéressant.
11) ... deux jours les vacances se terminent. Ça passe vite !
12) ... notre séjour, nous avons visité le canton de Fribourg.

2 Traduisez les phrases de l'exercice précédent. Pouvez-vous établir des équivalences entre le français et votre langue maternelle ?

3 **Indiquez si, dans les phrases suivantes, on fait référence à un moment passé, présent ou futur.**

1) Devant vous, l'Hôtel de Ville, construit il y a 5 siècles.
2) J'aurai trente ans le mois prochain.
3) Ils se sont connus en mars 2000.
4) Aujourd'hui, les voyages sont à la portée de tout le monde.
5) C'est vrai ? Tu prends tes vacances cette semaine ?

Le futur antérieur

Observez cette bande dessinée.

L'avenir du chat, Philippe Geluck © CASTERMAN, S.A.

FORMATION

Le futur antérieur se forme avec un auxiliaire (*être* ou *avoir*) au futur suivi du participe passé du verbe conjugué.

VOIR	SORTIR
j'aurai vu tu auras vu il/elle/on aura vu nous aurons vu vous aurez vu ils/elles auront vu	je serai sorti(e) tu seras sorti(e) il/elle/on sera sorti(e)(s) nous serons sorti(e)s vous serez sorti(e)(s) ils/elles seront sorti(e)s

À QUOI ÇA SERT ?

- À enchaîner des actions futures en marquant l'antériorité d'une action par rapport à une autre : *Dès que nous aurons terminé cette visite, nous irons voir les ponts.*
  Lorsque j'aurai fait la réservation, je te dirai le nom de l'hôtel.
- À faire des prévisions : *Dans 10 ans, elle aura pris sa retraite.*
  Heureusement, dans trois semaines, je serai parti en vacances.
- À faire des suppositions : *Ils ne sont pas à la gare comme prévu....*
  Pourquoi ? Ils auront manqué leur train !

4 **Faites des phrases à partir des éléments proposés.**

1) prendre ma décision - te faire signe
2) organiser une fête - revenir de son voyage
3) chercher un boulot - avoir son diplôme
4) commencer les cours - m'inscrire
5) terminer les devoirs - jouer avec tes amis
6) finir mon travail - aller au gymnase
7) sortir prendre un verre - appeler l'agence
8) finir le livre - te le prêter
9) rentrer de vacances - téléphoner
10) rentrer à la maison - faire la sieste

5 **Conjuguez les verbes entre parenthèses au futur ou au futur antérieur selon les cas.**

1) Quand tu ... (finir) tes devoirs, tu ... (aller) chercher le pain.
2) Dès que nous ... (rentrer), nous vous ... (téléphoner).
3) Ils ... (aller) au cinéma quand ils ... (finir) leur journée de travail.
4) Je ... (organiser) une soirée dès que ... (emménager).

CHANGEMENTS EN TOUS GENRES

1 Utilisez le vocabulaire donné ci-dessous pour décrire ce premier dessin.

Pour décrire une photo, un tableau ou un dessin :

- sur ce dessin, on voit, on distingue...
- au premier plan, au second plan...
- à l'arrière-plan, au fond...
- au centre...
- sur le côté droit, sur le côté gauche...

2 Décrivez les changements apportés dans le deuxième dessin, en imaginant dans quel ordre ils se sont produits.

Pour parler d'une transformation / un changement :

- devenir
- changer
- évoluer
- apparaître / disparaître
- (se) transformer

Pour marquer une succession dans le temps :

- d'abord / au début, ensuite, alors
- finalement, à la fin
- avant / après

3 Connaissez-vous des bricoleurs / euses ou l'êtes-vous vous-même ? Utilisez ces verbes pour expliquer ce qu'ils font ou ce que vous aimez faire.

La transformation d'un objet, d'un meuble :

- arranger
- réparer
- transformer
- remplacer
- restaurer

4 Regardez cette pièce. Donnez des idées pour la transformer.

La transformation d'un appartement, d'un immeuble :

- agrandir
- (re)peindre
- changer la disposition des pièces, des meubles
- poser une moquette
- installer le chauffage, la climatisation
- faire des travaux de peinture, de plomberie, d'agrandissement, des transformations

5 Votre quartier ou votre ville ont-ils changé ces dernières années ? Quels sont les changements opérés ?

L'évolution d'un quartier, d'une ville :

- moderniser
- démolir
- (re)construire
- élargir une rue
- agrandir
- modifier

Le changement chez une personne :

- devenir prétentieux, (plus ou moins) sévère / sympa / timide...
- grandir
- rajeunir
- vieillir
- grossir
- maigrir, mincir
- changer de couleur ou de coupe de cheveux, de style

Comme il a changé !

C'est bien la même !

6 Observez les dessins ci-dessus. Quels changements se sont produits chez ces personnes ? Et vous, quels changements avez-vous constatés chez vos amis ou chez vous-même ?

LES CONSONNES EN POSITION FINALE

Rappelez-vous ces mots de la leçon : *avec, guide, place, visite, homme.*

1 Écoutez, puis indiquez, pour chaque paire de mots, celui qui est prononcé en premier lieu (1) et en deuxième lieu (2).

a) cou / coupe
b) soupe / sous
c) tu / tube
d) bombe / bon
e) vos / vogue
f) vague / vas
g) mais / mec
h) pas / Pâques
i) doux / doute
j) pot / pote
k) coup / coude
l) fait / fête

2 Écoutez et lisez les mots suivants et soulignez les graphies qui correspondent au dernier son prononcé.

madame / poème / costume / tram / femme / régime

3 Écoutez les paires de mots ci-dessous, puis entraînez-vous à les prononcer.

a) haut - homme
b) plu - plume
c) mais - même
d) si - cime
e) bout - boum
f) rat - rame

4 Écoutez les adjectifs prononcés, puis donnez le féminin qui correspond à chacun.

5 Écoutez les verbes prononcés, puis donnez le pluriel qui correspond à chacun.

Les transports au fil du siècle

Au cours du XXe siècle, les transports ont connu une évolution incroyable : des premières automobiles aux sondes interplanétaires... Pour les Français, certains moyens de transport restent associés à une marque, à un modèle, à une certaine manière de vivre ou de voyager. Voici les véhicules que la Poste française a sélectionnés pour illustrer sa série de timbres sur les transports.

1 Connaissez-vous les véhicules présentés ici ? Sont-ils tous encore fabriqués actuellement ? En avez-vous utilisé certains ? Aimeriez-vous en utiliser un ? Lequel ?

2 Choisissez par petits groupes le véhicule qui vous attire le plus, faites des recherches à son sujet et présentez-le oralement.

3 Quels véhicules associez-vous à la vie des habitants de votre pays pendant le XXe siècle ? Pourquoi ?

Écouter

1 Écoutez les enregistrements suivants.

2 Résumez oralement chacun des documents sonores.

3 À quelle typologie de document correspond chacun des enregistrements ?

a) Message radiophonique du ministère des Transports.
b) Message sur répondeur téléphonique.
c) Conversation en direct.
d) Conversation téléphonique.

4 Quels sont les objectifs de chacune des personnes qui parlent ?

a) Bavarder et donner des informations.
b) Avertir et recommander.
c) S'excuser et promettre.
d) Proposer et donner des informations.

expressions pour...

Retrouvez dans la leçon les expressions pour...

- Se présenter / prendre congé.
- Faire des recommandations.
- Faire des compliments.
- Demander des compléments d'information ou des précisions.
- Exprimer des intentions, une volonté ou des promesses.
- Confirmer une information.

Parler

1 **Retrouvailles.**

Par groupes de 2, jouez la scène.

Vous êtes allé(e) récemment à une soirée où vous avez rencontré de vieux amis que vous n'aviez pas vus depuis longtemps. Vous commentez avec un autre invité les changements que vous avez remarqués chez eux.

2 **Rénovation.**

Par groupes de 2, jouez la scène.

Vous venez d'acheter un appartement ou une maison ou tout simplement vous trouvez que votre appartement actuel a besoin d'être rénové.
Avant de commencer les travaux, vous (un couple, deux ami(e)s...) commentez ce qu'il faut changer.

3 **Par groupes de 2, observez les photos ci-dessous.**

a) Chacun choisit une photo et la décrit à l'autre en donnant le maximum de précisions.
b) Commentez entre vous les changements et l'évolution que ces photos représentent.

La place du Château-d'eau vers 1840 © Bibliothèque Nationale.

La place de la République le 1er mai 1906 © Bibliothèque Nationale.

1 **Lisez le texte suivant.**

Place de la République

Avant 1765, la place actuelle n'était qu'un grand carrefour occupant l'emplacement du bastion de l'ancienne *porte du Temple*, où débouchaient les boulevards Saint-Martin et du Temple, plantés respectivement de neuf et de cinq rangées d'arbres, et les rues du Temple et du Faubourg-du-Temple.
On inaugura*, le 15 août 1811, une fontaine, dite « le Château-d'Eau », qui venait d'être édifiée par Girard, entre le boulevard Saint-Martin et la rue de Bondy, face au débouché sur cette rue de la rue *Samson* (de la Douane), ouverte en 1782. Cette fontaine, de 13 mètres de diamètre et de 5 mètres de haut, était formée de trois bassins concentriques et superposés dans lesquels huit lions, en fonte, couchés, crachaient de l'eau ; elle était alimentée par le bassin de La Villette. Dès lors, ce carrefour prit le nom de place du *Château-d'Eau*, lieu de prédilection, de 1815 à 1830, des jeunes conscrits et des bonnes d'enfants. Gavarni et Daumier y puisèrent* l'idée de nombreux dessins. Un marché aux fleurs, ouvert les lundis et jeudis, inauguré le 14 avril 1836, se trouvait près de la fontaine, à l'entrée du boulevard Saint-Martin.
L'ouverture, en 1857, du boulevard Voltaire et de l'avenue de la République, celle, en 1859, du boulevard de Magenta entraînèrent* la formation, de 1856 à 1865, de la place actuelle. Alors disparurent* la moitié des immeubles de numéro pair de l'ancien boulevard du *Temple* avec leurs salles de théâtre.
Quant à la fontaine de Girard, trouvée insuffisante pour la décoration de la nouvelle place du *Château-d'Eau*, elle fut* remplacée, en 1874, par une seconde fontaine, construite par Davioud, ornée de lions de bronze, dressés sur leur séant et regardant en l'air. Celle-ci disparut* à son tour pour faire place au bassin où on édifia*, en juin 1883, la statue de la République inaugurée le 14 juillet 1884.
Depuis 1879, cette place s'appelle place de la République.

Jacques Hillairet, *Dictionnaire historique des rues de Paris* © Éditions de Minuit

* Verbes conjugués au passé simple, temps employé surtout dans la langue littéraire, correspondant au passé composé dans la langue courante.

2 Répondez aux questions suivantes.

1) Quel(s) paragraphe(s) représente chacune des photos ci-contre ?
2) Retrouvez dans les photos les éléments mentionnés dans le texte.
3) Classez les informations reprises ci-dessous par ordre chronologique. Utilisez les indicateurs temporels du texte.

La place...

reçoit son nom actuel / est visitée par les jeunes conscrits / possède une nouvelle fontaine / est un grand carrefour / est souvent dessinée / reçoit la statue de la République / prend sa forme et son emplacement actuels / s'appelle place du *Château-d'Eau*

Réfléchissons ! Vous venez de lire un texte complexe et légèrement technique. Relevez les mots que vous ne connaissiez pas. Dites quels indices vous ont aidés à comprendre les mots nouveaux :

- le sens global du texte.
- l'intention du document.
- les mots connus autour du mot nouveau.
- la fonction grammaticale du mot dans la phrase.
- la formation du mot nouveau.
- les illustrations.
- la proximité avec ma langue maternelle.

Par petits groupes, commentez vos réponses.

Écrire

1 Le maire de votre ville vient de lancer un concours d'idées intitulé : *Notre ville dans 10 ans.* Vous avez décidé d'y participer. Vous écrivez à la municipalité pour décrire votre ville du futur.

La municipalité de Tralala invite tous les habitants à participer à notre projet de ville future. Votre ville deviendra ce que vous déciderez.

Envoyez votre proposition à :
Mairie de Tralala
Concours : MA VILLE DANS 10 ANS
35 rue de la Motte - 57083 Tralala
Courier électronique : mavilledansdixans@lea.fr

2 Lisez votre proposition aux autres étudiants et choisissez celle qui mérite le premier prix.

GRAMMAIRE

1 Complétez ces trois petits textes à l'aide des mots qui vous sont proposés dans le désordre.

personne / as offert / une autre / aura quitté / autrefois / avait prêtée / ça fait / ce mois-ci / dans / demain / depuis / hier / le même / maintenant / quelqu'un

... (1), j'ai téléphoné à Isabelle pour m'excuser. La revue qu'elle m'... (2) est tout abîmée à cause de la pluie. Eh oui, ... (3) il n'arrête pas de pleuvoir. Je lui ai promis que je ferai tout mon possible pour lui en acheter ... (4) mais elle s'est fâchée. Elle veut sa revue ... (5) matin sans faute.

J'aime beaucoup le collier que tu ... (6) à ta femme pour son anniversaire. Je crois que je vais acheter ... (7) pour ma mère, elle adore les perles. ... (8) longtemps qu'elle en veut un, mais pour le moment ...(9) n'a eu cette idée.

Je connais M. Druel ... (10) dix ans et ... (11) trois mois il prendra sa retraite. ... (12) il disait qu'il était très fatigué et qu'il n'avait plus envie de travailler mais ... (13) que le moment approche il commence à s'inquiéter. C'est ... (14) de très entreprenant qui a toujours eu beaucoup de projets. Quand il ... (15) son bureau il pourra enfin s'y consacrer.

LEXIQUE

2 Ça change ! Complétez les phrases.

- Si vous regardez bien ce dessin de mon quartier, vous voyez ... (1) une avenue, et ... (2), le carrefour. Mais en 12 ans, tout a changé. On ... (3) des immeubles et on a élargi l'avenue, maintenant les voitures ont plus de place pour circuler. L'autre jour, justement au carrefour, un conducteur ... (4) un feu rouge mais heureusement il n'y a pas eu de ... (5).
- Nous aussi, nous ... (6) dans l'appartement. Nous ... (7) la climatisation car il y fait très chaud l'été. Mon mari, qui aime les meubles anciens a voulu ... (8) une table mais il ... (9) sur le doigt le premier jour et il doit travailler avec un ... (10).
- Les ... (11) dans ma famille en 12 ans ? Ils concernent surtout mon fils : il ... (12) , il ... (13) indépendant, il veut être à la mode comme tous les jeunes, il a même changé de ... (14) : il a des mèches bleues, vous vous rendez compte ! Il avait un scooter mais on vient de le lui ... (15), c'est le drame !

PRONONCIATION

3 Écoutez et indiquez la phrase qui correspond à l'enregistrement.

	Il cherche un palais.		Il cherche un balai.
	Tu as dit *vite* ?		Tu as dit *vide* ?
	Il a peint un radeau.		Il a peint un rateau.
	Je vais acheter une gaze.		Je vais acheter une case.
	Ils sont un peu fades.		Ils sont un peu fats.

U2 BILAN COMMUNICATION : PORTFOLIO PAGE 7

PROJET

1 Détente !

OBJECTIFS

Vous allez préparer un cours différent des autres, pendant lequel vous organiserez un concours culinaire, et vous présenterez, au reste de la classe, une chanson francophone de votre choix ainsi que son interprète.

Tout le monde participe, et en français, bien sûr !

Des recettes à s'en lécher les babines !

1 **Vous êtes tous invités à participer au grand concours culinaire « Aux délices de Capoue ».**

Vous êtes doués pour la cuisine ? Préparez vos tabliers ! Si la cuisine n'est pas votre fort, voici la solution : vous allez devenir les juges du concours.

a) Indications aux participants :

1) Choisissez la catégorie dans laquelle vous allez participer :
   - ❑ plat salé
   - ❑ plat sucré
   - ❑ boissons
2) Individuellement ou par petits groupes, choisissez la recette que vous allez présenter au concours.
3) Procurez-vous les ingrédients et mettez la main à la pâte ! Attention, vous devrez aussi présenter au jury la fiche correspondant à votre recette.

b) Voici l'exemple d'une recette québécoise dont vous pouvez vous inspirer.

Tarte tatin aux poires de Françoise

Préparation : 30 minutes
Cuisson : 25 minutes
Portions : 6

Ingrédients

250 g de pâte sablée ou 200 g de farine
1/2 tasse (100 g) de beurre ramolli
1 c. à table* (15 g) de sucre
1 œuf
1 c. à table* (15 ml) de crème fraîche (35 %)
1 c. à table* (15 ml) d'huile
Sel

Pour la garniture :
2.2 lbs** de poires, pelées et coupées en lamelles
1/3 tasse (80 g) de beurre
1/2 tasse (80 g) de sucre roux

* une cuillerée à table du système américain = une cuillerée à soupe du système européen
** 2.2 lbs (système américain) = 1 kg (système européen)

Méthode

1) Mettre dans un plat la farine, le beurre coupé en morceaux, le sucre, l'œuf, la crème fraîche, l'huile et le sel.
2) Pétrir le tout (pas longtemps) et former une boule. La laisser reposer 30 min au frigo.
3) Mettre le beurre et le sucre de la garniture dans un plat et faire chauffer.
4) Déposer par-dessus les poires pelées et coupées en lamelles.
5) Faire cuire à feu vif jusqu'à ce que le caramel se forme. Retirer du feu.
6) Étaler la pâte et la déposer sur les poires.
7) Mettre au four 25 à 30 min (400° F*, 210° C, th7)

** 400° Fahrenheit (système américain) = 210 ° Celsius (système européen)*

c) Indications aux juges.

Préparez le règlement du concours. Rappelez-vous que le plaisir de la table passe par le plaisir des papilles et des yeux.
Définissez les critères pour attribuer les prix dans chaque catégorie : la recette la plus originale, la plus saine, la plus économique, la mieux décorée... N'oubliez pas la fiche descriptive : est-elle claire ? Est-elle bien présentée ?
Maintenant, quelles sont les meilleures recettes ?

Bon appétit !

Des chansons à votre goût !

2 Pour animer la dégustation des plats voici notre contribution musicale.

Sous le vent

Et si tu crois que j'ai eu peur
C'est faux
Je donne des vacances à mon cœur
Un peu de repos

Et si tu crois que j'ai eu tort
Attends
Respire un peu le souffle d'or
Qui me pousse en avant
Et...

Fais comme si j'avais pris la mer
J'ai sorti la grand'voile
Et j'ai glissé sous le vent
Fais comme si je quittais la terre
J'ai trouvé mon étoile
Je l'ai suivie un instant, sous le vent

Et si tu crois que c'est fini
Jamais
C'est juste une pause, un répit
Après les dangers
Et si tu crois que je t'oublie
Écoute
Ouvre ton corps aux vents de la nuit
Ferme les yeux
Et...

Fais comme si j'avais pris la mer
J'ai sorti la grand'voile
Et j'ai glissé sous le vent
Fais comme si je quittais la terre
J'ai trouvé mon étoile
Je l'ai suivie un instant, sous le vent

Et si tu crois que c'est fini
Jamais
C'est juste une pause, un répit
Après les dangers

Fais comme si j'avais pris la mer,
J'ai sorti la grand'voile,
Et j'ai glissé sous le vent
Fais comme si je quittais la terre,
J'ai trouvé mon étoile,
Je l'ai suivie un instant, sous le vent.

Sous le vent... sous le vent...

Paroles et Musique : Jacques Veneruso 2000 « Seul »

Pour en savoir plus sur l'interprète de la chanson que vous venez d'écouter, voici une présentation de Garou. Pourquoi a-t-on souligné des parties du texte ? Pour mettre en valeur les éléments essentiels de sa biographie.

GAROU

Né le 26 juin 1972 à Sherbrooke, ville de la région de l'Estrie, au Québec, Garou entonne ses premières notes dès l'âge de trois ans. Son enfance est bercée par la musique. Pendant son adolescence, Garou fréquente un collège bien pensant où la discipline prévaut. Vers 14 ans, notre premier de la classe se transforme en rebelle insoupçonné. Il rejoint le groupe de son école, *Windows & Doors*, en tant que guitariste. Garou monte sur scène pour la première fois dans l'auditorium de cette même école et remplit la salle. C'est son premier succès et la confirmation de sa passion pour la musique. Il chante les chansons des Beatles. Sa belle voix, remplie d'émotion et de rébellion, ressemble plutôt à celle de Paul Mc Cartney, avant d'atteindre une maturité qui la transforme en ce son éraillé et déchirant qui fait courir les fans aujourd'hui.

Chanteur de bar

Au milieu des années 90, alors qu'il assiste à un spectacle monté par des amis, dans un bar, il est invité à chanter une chanson. Le patron de l'établissement l'embauche sur-le-champ. Garou présente son premier spectacle solo, guitare en bandoulière, insouciance en poche et enthousiasme débordant. Peu après, les *soirées Garou* deviennent vite les plus courues du *Liquor Store* de Sherbrooke. Il fonde ensuite le groupe *The Untouchables*, qui l'accompagnera plus tard sur la tournée *Seul*.
L'été 1997, son avenir se joue alors qu'un certain Luc Plamondon assiste à leur spectacle. Celui-ci invite aussitôt Garou à une audition pour *Notre-Dame de Paris* (*NDP*) pour incarner le personnage de Quasimodo. On connaît la suite de l'histoire de *Notre-Dame de Paris* : après les débuts au Palais des Congrès à Paris en 1998, suit une tournée en France. Il interprète même le rôle de Quasimodo dans la version anglaise donnée à Londres pendant l'été 2000.

Pas si Seul

Le tournant du millénaire est aussi un tournant extraordinaire dans la carrière de Garou, qui, au cours de la tournée de *NDP*, avait eu l'occasion de serrer la main de René Angélil, le producteur et mari de Céline Dion. Celle-ci invite le jeune homme à venir chanter avec elle à Montréal pour la soirée du 31 décembre 1999. Par leur intermédiaire, Garou va signer un contrat avec la prestigieuse maison de disques Sony, qui lui offre donc de faire un premier album solo et une tournée internationale. Céline enregistre même un duo avec lui, *Sous le vent*, que l'on retrouve dans l'album *Seul*, qui sort en novembre 2000.

Prix et scènes

Garou se voit largement récompensé pendant le 23e gala de *l'Adisq* à Montréal. Quelques jours plus tard, le 20 mars, lors du deuxième des trois concerts que le Québécois donne à Bercy, à Paris, Céline Dion lui fait la surprise de monter sur scène interpréter ce fameux duo à succès.

a) Individuellement ou par petits groupes, choisissez une chanson que vous aimez, francophone, bien évidemment.
b) Maintenant, préparez la biographie de son interprète, en indiquant les moments importants de sa carrière.
c) Faites votre présentation, puis faites écouter votre chanson.

3 Pour finir en beauté, par petits groupes préparez des blagues, des charades, des devinettes, des jeux...

Exemple : pouvez-vous répondre aux questions suivantes ?
1) Mon chien n'a pas de nez. Comment sent-il ?
2) Qu'est-ce qui est petit, blanc et fait mal ?
3) Qu'est-ce qui est petit, blanc et fait rire ?

Réponses : 1. mauvais ; 2. ail ; 3. riz

UNITÉ 3

Terre des hommes

OBJECTIFS

- Exprimer sentiments, sensations et désirs.
- Interviewer des personnes (activités professionnelles et autres).
- (S')informer sur des activités culturelles diverses.
- Demander et donner des opinions et des conseils (activités culturelles).
- Découvrir des extraits d'émissions sportives (radio).
- Comprendre et écrire des présentations de films ou autres activités culturelles.
- Réfléchir sur les stratégies d'expression des sentiments et des sensations à l'oral.
- Réfléchir sur l'utilisation d'un dictionnaire bilingue.

L5 LEÇON 5

COMMUNICATION
- Marques d'expressivité
- Identifier, décrire des sensations, des états, des sentiments
- Courrier des lecteurs

GRAMMAIRE
- Pronoms possessifs
- Subjonctif présent

LEXIQUE
- Sensations et sentiments

PRONONCIATION
- Voyelles nasales (1)

CIVILISATION
- Mariage et traditions en Francophonie

L6 LEÇON 6

COMMUNICATION
- Donner et réfuter un avis (activités culturelles)
- Manifestations culturelles, programmes (cinéma, télévision), critiques (livres, musique, cinéma)

GRAMMAIRE
- Alternance indicatif / subjonctif
- Négation

LEXIQUE
- Le monde de la culture et des médias

PRONONCIATION
- Voyelles nasales (2)

CIVILISATION
- Les festivals de cinéma francophones

Sentiments...

Antoine de SAINT-EXUPÉRY © Éditions GALLIMARD

–Adieu, dit le renard. Voici mon secret. Il est très simple : on ne voit bien qu'avec le cœur. L'essentiel est invisible pour les yeux.
–L'essentiel est invisible pour les yeux, répéta le petit prince, afin de se souvenir.
–C'est le temps que tu as perdu pour ta rose qui fait ta rose si importante.
–C'est le temps que j'ai perdu pour ma rose... fit le petit prince, afin de se souvenir.
–Les hommes ont oublié cette vérité, dit le renard. Mais tu ne dois pas l'oublier. Tu deviens responsable pour toujours de ce que tu as apprivoisé. Tu es responsable de ta rose...
–Je suis responsable de ma rose... répéta le petit prince afin de se souvenir.

Antoine de SAINT-EXUPÉRY, *Le petit prince* © Editions GALLIMARD

L'étranger

–Qui aimes-tu le mieux, homme énigmatique, dis ? Ton père, ta mère, ta sœur ou ton frère ?
–Je n'ai ni père, ni mère, ni sœur, ni frère.
–Tes amis ?
–Vous vous servez là d'une parole dont le sens m'est resté jusqu'à ce jour inconnu.
–Ta patrie ?
–J'ignore sous quelle latitude elle est située.
–La beauté ?
–Je l'aimerais volontiers, déesse et immortelle.
–L'or ?
–Je le hais comme vous haïssez Dieu.
–Eh ! Qu'aimes-tu donc, extraordinaire étranger ?
–J'aime les nuages... les nuages qui passent... là-bas... les merveilleux nuages !

Charles BAUDELAIRE, *Petits poèmes en prose*

Pierre Talbot à Jessica James

Un mot avant de quitter Paris, ma chérie. Quand tu le liras, je serai loin. C'est un arrachement de te quitter. En peu de jours, je me suis attaché à toi avec une force qui me surprend moi-même. Quel besoin j'avais d'aimer ! Je songe à ce qu'était ma vie avant de te retrouver : aride, sans joie. L'amour lui donne un sens.

Je nous revois dans la forêt de Fontainebleau. Que j'étais bien, couché près de toi sur la mousse. Je voyais le ciel à travers les feuillages des grands arbres et je me disais qu'il y avait longtemps que je n'avais connu pareil bonheur...

Tu me dis : « Qu'est-ce qu'une petite Américaine comme moi, qui ne sais rien, peut t'apporter ? » Tu m'apportes la joie de vivre, l'envie de faire des choses, la certitude que tout concourt à notre bonheur. Il y a si longtemps que je n'avais connu cela. Je ne croyais pas que ce fût encore possible.

Michel MOHRT, *Jessica ou l'amour affranchi* © Editions GALLIMARD

1 Écoutez et lisez ces trois textes.

2 Par petits groupes, commentez ces textes.

1) Quel est celui qui vous plaît le plus, qui évoque en vous le plus de sensations, avec lequel vous vous identifiez le plus ?
2) Pourquoi ? Pour sa facilité ou parce que vous le connaissiez déjà ? Pour le choix des mots et de leurs sonorités ? Pour les images ? Pour les sentiments qu'il décrit et le thème qu'il aborde ?
3) Pensez-vous que la voix et l'interprétation de l'acteur, ainsi que la musique qui accompagne le texte, contribuent à vous le faire préférer ?

3 Résumez, pour les autres groupes, vos commentaires sur ces textes.

4 Individuellement, lisez à haute voix le texte de votre choix.

Sentiments !

1 **Observez les visages. Quels sentiments éprouvent ces personnes : la joie, la tristesse, la rancune, la jalousie, l'amour, l'indifférence, la peur, la colère... ?**

2 **Écoutez maintenant l'enregistrement.**

1) Avec lequel des sentiments cités ci-dessus associez-vous chacune de ces interventions ?
2) Imaginez à qui parle chaque personne et quel(s) événement(s) a / ont provoqué sa réaction.
3) Quels indices vous ont permis d'identifier les sentiments de ces personnes ?

3 **Écoutez et lisez deux réactions possibles pour chacun des interlocuteurs des personnes que vous venez d'entendre. Retrouvez qui parle à qui.**

1) a) Ah, je suis contente pour elle !
   b) Ça ne m'étonne pas ! Je savais que ça allait marcher !
2) a) Je regrette, j'ai pas fait exprès, je te promets !
   b) Tu te prends pour qui ! T'es pas ma mère !
3) a) C'est une chance !
   b) Oui, ça doit être terrible mais tu me l'as déjà raconté.
4) a) Je connais bien ça, je te plains...
   b) Essaie de l'oublier, tu te fais du mal.
5) a) Je te l'avais bien dit, il est nul !
   b) Ah ça, je te comprends, moi à ta place...
6) a) M'en parle pas !
   b) Non, avec les miens, pas de problème.
7) a) Pauvres minous, quelle déception !
   b) C'est vraiment pas chic de leur part !
8) a) Une minute, mon poussin, je vais ranger mon livre.
   b) Oui, un gros câlin avec sa mamie.

Réfléchissons !
Comment peut-on exprimer ses sentiments ?

- En utilisant un ton de voix particulier.
- En parlant plus vite ou plus lentement selon les sentiments.
- En utilisant des expressions particulières.
- En utilisant des interjections.
- En utilisant des gestes particuliers.
- En nommant de façon explicite le sentiment qu'on éprouve.

Connaissez-vous des moyens différents dans d'autres cultures ou dans la vôtre ?

Et vous, comment exprimez-vous la joie et la tristesse ? (Reportez-vous à la page 67 du lexique, activité 4.)

Les pronoms possessifs

Rappelez-vous. Comment exprime-t-on la possession en français ?

– Avec un adjectif possessif : *Une minute, mon poussin, je vais ranger mon livre.*
– Avec les prépositions *de* et *à* : *C'est le portable de Giselle. Cet ordinateur est à moi.*
– Avec le lexique : *Le comte Dupalais possède un magnifique château en Gironde.*

On peut aussi l'exprimer avec un pronom possessif.

Observez. Quels mots remplacent les pronoms possessifs soulignés ?

Moi, mes parents, bof ! Et ***les tiens****, ils ne sont pas comme ça ?*
On a chacun notre vie, mais j'ai du mal à accepter qu'elle refasse ***la sienne****.*
Ils n'ont pas voulu que les enfants aillent dormir avec ***les leurs****.*

Attention ! *Je me souviens de mon mariage, tu te souviens* ***du*** *tien ?*

Regardez le tableau ci-dessous et comparez avec votre langue. Est-ce la même chose, est-ce différent ?

	UNE CHOSE POSSÉDÉE		PLUSIEURS CHOSES POSSÉDÉES	
	masculin	féminin	masculin	féminin
UN POSSESSEUR	le mien le tien le sien	la mienne la tienne la sienne	les miens les tiens les siens	les miennes les tiennes les siennes
PLUSIEURS POSSESSEURS	le nôtre le vôtre le leur	la nôtre la vôtre la leur	les nôtres les vôtres les leurs	

1 Utilisez le pronom possessif qui convient afin d'éviter les répétitions.

1) Sa fille Nathalie a le même âge que notre fille.
2) Tes problèmes ne sont pas plus importants que mes problèmes.
3) Notre appartement est beaucoup plus petit que leur appartement.
4) Le mari de Laura est plus jaloux que ton mari ?
5) Mes enfants partent en colonies de vacances, et vos enfants, ils ne partent pas ?
6) Ma femme travaille beaucoup, et votre femme ?

Humour !
Une femme qui vient de passer plusieurs coups de téléphone dit à son mari : « –Je suis désolée chéri, mais nous n'irons pas au cinéma, ce soir. Ni tes enfants, ni les miens, ne veulent se dévouer pour garder les nôtres. »

2 Complétez avec des pronoms possessifs.

1) Ses parents et ... ne s'entendent pas du tout. Impossible de les réunir.
2) Mathieu a laissé sa voiture au garage et nous avons pris ... pour aller au travail.
3) Ils pensaient avoir retrouvé leur chien, mais ce n'était pas ...
4) J'ai oublié mes lunettes de soleil dans mon sac de plage. Tu peux me prêter ... pour conduire ?
5) Son docteur est en vacances pour un mois. Je lui ai donné le numéro de téléphone ...
6) Ce n'est pas notre voiture. Celle-ci est bleue et ... est gris métallisé.

Le subjonctif présent

Observez ces phrases et repérez les verbes au subjonctif.

Je veux bien que tu dormes dans ma chambre.
Il (ne) faut pas qu'il me cherche, il va me trouver !
On a eu peur que la corde casse.
Je ne veux plus que tu te conduises comme ça.
Pas question qu'il remette les pieds ici !

À QUOI ÇA SERT ?

› À exprimer la subjectivité, principalement.

FORMATION

Le subjonctif présent se forme à partir de la 3e personne du pluriel du présent de l'indicatif suivie des terminaisons : **-e, -es, -e, -ions, -iez, -ent.**

DORMIR	CHERCHER	REMETTRE
que je dorm**e**	que je cherch**e**	que je remett**e**
que tu dorm**es**	que tu cherch**es**	que tu remett**es**
qu'il/elle/on dorm**e**	qu'il/elle/on cherch**e**	qu'il/elle/on remett**e**
que nous dorm**ions**	que nous cherch**ions**	que nous remett**ions**
que vous dorm**iez**	que vous cherch**iez**	que vous remett**iez**
qu'ils/elles dorm**ent**	qu'ils/elles cherch**ent**	qu'ils remett**ent**

Écoutez et observez le tableau suivant. Combien de formes différentes constatez-vous à l'écrit ? Et à l'oral ? Observez les 1re et 2e personnes du pluriel : quel autre temps verbal présente les mêmes formes ?

VERBES IRRÉGULIERS AU SUBJONCTIF

Observez ces phrases et repérez les verbes au subjonctif. Quel est leur infinitif ?

J'ai du mal à accepter qu'elle refasse sa vie.
Je ne supporte pas l'idée qu'elle puisse être heureuse.
Ils n'ont pas voulu que les enfants aillent dormir chez eux.
C'est dommage que tu (ne) viennes pas plus souvent.

Attention à la prononciation !

Verbes en *-er* → indicatif et subjonctif se prononcent de la même façon : *je cherche = que je cherche.*
Autres verbes → indicatif et subjonctif se prononcent différemment : *je réponds ≠ que je réponde, tu viens ≠ que tu viennes, il part ≠ qu'il parte...*

Vérifiez vos réponses avec la liste suivante **(Voir précis grammatical pour les conjugaisons complètes).**

aller → *que j'aille, que nous allions*
avoir → *que j'aie, que nous ayons*
être → *que je sois, que nous soyons*
faire → *que je fasse, que nous fassions*
pleuvoir → *qu'il pleuve*
pouvoir → *que je puisse, que nous puissions*
valoir → *que je vaille, que nous valions*
vouloir → *que je veuille, que nous voulions*
savoir → *que je sache, que nous sachions*

UTILISATION DU SUBJONCTIF

On utilise le subjonctif après un verbe exprimant :
– les sentiments : *être content / triste que, avoir peur que, regretter que...*
Attention ! *espérer que* + indicatif.
– la volonté avec ses nuances : *il faut que, souhaiter que, préférer que, vouloir que, exiger que...*
– le doute, la possibilité (voir leçon 6)

Relisez les phrases présentées plus haut et repérez d'autres verbes qui exigent l'emploi du subjonctif.

Observez ces exemples.
Je suis contente de partir en vacances.
Je suis contente que tu partes en vacances.
J'aimerais changer de travail.
J'aimerais que tu changes de travail.

Qui part en vacances dans la première phrase ? Et dans la deuxième ? S'agit-il de la même personne ou de personnes différentes ? Quelles différences constatez-vous entre les deux phrases de chaque série ?

3 Terminez les phrases suivantes.

a) Lève-toi ! Il faut que tu...
b) Ma mère souhaite que vous...
c) Je suis content que sa mère...
d) Nous avons peur qu'ils...
e) Nadine préfère que nous...
f) Mes enfants veulent que je...

Les cartes du Tendre : l'ancienne et la nouvelle

1 Connaissez-vous ces extraits de chansons ? Savez-vous qui les a rendues célèbres en les chantant ?

« Non, rien de rien,
Non, je ne regrette rien !
Ni le bien qu'on m'a fait, ni le mal
Tout ça m'est bien égal ! »

« Plaisirs d'amour, ne durent qu'un moment
Chagrins d'amours durent toute la vie ! »

« Les feuilles mortes se ramassent à la pelle
Les souvenirs et les regrets aussi ! »

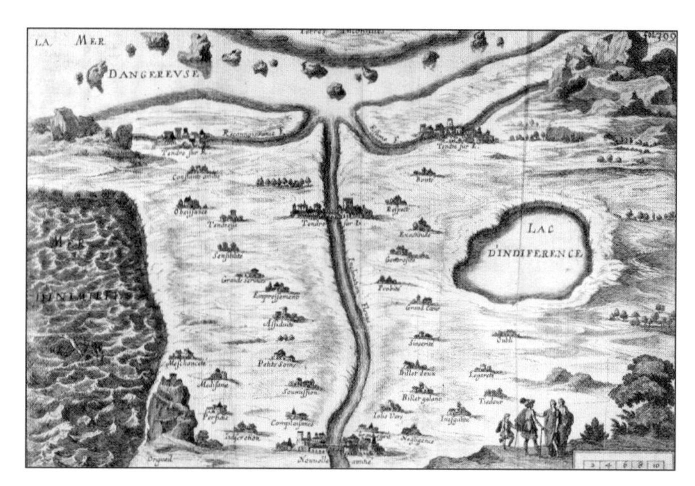

La Carte du Tendre © Bibliothèque Nationale.

2 Une nouvelle carte pour le XXIe siècle.

Observez cette nouvelle carte du Tendre. Quel est votre itinéraire personnel ? Où vous situez-vous ? Par où désireriez-vous passer ? Qu'aimeriez-vous enlever ou ajouter à cette carte ? Croyez-vous à l'amour « pour toujours » ?

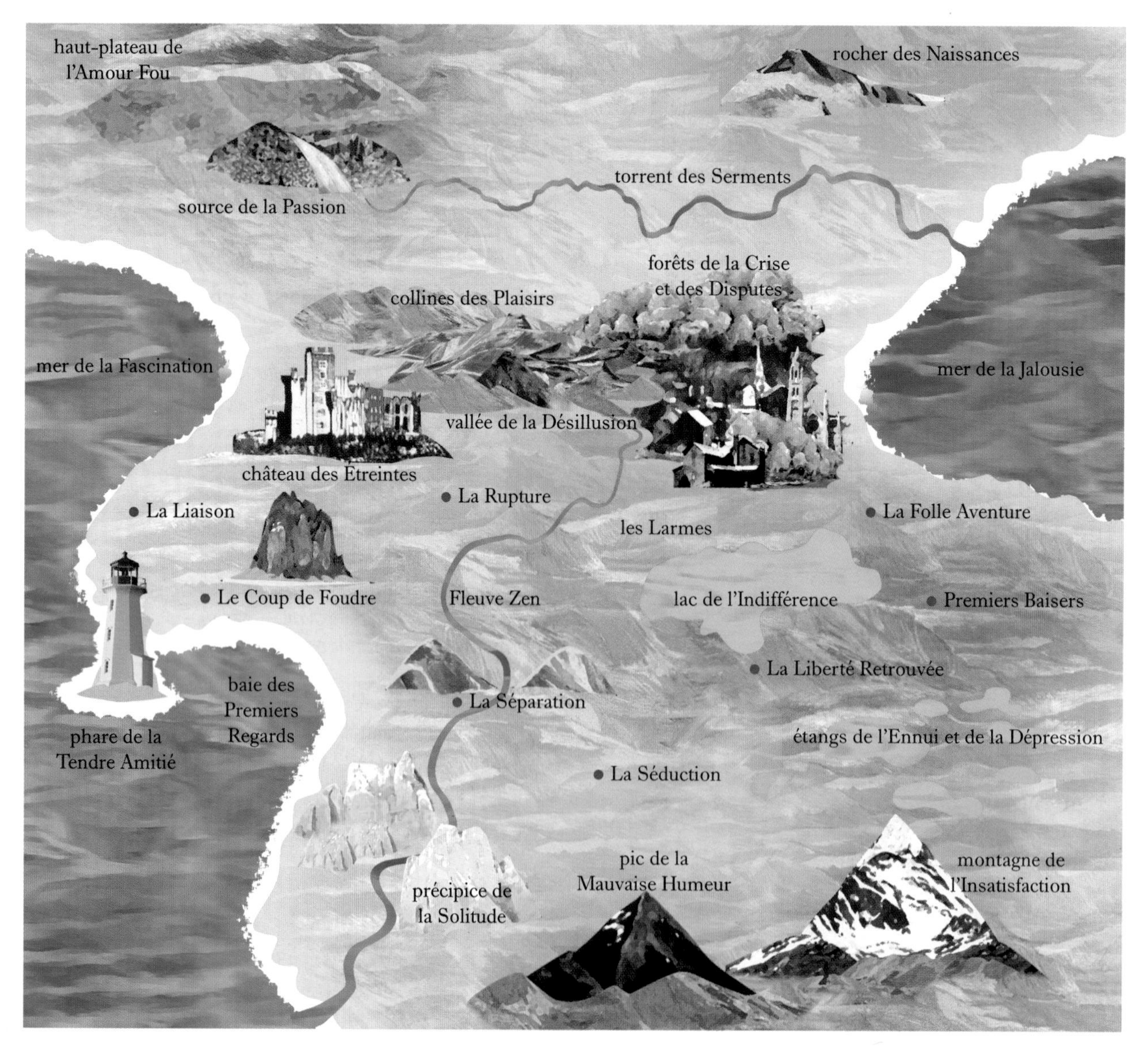

3 **Comment interpréter les péchés capitaux ou l'art d'être « positif » ! Observez ces interprétations positives de certains des péchés capitaux, puis trouvez-en une pour l'orgueil et pour l'égoïsme.**

- **L'avarice,** c'est avoir le sens des priorités, montrer sa capacité de gestion, faire attention à l'argent, avoir la tête sur les épaules.
- **La colère,** c'est faire preuve de vivacité, de sincérité, d'une grande sensibilité.
- **L'envie,** c'est avoir de l'ambition, de la volonté, de la ténacité, un grand esprit de compétition.
- **La paresse,** c'est montrer son calme, sa sérénité, son assurance, son sens de l'organisation.
- **La luxure,** c'est manifester son appétit de vivre, son énergie vitale, sa sensualité, son refus des tabous.

4 **Manifestation de sentiments.**

1) Que faites-vous quand vous êtes triste, joyeux(se), surpris(e), effrayé(e), indifférent(e), amoureux(se) ? Choisissez dans cette liste vos manifestations personnelles.

- Pleurer (à chaudes larmes), se sentir paralysé(e) (par), sauter (de joie), sursauter, courir dans tous les sens, rester impassible, trembler (de tous ses membres), se cacher, applaudir, fuir
- Pâlir, rougir, se ronger les ongles, avoir un tic, hausser les épaules
- Pousser un cri, crier, rester muet / muette, se taire, se plaindre, rire, éclater de rire
- Lancer un regard noir, faire la moue, menacer, taper du poing sur la table
- Changer de conversation, simuler l'intérêt, ne rien laisser paraître, feindre

2) Quel(le)s sentiments / sensations éprouvez-vous le plus souvent ? Quels défauts, quelles manifestations de sentiments supportez-vous le plus difficilement chez les autres ?

LES VOYELLES NASALES (1)

Rappelez-vous ces mots de la leçon : *étranger, volontiers, longtemps, prince.*

1 **Écoutez et dites si les deux mots prononcés sont identiques ou différents.**

a)

	=	≠
1		
2		
3		
4		
5		
6		
7		
8		

b)

	=	≠
1		
2		
3		
4		
5		
6		
7		
8		

2 **Écoutez et indiquez le genre de l'adjectif.**

a)

[ɑ̃] / [an]	1	2	3	4	5	6
masculin						
féminin						

b)

[ɔ̃] / [ɔn]	1	2	3	4	5	6
masculin						
féminin						

3 **Écoutez et répétez les paires de mots enregistrés. Attention ! Le premier mot contient une voyelle nasale et le deuxième une voyelle orale.**

Le mariage et les traditions

Bien des gens connaissent la coutume de lancer du riz sur les mariés au sortir de l'église, mais d'un bout à l'autre du monde francophone, d'autres rites et d'autres conceptions perdurent. En voici quelques aperçus.

En Nouvelle-Calédonie, on se marie uniquement d'avril à septembre, hors de la saison de culture de l'igname. Le mariage ou « nyikeine », un des événements majeurs de la société canaque, comporte 3 volets : le mariage civil, le mariage religieux et le mariage coutumier*.

Au Cameroun, une jeune fille qui croit être enceinte doit le dire à sa grand-mère. Si elle a accordé ses faveurs à plusieurs garçons, elle doit donner leurs noms. Le conseil des anciens se réunit pour la « palabre ».** Il décidera , selon des critères connus d'eux seuls , à qui attribuer la paternité et s'il doit y avoir mariage ou non.

Au Québec, les hommes de la maison fabriquent un « coffret d'espérance » où ranger les vêtements et le linge de la future épouse. D'autre part, la croyance populaire veut qu'on suspende un chapelet à la corde à linge pour avoir une belle journée et une température clémente.

Aux Comores, la femme reçoit une maison avec des parcelles de terre vivrières le jour de son premier mariage. Les Comoriens se marient en moyenne de deux à cinq fois dans leurs vies.

En Polynésie, les futurs mariés arrivent en pirogue sur la plage où ils sont accueillis par les villageois au son des **ukulélés**. Puis, les femmes du village massent la mariée à l'huile de monoï et on tatoue le futur époux. La cérémonie a lieu alors sur fond de chants religieux traditionnels. Si la plupart des gens sont monogames, la polygamie existe aussi.

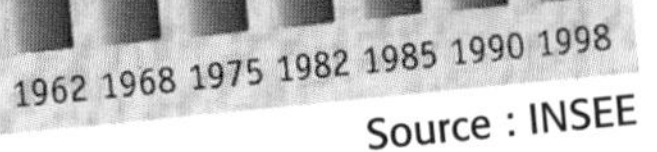

* coutumier : selon les traditions du clan.
** palabre : en Afrique, débat entre les hommes d'un village.

1 Le mariage, une institution en perte de vitesse ?

Regardez les tableaux ci-dessus. Que constatez-vous ? Observe-t-on les mêmes tendances dans votre pays ? Et vous, comment voyez-vous le mariage ?

2 Lisez le texte ci-dessus, puis répondez aux questions.

1) Quelles traditions ont un rapport avec l'agriculture ? Et avec le climat ?
2) Quels aspects de la vie sociale révèle, selon vous, le mariage au Cameroun ?
3) À votre avis, pourquoi les Québecois appellent le coffre à linge le « coffret d'espérance » ?
4) Quelles coutumes vous semblent très éloignées du mariage tel qu'il existe dans votre pays ?
5) Y a-t-il encore dans votre pays des croyances et des traditions anciennes concernant le mariage ? Lesquelles ?

Écouter

1 **Écoutez cette chanson d'Alain Souchon. Quelles sensations éveille-t-elle en vous ? Commentez le type de sentiment(s) dont elle parle.**

2 **Réécoutez la chanson et notez les mots ou phrases que vous comprenez ; comparez vos notes avec celles de votre voisin(e). Quelles sont les couleurs citées et que représente chacune d'elles ?**

3 **Répondez aux questions suivantes en éliminant l'option qui ne convient pas.**

1) À quoi est comparé l'amour dont parle Alain Souchon ?
   a) À un tableau aux multiples couleurs.
   b) À du linge qui a beaucoup servi.
   c) À du linge très sale (et qu'il faut faire bouillir).

2) Pourquoi les couleurs d'origine changent-elles ?
   a) Parce que le temps passe et que la routine s'installe.
   b) Parce que les sentiments disparaissent toujours et pour toujours.
   c) Parce que la vie est dure et difficile.

3) Que chante Alain Souchon dans cette chanson ?
   a) Le désir de repartir à zéro et de retrouver l'enthousiasme du commencement.
   b) La nostalgie d'un amour fini pour toujours.
   c) L'inquiétude en pensant à ce que deviendra son amour.

4 **Corrigez vos réponses avec la transcription et commentez-les en grand groupe. Aimez-vous cette chanson ? Pourquoi ?**

L'amour à la machine

Passez notre amour à la machine.
Faites-le bouillir
Pour voir si les couleurs d'origine
Peuvent revenir.
Est-ce qu'on peut ravoir à l'eau de javel
Des sentiments,
La blancheur qu'on croyait éternelle,
Avant ?

Pour retrouver le rose initial
De ta joue devenue pâle,
Le bleu de nos baisers du début,
Tant d'azur perdu.

Passez notre amour à la machine.
Faites-le bouillir
Pour voir si les couleurs d'origine
Peuvent revenir.
Est-ce qu'on peut ravoir à l'eau de javel
Des sentiments,
La blancheur qu'on croyait éternelle,
Avant ?

Matisse, l'amour c'est bleu difficile,
Les caresses rouges fragiles,
Le soleil de la vie les tabasse,
Et alors, elles passent.

Allez ! À la machine !!

Le rouge pour faire tomber la misère
De nos gentils petits grands-pères,
Noires, les mains dans les boucles blondes
Tout autour du monde.

Passez notre amour à la machine.
Faites-le bouillir
Pour voir si les couleurs d'origine
Peuvent revenir.
Est-ce qu'on peut ravoir à l'eau de javel
Des sentiments,
La blancheur qu'on croyait éternelle,
Avant ?

Allez ! À la machine !!

Retrouvez dans la leçon les expressions pour :

expressions pour...

- Faire des reproches.
- Exprimer l'indifférence.
- Exprimer sa colère.
- Exprimer la rancune.
- Exprimer la difficulté.
- Exprimer la joie / la tristesse.
- Exprimer le regret.
- Plaindre quelqu'un.
- Interdire quelque chose.

Parler

1 Relations.

Par groupes de 2, jouez la scène. Vous commentez avec un(e) ami(e) les rapports que vous avez avec un membre de votre famille (père, mère, frère, sœur, mari, femme...). Vous les comparez.

2 Confidences.

Par groupes de 2, jouez la scène. Vous téléphonez à un(e) ami(e) pour lui raconter un problème personnel ou une bonne nouvelle que vous venez d'apprendre.

3 Préparez un court monologue pour raconter une émotion intense que vous avez ressentie.

Lire

Voici des lettres écrites par les lecteurs de la revue « Aujourd'hui ».

Mon mari travaille pour son compte depuis quelques années, mais dernièrement les affaires ne marchent pas très bien et nous devons calculer nos dépenses au plus juste. Nous avons deux enfants de 28 et 29 ans. L'un d'eux s'est marié il y a deux ans et, connaissant notre situation, a proposé de payer la moitié du mariage. Pour lui, c'était normal de participer et nous nous en sommes bien sortis. Il y a deux mois, notre autre fils nous a annoncé son mariage. La belle-famille demande que nous partagions la noce. Les achats se sont faits sans nous demander notre avis. Pour rentrer dans mon budget, je dois réduire le nombre d'invités. Mon fils et ma future belle-fille refusent. Ils disent que les parents doivent tout faire pour leurs enfants. Du coup, je déprime. J'aime beaucoup mon fils et ma belle-fille mais ils sont intransigeants face à nos problèmes. Si vous avez vécu une situation pareille, je voudrais que vous m'expliquiez comment vous y avez fait face.

Patricia et Éric, réf. 313.02

Mon fils de 30 ans s'est marié il y a 5 ans et a un petit garçon de 3 ans. Il est au chômage depuis 2 ans et il gagne très peu. Ma belle-fille gagne 1000 € par mois. Il lui promet qu'il va chercher un boulot, mais il ne fait rien. Même la présence de son fils ne le fait pas réagir. Il ne reste pas sans rien faire mais il ne fait que ce qui lui plaît. Il s'occupe d'une revue de poésie, il la distribue mais c'est un travail non rémunéré. J'ai peur que ma belle-fille en ait assez et parte avec notre petit-fils. Je voudrais que vous me donniez votre avis.

Myriam, réf. 311.02

AUJOURD'HUI Coups de main

Mon problème, ce n'est pas réellement le mien. Je voudrais aider une copine et lui donner de bons conseils. Voilà : elle est sortie il y a un an avec un garçon de notre classe et ils ont cassé parce qu'ils étaient trop timides. Ils ont failli ressortir ensemble mais ça n'a pas marché. Depuis, ils ne se parlent presque pas, ils n'ont plus de contact. Elle est sortie avec d'autres garçons entre temps mais elle pensait toujours à lui. Je pense que le mieux, c'est qu'elle l'oublie complètement mais ce n'est pas si facile. Je voudrais savoir ce que vous en pensez et comment je pourrais l'aider. Je veux qu'elle s'en sorte mais je sais qu'elle est très sensible.

Alexis, réf. 200.05

Les branches de l'arbre de mon voisin tombent dans mon jardin. Je lui ai demandé de les couper car elles salissent ma propriété. Il me dit qu'il s'en occupera mais il ne le fait pas. Je voudrais qu'il respecte ma demande et ma propriété : faut-il que je fasse justice moi-même en taillant tout ce qui dépasse et envahit mon côté ? Merci de me donner votre avis et de me faire partager vos expériences en la matière.

Bernard, réf. 312.02

J'ai une phobie des chiens depuis mon enfance. Je panique à l'idée d'en rencontrer dans la rue. Naturellement, je refuse toute invitation si je sais qu'il y en a un dans la maison. J'ai interdit à mes enfants d'en avoir mais je souffre car je sais que cette phobie m'oblige à me replier sur moi-même. Je désire que vous m'envoyiez vos conseils et vos témoignages.

Claudette, réf. 320.05

1 **Retrouvez le titre qui convient à chaque lettre. Attention, il y a plus de titres que de textes !**

a) L'intransigeance de mon fils me fait souffrir.
b) Mon fils ne peut pas s'empêcher de mentir.
c) Les chiens me gâchent la vie.
d) Mon fils ne fait rien pour s'en sortir.
e) Âgée et sans enfant, l'avenir me préoccupe.
f) Que dire à mon amie ?
g) Dois-je faire justice moi-même ?
h) Ma première expérience a été catastrophique.
i) Elle n'est pas capable de parler avec le garçon qui l'intéresse.

2 **Quels sentiments expriment ces lettres ? Justifiez votre réponse.**

3 **Quelles solutions voyez-vous dans chaque cas ?**

4 **Voici la réponse à l'un des problèmes exposés. À quelle lettre répond-on ?**

Si vous avez peur des chiens, c'est peut-être lié à une expérience négative pendant votre enfance. Mais vous êtes capable de réagir. Consultez un psychologue qui vous aidera à trouver la source de cette phobie. Vous pouvez commencer par penser de façon positive aux chiens, ceux des aveugles par exemple. Ces animaux sont exceptionnels. Je vous conseille d'aller visiter un centre de dressage. Peut-être deviendrez-vous amie de l'un de ces chiens et ça vous permettra de changer votre rapport avec eux. Voilà mon coup de main. J'espère qu'il vous sera utile.

Guy

Écrire

1 **Maintenant, écrivez une lettre pour exposer un problème (réel ou imaginaire). Puis, affichez-la dans la classe pour que quelqu'un vous aide à trouver une solution. Chacun de vous devra donc rédiger une réponse à un problème !**

2 **Observez les lettres affichées. Présentent-elles un lexique correct, adéquat et varié pour votre niveau ? Intègrent-elles des éléments nouveaux à d'autres déjà connus ?**

Situation 1 > Radio sport

1  **Écoutez l'enregistrement, puis répondez aux questions suivantes.**

1) Les extraits que vous venez d'entendre sont-ils des débats, des conversations, des témoignages, des interviews ?
2) Où peut-on les entendre ?
3) Quel est le thème commun aux trois documents ?
4) Quelle est la spécialité de chacune des trois personnes interviewées ?

2 **Réécoutez ces trois extraits, puis répondez aux questions suivantes en éliminant l'option incorrecte.**

Extrait 1

1) Les Français vont...
   a) rendre un hommage à Mathieu Deligny.
   b) être attentifs à ce qu'il fait.
   c) l'encourager et lui souhaiter une belle réussite.

Extrait 2

1) On parle plus particulièrement...
   a) de constitution et d'aptitudes physiques.
   b) d'accidents et de difficultés professionnelles.
   c) de carrière professionnelle.
2) Claude Padirac va recevoir un hommage...
   a) parce que sa longue trajectoire professionnelle est remplie de victoires.
   b) parce que sa trajectoire professionnelle est très longue.
   c) parce qu'il vient de gagner un prix très important.

Extrait 3

1) Loïc Ploumer semble...
   a) préoccupé par ce qu'on lui dit.
   b) très content de ce qu'on lui dit.
   c) peu affecté par ce qu'on lui dit.

3 **Comparez vos réponses à celles de votre voisin(e), puis élaborez un très court résumé de chacune des séquences.**

4 **Par petits groupes, lisez vos résumés. Avez-vous tous compris la même chose ? Qu'est-ce qui vous a aidé ? Vérifiez avec la transcription page 163.**

5  **Réécoutez ces extraits en lisant les transcriptions correspondantes. Comprenez-vous mieux maintenant ?**

Situation 2 > Une enquête au salon du livre

1 Écoutez l'enregistrement, puis répondez aux questions. Justifiez vos réponses.

1) Sur quel thème le journaliste fait-il son enquête ?
2) Quelle est l'opinion du monsieur à ce sujet ?
3) Quelles sont les réserves de la dame ?
4) Pourquoi la dame aime-t-elle aller à la bibliothèque ?
5) Le couple changera-t-il ses habitudes de lecture ?
6) Comment réagit la jeune fille à la question du journaliste ?
7) Pourquoi l'homme intervient-il ? Que répond la jeune fille ?
8) L'adolescent est-il un inconditionnel du livre électronique ?

2 Réécoutez l'enregistrement et classez les réactions des visiteurs, de la plus favorable à la moins favorable.

3 Et vous, que répondriez-vous au journaliste ?

4 Par petits groupes, trouvez d'autres arguments pour ou contre le *livrel*, puis présentez-les à la classe.

■ Bonjour, messieurs dames, vous avez vu le stand du livre électronique, le *livrel* ? Je peux vous demander ce que vous en pensez ?
■ C'est intéressant mais à mon avis, ce n'est pas encore pour demain, et puis il est impossible que les livres disparaissent...
■ Oui, tout à fait d'accord, et moi, je peux vous dire aussi que, personnellement, je n'éprouve aucun plaisir à lire sur un écran et je doute que cela soit bénéfique pour ma vue.
■ Donc vous ne pensez pas que cela puisse modifier vos habitudes de lecture dans l'avenir ?
■ En aucun cas, monsieur, votre écran e-book, c'est plat, c'est cela même, c'est plat ! Cela ne me fera changer ni d'habitude ni d'idée sur la question. J'aime lire, choisir mes livres à la bibliothèque, feuilleter des revues, voir les nouveautés, cela fait pour moi partie du plaisir de lire.
■ Je suis moins catégorique. Il se peut qu'un jour, je me serve d'un livre électronique mais attention ! sans renoncer aux livres de toujours.
■ Merci beaucoup.

À l'intérieur du salon du livre

■ Mademoiselle, vous pouvez nous donner votre avis sur le livre électronique ?
■ C'est vraiment fabuleux ! C'est une révolution, c'est avoir une bibliothèque à sa disposition et une chose est sûre, pour la recherche, c'est une grande invention.
■ Permettez, mademoiselle, que j'intervienne, c'est une grande invention, certes, mais qui a ses limites. D'abord...
■ Quelles limites ? Pour quelle raison ?
■ Premièrement, des études démontrent que si on donne à lire à quelqu'un un document sans lui permettre de le toucher, l'efficacité de la lecture diminue...
■ Oui, c'est possible mais on est en train de mettre au point le livre à base d'encre électronique et alors rien ne change, on retrouve le support papier, je suis convaincue que vous changerez d'avis un jour ou l'autre.
■ Merci bien. Et pour vous, jeune homme, le livre électronique, c'est de la science-fiction ?
■ Non, non, moi, lire comme ça, ça me va !
■ Alors le livre électronique vous servira pour tout : roman, guides de voyages, manuels scolaires, BD...
■ Ah non ! La BD c'est pas pareil !
■ Et pourquoi ça ?
■ Ben, y a les couleurs, les détails, on peut...

Nous informons nos visiteurs que le salon fermera ses portes dans une demi-heure...

L'alternance indicatif / subjonctif dans les complétives

Le verbe de la complétive se met à l'indicatif ou au subjonctif selon le sens du verbe principal.

Si le verbe de la principale exprime...	On utilise...	
	le subjonctif	l'indicatif
• la volonté, le souhait, le désir, le refus... • les sentiments, les goûts ou préférences... • le doute, la possibilité, l'éventualité...	✓ ✓ ✓	
• la connaissance, le jugement • la déclaration		✓ ✓
• l'opinion	✓	✓

Attention ! Les verbes d'opinion à la forme négative sont suivis du subjonctif :
*Je ne pense pas qu'**elle ait** raison. Je ne suis pas sûr qu'**elle le fasse**.*

LES CONSTRUCTIONS IMPERSONNELLES *IL EST* + ADJECTIF + *QUE...*

Quel mode utilise-t-on quand l'adjectif exprime la certitude ou la connaissance ? Et quand il exprime une appréciation ? Y a-t-il des différences lorsque le verbe principal est à la forme négative ?

Observez ces phrases.

Il est évident que le livrel est un grand progrès.
Il n'est pas évident que cela soit possible.
Il est important que tu fasses un bon score.
Il n'est pas important que nous terminions les premiers.

Exprimer le degré de certitude ou de possibilité d'un événement.

Le doute et la certitude	La possibilité et l'impossibilité
Subjonctif *Je doute que... / Je ne suis pas sûr(e) que...* *Il n'est pas sûr / certain que...*	**Subjonctif** *Il est (im)possible que... / Il se peut que...*
Indicatif *Je suis sûr / certain / convaincu / persuadé que...* *Il est sûr / certain que...*	
Autres expressions *sans doute, c'est sûr*	**Autres expressions** *peut-être, je risque de, c'est (im)possible*

1 Mettez les phrases suivantes à la forme négative.

1) Je trouve qu'il est bien pour son âge.
2) Pour éviter des problèmes, il faut que tu lui dises la vérité.
3) Ils pensent que les jeunes ont la vie facile.
4) J'imagine qu'il veut plaisanter.
5) Nous sommes sûrs que vous le ferez très bien sans notre aide.
6) Elle croit qu'il pourra arriver à l'heure.

2 Réagissez aux prévisions suivantes avec une des expressions du tableau précédent.

1) La majorité civile sera fixée à 16 ans.
2) Il n'y aura plus de publicité à la télé.
3) Les gens partiront en vacances sur la lune.
4) Tous les vaccins seront gratuits.
5) Les femmes au foyer toucheront un salaire pour leur travail.

3 Complétez les phrases suivantes.

1) ... que tu m'aides à rédiger ce rapport.
2) ... qu'elle veuille venir avec nous.
3) ... que vous reviendrez bientôt.
4) ... qu'on parle en même temps qu'elle.
5) ... que vous partiez maintenant.

4 Complétez les phrases suivantes.

1) Quand elle était petite, ma fille avait peur que...
2) Tu es fatigué, il vaut mieux que...
3) Le studio est petit, je ne crois pas que...
4) Ton père a la grippe, tu n'es pas sûr que...

La négation

Rappelez-vous :
En français, la négation se compose de **deux** termes.
Le premier, *ne / n'*, disparaît souvent dans la langue orale, le deuxième, jamais.
Le deuxième terme dépend de l'élément sur lequel porte la négation.

Je ne me suis rien cassé et je n'ai blessé personne.

Repérez les termes négatifs dans les réponses suivantes.
–Je ne me suis rien cassé.
–Je n'ai eu aucun problème de genou.
–En fait, je n'ai jamais été blessé.
–Je n'ai blessé personne.
–Non, je n'ai aucun regret.
–Après le jubilé ? Je n'irai nulle part, je resterai avec mes supporters.
–Non, je n'ai plus rien à dire.

Pour répondre négativement / affirmativement :

–Vous sortez ce soir ? *–**Non**, on est fatigués.*	*–Qui veut encore du gâteau ?* *–**Pas** moi ! J'ai trop mangé.*	**Attention !** *–Tu **n'**allais pas au théâtre ?* *–**Si**, mais je ne retrouve plus les billets !*
–J'ai assisté au départ de la course de bateaux. *–Moi **aussi**, c'était impressionnant.* *–Oui, d'accord, mais je n'ai pas du tout aimé le discours du favori !* *–Ma femme **non plus**. C'est vrai, il était un peu présomptueux !*		

Pour renforcer la négation :

–Tu aimes le rap ?
–Pas du tout. / Absolument pas.
–Alors, tu ne viens pas au concert ?
*–Ah non ! **Pas question.***

- On peut faire porter la négation sur deux éléments :
  *Cela ne me fera changer **ni** d'habitude **ni** d'idée sur la question.*
- La restriction :
  *La lecture, j'adore ! mais je **ne** lis **que** des romans.*
  *(= Je lis **seulement** des romans).*

5 Transformez les phrases suivantes : utilisez *ni ... ni ...*

1) Il n'a pas d'argent, il n'a pas d'amis, il est tout seul.
2) Il n'aime pas la plage, il n'aime pas la campagne, en été il reste chez lui.
3) Je ne connais pas Verlaine, je ne connais pas Rimbaud. Moi, la poésie...
4) Elle ne prend pas de café, elle ne prend pas de thé. Elle ne boit que des tisanes.
5) Nous sommes végétariens, nous ne mangeons pas de viande, nous ne mangeons pas de poisson.

Petit dictionnaire de la culture

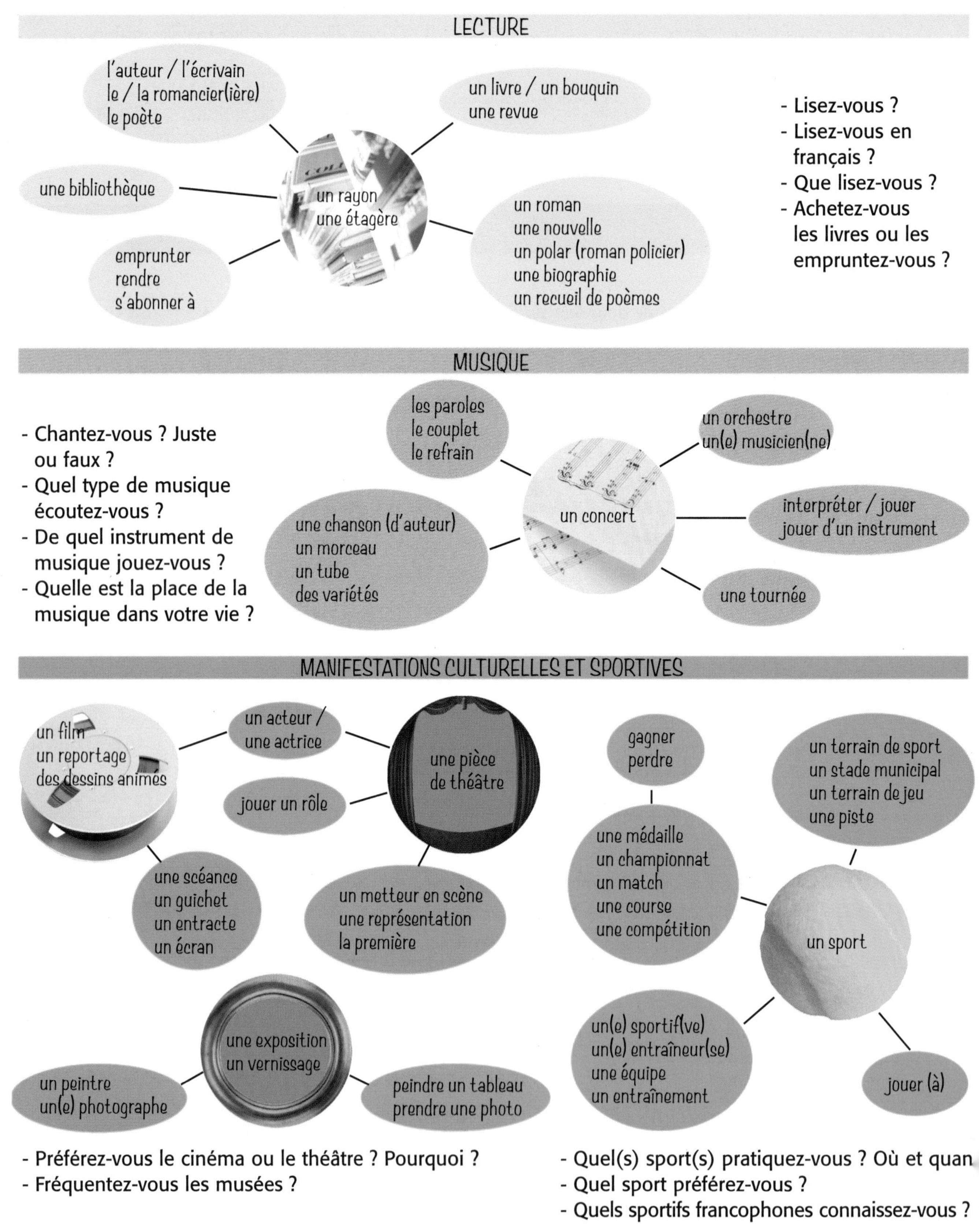

- Lisez-vous ?
- Lisez-vous en français ?
- Que lisez-vous ?
- Achetez-vous les livres ou les empruntez-vous ?

- Chantez-vous ? Juste ou faux ?
- Quel type de musique écoutez-vous ?
- De quel instrument de musique jouez-vous ?
- Quelle est la place de la musique dans votre vie ?

- Préférez-vous le cinéma ou le théâtre ? Pourquoi ?
- Fréquentez-vous les musées ?

- Quel(s) sport(s) pratiquez-vous ? Où et quan
- Quel sport préférez-vous ?
- Quels sportifs francophones connaissez-vous ?

QUELQUES EXPRESSIONS UTILES !

Quel beau film ! • Quel navet ! • C'est magnifique ! • C'est insignifiant ! • C'est un bon match • C'est un mauvais spectacle ! C'est amusant ! • C'est drôle ! • C'est ennuyeux • Ça m'a (beaucoup) plu !

1 Voici les programmes offerts par trois chaînes de télévision françaises. Fatigué(e)s par votre week-end, vous vous préparez un plateau-télé. Quel programme allez-vous sélectionner ? À quelle heure et sur quelle chaîne ? Choisissez individuellement celui qui vous plaît le plus, puis négociez à trois celui que vous allez finalement regarder.

22.50 Les films dans la salle 5132113
Ⓢ **SCANDAL (1h50)** ★ 1426620
Film britannique de Michael Caton-Jones (1989). Espionnage. *Déjà diffusé.*
Avec John Hurt (Stephen Ward), Joanne Whalley-Kilmer (Christine Keeler), Bridget Fonda (Mandy Rice-Davies), Ian Mckellen (John Profumo), Leslie Phillips.
L'histoire : Au début des années 60, Stephen Ward est un ostéopathe renommé dans la haute société londonienne. Grand amateur de femmes, il « aide » ses amis à trouver des maîtresses. Un jour, il rencontre une danseuse, Christine Keeler, qu'il initie à la vie mondaine. **Notre avis :** Un film à la réalisation un peu neutre qui dénonce l'hypocrisie d'un certain conservatisme politique.

22.35 Double je Magazine. Par Bernard Pivot.
Ⓢ Invités : Semyon Bychkov, chek d'orchestre né en Suisse, directeur de l'orchestre symphonique de Cologne et habitant au Pays basque français ; Alice Kaplan, professeur à l'université de Duke (Caroline du Sud), auteur de « l'intelligence avec l'ennemi – le procès Brasillach » (Gallimard) ; Peter Mayle, écrivain anglais qui vit dans le Lubéron ; Richard Seaver, éditeur américain 4584113
0.10 Journal de la nuit, météo
0.30 Frères ennemis
Inédit. Documentaire. Dans le cadre de « Contre-courant ». « La rebelle et l'aristo ». Une fille de concierge rencontre la femme d'un commissaire-priseur aristocrate • **1.00** « Comme chien et chat ». Une phobique des animaux passe quelques jours chez une « amie » des chiens. 6750175
1.25 D'une forêt à l'autre, la recette
Inédit. Documentaire. Le travail d'une équipe de cinéastes animaliers. 2737175
2.20 Tennis : Wimbledon
En différé. Finale messieurs. 5747972

22.10 Météo, Soir 3 par Stéphane Lippert.
23.30 Sous les pavés, la plage *Déjà diff.*
Théâtre. De Rita Brantalou et Philippe Bruneau. *Avec Guy Montagné, D. Evenou.* En mai 68, un fonctionnaire a donné l'ordre aux CRS de pénétrer dans la Sorbonne. 5982303
1.20 Cinéma de minuit Par patrick Brion. « Cycle aspects du patrimoine français ».
1.25 Amants et voleurs (1h25). ★
Film français, en NB, de Raymond Bernard (1935). Comédie. *Déjà diffusé. Avec Arletty, Michel Simon.* Claude se lance par nécessité dans une carrière de malfrat. Après avoir pris conscience de son erreur, il s'éprend d'Irma. **Notre avis :** un film un peu daté à la distribution irrésistible. 58035601
2.50 Programme de La nuit
Soir 3 du 7 juillet 1982 • 3.15 Le journal du Tour • 3.25 Mondial de la Marseillaise à Pétanque • 4.00 ONPP vu de la plage. *Déjà diffusé* • Les matinales.

ACCORD PARENTAL SOUHAITABLE — ACCORD PARENTAL INDISPENSABLE — INTERDIT AUX MOINS DE 16 ANS — INTERDIT AUX MOINS DE 18 ANS
★ BON — ★★ TRES BON — ★★★ A NE PAS MANQUER — FORMAT 16/9 — SOUS-TITRAGE TELETEXTE — Ⓢ STEREO

LES VOYELLES NASALES (2)

Rappelez-vous ces mots de la leçon : *inconnu, songe, essentiel.*

1 Écoutez et dites si les deux mots prononcés sont identiques ou différents.

[ɛ̃] / [ɑ̃]	1	2	3	4	5	6	7	8
=								
≠								

2 Écoutez l'enregistrement, puis répondez aux questions.

a) Indiquez le genre de l'adjectif.

	1	2	3	4	5	6
masculin						
féminin						

b) Comment appelez-vous les habitants des pays suivants ?
1) Cuba 2) le Brésil 3) l'Algérie 4) l'Inde 5) les États-Unis 6) le Pérou

c) Vérifiez votre prononciation avec l'enregistrement.

3 Écoutez et dites si le son [ɛ̃] se trouve au début, au milieu ou à la fin des mots proposés.

	1	2	3	4	5	6	7	8
début								
milieu								
fin								

Pleins feux sur les festivals de cinéma

. 20020424. PARIS. FRANCE. FRANCE-CINEMA-CANNES:PRI17 - 20020424 - PARIS, FRANCE : Photo taken 24 April 2002 in Paris of the Cannes Film Festival poster. The festival will be held 15-25 May 2002. EPA PHOTO AFP/STF/lc/ac. EPA/AFP. ACE. STF

C'est sans aucun doute le **festival de Cannes** qui emporte la palme, le plus connu et le plus ancien. Sur les 40 dernières années, les États-Unis ont gagné 11 palmes d'or, l'Italie 9, la France 7, la Grande Bretagne 6, le Japon 3 et divers pays les 13 autres.

Mais des manifestations cinématographiques dans le monde francophone, il y en a d'autres à découvrir comme...

Les journées cinématographiques de Carthage ou JCC (Tunisie)
Créées en 1966, elles ont lieu tous les deux ans et sont axées sur les réalisateurs du tiers-monde, essentiellement arabo-africains. En souvenir du panthéon carthaginois et en hommage à la déesse de la fécondité, **Tanit,** on a choisi de donner son nom aux grands prix des JCC.

Le festival international du film francophone de Namur ou FIFF (Belgique)
Un des plus jeunes avec ses 15 ans d'existence, il s'est imposé dans le monde francophone et organise de nombreux échanges avec d'autres festivals tels que le Fespaco. Le jury, formé de personnalités du monde cinématographique francophone, décerne les **Bayards d'Or**, nom choisi en souvenir de la légende du cheval Bayard qui franchit la Meuse d'un seul bond pour échapper à ses poursuivants. Parmi les activités proposées pendant le festival, on trouve une classe de cinéma destinée à une vingtaine de jeunes Francophones.

FESPACO festival panafricain du cinéma et de la télévision de Ouagadougou (Burkina Faso)
Il a commencé petit : 10 000 spectateurs pour 5 films en compétition et 5 pays participants la première année. Mais il a fait son chemin et en 30 ans, il est devenu le festival de promotion du cinéma africain dans le monde et son ambition actuelle est de mettre en place un salon des nouvelles technologies du son et de l'image.
L'étalon de Yennenga, son grand prix, rappelle l'histoire de la princesse guerrière Yennenga qui s'enfuit sur son cheval pour gagner sa liberté.

Deux festivals dans le monde francophone offrent leur chance aux jeunes réalisateurs : le **festival international du film du Québec** et le festival de Genève qui révèle les **espoirs du cinéma européen**.

Autre manifestation cinématographique d'importance en France, l'attribution au meilleur film, aux meilleurs réalisateur / trice et acteurs / trices des **Césars** dont le nom est un double hommage à Raimu pour son rôle de César et au sculpteur César qui a réalisé la statuette des prix.
Un record : le film « Cyrano de Bergerac » remporta en 1991 10 Césars sur 13.

1 Qu'est-ce qui fait, selon vous, la particularité / l'originalité de chaque festival ?

2 Que savez-vous sur le festival de Cannes ? À votre avis, à quoi fait référence le nom du grand prix, la Palme d'or ?

3 Les noms des autres prix : lesquels rendent hommage à des hommes ? À des histoires légendaires ? À une civilisation ?

4 Quels points communs ont les prix du FIFF et du FESPACO ?

5 Connaissez-vous d'autres festivals de cinéma, français ou étrangers ?

expressions pour...

Retrouvez dans la leçon les expressions pour :

- Demander / Donner son avis.
- Donner une opinion positive / négative sur quelque chose.
- Nuancer son opinion.
- Demander de justifier / Argumenter une opinion.
- Montrer partiellement son accord.
- Réfuter un argument.
- Exprimer le doute.
- Exprimer la possibilité.

Parler

1 Cinéma.

Par groupes de 2, jouez la scène.

Chacun lit cette page de Pariscope, puis vous vous téléphonez pour choisir un film à voir ensemble.

Bowling for Colombine
2002. 2h. **Documentaire** canado-américain en couleurs de Michael Moore.
Dans son dernier documentaire, l'auteur de « Roger et moi » et de « The big one » cherche à comprendre comment deux adolescents américains ont pu ouvrir le feu sur les élèves du collège Colombine, faisant 13 morts. Une enquête qui remet en cause la constitution des Etat-Unis - permettant à tout citoyen de posséder une arme - mais aussi les médias, les supermarchés, les industriels... et la National Rifle Association. César 2002 du meilleur film étranger et Oscar 2003 du meilleur documentaire. **▪Images d'ailleurs 19 v.o. ▪Studio Galande 21 v.o. ▪Lucernaire forum 29 v.o. ▪Le Grand Pavois v.o. ▪Saint Lambert 96 v.o.**

Bruce tout puissant. Bruce almighty.
2003. 1h40. **Comédie** américaine en couleurs de Tom Shadyac avec Jim Carrey, Morgan Freeman, Jennifer Aniston.
Bien que célèbre et amoureux, un journaliste ne cesse de râler, après tout, contre tout le monde. Et quoi de plus normal, quand tout va mal, que de s'en prendre au grand organisateur lui-même, Dieu ? A son tour mal luné, Dieu met au défi le garçon de faire mieux que lui, en le dotant pendant une semaine de pouvoirs divins. Jim Carrey endosse la lourde responsabilité de faire marcher le monde dans un rôle à sa (dé)mesure. **▪UGC Ciné Cité Les Halles 2v.o. ▪Gaumont Opéra Premier 6 v.o. ▪UGC Danton 38 v.o. ▪Gaumont Marignan 49 v.o. ▪UGC Georges V 53 v.o. ▪UGC Ciné Cité Bercy 75 bis v.o. ▪Gaumont Gobelins 78 v.o. ▪MK2 Bibliothèque 80 v.o. ▪Le Miramar 86 v.o. ▪Rex 9 v.f. ▪UGC Montparnasse 39 v.f. ▪Les 5 Caumartin 57 v.f. ▪Paramount Opéra 61 v.f. ▪UGC Lyon-Bastille 76 v.f. ▪UGC Gobelins 81 v.f. ▪Gaumont Alésia 84 v.f. ▪Gaumont Parnasse 85 v.f. Gaumont Aquaboulevard 91 bis v.f. ▪Gaumont Convention 92 v.f. ▪Pathé Wepler 105 v.f.**

Ce jour-là
2002. 1h45. **Comédie** suissse en couleurs de Raoul Ruiz avec Elsa Zylberstein, Bernard Giraudeau, Jean-Luc Bideau, Jean-François Balmer. L'héritière un peu fêlée d'une grande famille rencontre un homme, tout juste échappé d'un asile. Richissime, la jeune femme est la victime annoncée des complots familiaux mais son nouveau compagnon, grand psychopathe, l'aide, à sa manière, à déjouer les pièges. Comédie policière et critique sociale, ce film fait la part belle à l'humour noir et à l'absurde. **▪Denfert 82**

Le château dans le ciel
1986. 2h05. **Dessin animé** japonais en couleurs de Hayao Miyasaki.
Poursuivie par des pirates et des espions, une jeune fille tombe littéralement du ciel chez un jeune mineur. Les deux adolescents, guidés par une pierre magique, partent en quête de la cité perdue de Laputa, qui recèle un fabuleux trésor très convoité. Le réalisateur de « Princesse Mononoke » et du « Voyage de Chihiro » dépeint, dans ce conte initiatique et aventureux, un monde onirique de toute beauté. **▪Le Balzac 43 v.f. ▪Denfert 82 v.f. ▪Le grand Pavois 94 v.f. ▪Saint Lambert 96 v.f.**

Le chemin de la liberté
2002. 1h35. **Drame** australien en couleurs de Phillip Noyce avec Everlyn Sampi, Tianna Sansbury, Laura Monaghan, Kenneth Branagh.
Australie années 30. Le gouvernement décide que les enfants aborigènes seront désormais retirés à leurs familles et envoyés dans des institutions afin de les préparer à vivre dans une société blanche. Trois fillettes sont ainsi transférées à l'autre bout du pays dans un camp aux épouvantables conditions de vie. Elles s'évadent, poursuivies par toutes les autorités... Une page honteuse et douloureuse de l'histoire australienne, racontée par le réalisateur de « Calme blanc ». **▪Images d'ailleurs 19 v.o.**

88

2 **Enquête. Vous allez faire une enquête pour connaître l'opinion du groupe-classe sur plusieurs thèmes.**

1) Par groupes de 4 ou 5, choisissez celui qui vous intéresse le plus :
– la télé payante pour les matchs de football
– les films sous-titrés
– le prix des billets de théâtre, de cinéma...
– les nombreuses émissions sportives à la télé
– le piratage de la musique
– ...

2) Préparez quatre questions à poser et organisez-vous pour interviewer tous les membres de la classe.

3) Enfin, retrouvez votre groupe pour écrire un court texte présentant les résultats de votre enquête.

Voici quelques propositions culturelles.

Les trois sœurs et... maman

Elle ne sait plus ce qu'est un verre d'eau, appelle sa fille « maman » et range son dentier sous le paillasson de l'entrée. Elle, c'est la mère de Françoise Laborde, rédactrice en chef à France 2, présentatrice suppléante du 20 heures. « Pourquoi ma mère me rend folle » est le récit, à peine romancé, de la maladie d'Alzheimer de sa maman. Déprimant ? Pas vraiment, car, si le propos est grave, le ton est tendre et pétillant. La maladie réveille les blessures d'une famille de trois sœurs. Chacune d'entre elles juge l'événement à l'aune de sa propre histoire. L'aînée, Mathilde, estime que sa mère simule des pertes de mémoire pour ne pas regarder en face les réalités de la vie. Clotilde, la cadette, pense que sa mère souffre d'une dépression nerveuse grave. Isabelle, la narratrice, se demande si elle n'utilise pas la situation pour régler ses comptes avec sa famille. Son regard, plein d'humour, mais coupant comme un laser, met à nu réalités sororales, conflits ancestraux et sujets tabous. Ce livre est aussi le portrait d'une mère égocentrique qui ne s'est jamais intéressée à ses enfants, sauf lorsque leurs bonnes manières ou, plus tard, leur réussite sociale pouvaient rejaillir sur elle. « Que faut-il pour admettre que l'on n'existe pas, que l'on n'a jamais existé aux yeux de ses parents ? La maladie de maman nous a permis de réaliser que, pour elle, nous comptons à peu près autant que les petites cuillères. » Un roman vérité désopilant mais souvent poignant, lucide, pourtant dénué de pathos. Le portrait d'une famille unique et universelle.

VALÉRIE Colin-Simard

« Pourquoi ma mère me rend folle ? », de Françoise Laborde (Ramsay, 260 p.)
Elle, n° 2946, du 17 juin au 23 juin 2002

PARIS COMBO

Les américains adooorent

Le célèbre quartet, né en 1997, et sa chanteuse-parolière Belle du Berry, aux faux airs d'Amélie Poulain, nous régalent avec ce troisième album* rempli de malice et de mélodies pleines d'entrain (*Mais que fait la Nasa* ?). « La chanson française privilégie souvent le texte au détriment de la musique. Nous, nous travaillons les deux à parts égales. » Charismatique, le groupe ne tourne pas qu'en France, mais également en Allemagne, en Australie et aux États-Unis. Leur source a même démarré là-bas. « Le premier album est sorti aux États-Unis, notre style rétro parisien cadrait bien avec l'image qu'ils ont de la France. » Encore un point commun avec notre Amélie !

**Attraction* (Polydor).
Femme Actuelle, n° 906 du 4 au 10 février 2002

Total Kheops

Le journaliste de cinéma Alain Bévérini passe à la réalisation avec cette adaptation du polar *Total Kheops*, de Jean-Claude Izzo. Hommage sincère à Marseille (ville de l'écrivain et du réalisateur), le film bénéficie d'un Richard Bohringer convaincant en Fabio Montale. Mais la conduite du récit, imbriquant passé et présent, sentiments et règlements de compte, laisse à désirer : beaucoup de flash-back ratés et de séquences trop allusives.

Louis Guichard
Télérama n° 2739, du 13 juillet 2002

Français (1h30). Avec : Richard Bohringer, Marie Trintignant, Robin Renucci, Daniel Duval.

Ma caméra et moi

Max filme tout ce qu'il vit, bancal et attachant

L'intrigue est parfois étirée pour rien, elle s'éparpille et rebondit souvent au petit bonheur la chance. On devrait décrocher dix fois, et pourtant on ne lâche pas. Pourquoi ? Parce que l'enthousiasme effervescent de Max, le héros, aussi dingue d'images que de filles depuis l'enfance, est contagieux. Parce que l'obsession qu'il trimballe : filmer tout ce qu'il vit et, à la limite, vivre des aventures pour pouvoir les filmer est déclinée avec une fantaisie allègre. Parce que, derrière le récit bricolo de cette expérience limite, se cache (à peine) une comédie romantique en bonne et due forme. Parce que, face à Zinedine Soualem, épatant dans son premier vrai rôle en vedette, Julie Gayet impose sa grâce naturelle dans une composition casse-gueule. Parce que, enfin, ce petit film bancal est pétri d'une générosité qui déborde de partout. Pour une fois, ça suffit.

Jean-Claude Loiseau, *Télérama* n° 2739, du 13 juillet 2002

Français (1h25). Réal. : Christophe Loizillon. Scén. : Christophe Loizillon et Santiago Amigorena. Images : Aurélien Devaux. Avec : Zinedine Soualem (Max adulte), Julie Gayet (Lucie), Julien Collet (Bruno), Isabelle Grare (Constance). Prod. : Les Films du Rat et La Mouche du Coche Films. Distr. : Rezo Films.

1 **Lisez les articles précédents. Ils présentent des critiques de...**

2 **Associez chaque phrase à l'un des textes lus.**

1) L'auteur du texte s'étonne d'une intrigue mal construite mais qui retient l'attention du public.
2) On nous présente un groupe qui se produit dans différents pays.
3) Le texte présente une adaptation d'un roman policier.
4) Le texte parle d'une première réalisation.
5) Le texte nous présente un héros particulièrement attachant.
6) Le texte est dur mais raconté de façon tendre et avec un certain humour.
7) L'auteur a compris qu'elle n'intéressait pas sa mère.
8) L'un des textes établit des points communs avec un personnage connu des Français.

3 **Quelles sont les critiques positives et négatives pour chacune des propositions culturelles ?**

4 **Laquelle de ces propositions retient votre attention ? Pourquoi ?**

Écrire

Écrivez une courte présentation d'un film que vous avez vu récemment, d'un livre, d'un concert ou d'une exposition. Puis, lisez-la aux autres membres de la classe.
Après la lecture oralisée, dites si la présentation est claire, bien organisée et cohérente.

Réfléchissons ! Comment utilisez-vous un dictionnaire bilingue, pour lire / écrire un texte ?

- Je fais attention aux informations grammaticales (genre, conjugaison, syntaxe...).
- Je fais attention à l'orthographe du mot.
- Je regarde toutes les traductions du mot pour choisir la plus adéquate.
- Je prends la première traduction du mot que je cherche.
- Je fais attention aux marques de registre (familier ou non) et aux informations de lexique spécialisé (médecine, zoologie...).
- Quand je cherche une expression ou une locution, je cherche le substantif ou le verbe à la forme infinitive.
- Je vérifie mes hypothèses sur le sens d'un mot.

Par petits groupes, commentez vos réponses.

GRAMMAIRE

1 Complétez le texte avec les verbes suivants.
faire / perdre / éviter / manger / essayer

Monsieur, si vous voulez perdre du poids il faudra que vous ... (1) moins et que vous ... (2) les sucreries, les fritures et les boissons alcoolisées. Il est nécessaire aussi que vous ... (3) du sport et que vous ... (4) de mener une vie saine. Je suis certain qu'en suivant mes conseils vous ... (5) de 3 à 5 kilos en peu de temps.

2 Complétez la lettre ci-dessous avec les mots ou expressions suivants.
non plus / qu'on sorte / il n'est pas impossible les miens / aussi / aient / les siens / pas question / risque / je doute que

Madame Lesecours,
J'ai besoin de votre aide. Je suis divorcée et j'ai deux enfants. J'ai connu un gentil monsieur avec qui je voudrais me marier. Il est veuf et il a deux enfants comme moi. ... (1) sont très contents de mes projets d'avenir mais ... (2) ne veulent pas en entendre parler. Pour eux, ... (3) d'avoir une belle-mère à leur âge. Je suis déprimée et mon fiancé .... (4) Je n'ai pas envie ... (5) tous ensemble et lui .... (6) Notre relation ... (7) de mal tourner. ... (8) nous puissions continuer longtemps de cette façon. Je ne crois pas que nos enfants ... (9) le droit de nous imposer leurs décisions mais ... (10) qu'ils réussissent à le faire. Dites-moi ce que je dois faire. J'attends votre conseil impatiemment.
Une fidèle lectrice.

LEXIQUE

3 Complétez le texte.

Guide télé : Nos idées pour la semaine !
Sur la première ... (1), TF1, nous vous ... (2) trois émissions : celle de lundi soir, un ... (3) film que l'on a toujours plaisir à revoir : « Les vacances de Monsieur Hulot » du ... (4) J. Tati, après le ... (5) de 20 heures ; celle de mercredi, même heure :
un programme de variétés, avec des humoristes encore peu connus sur le petit écran et celle de vendredi, 17 heures : vous vivrez une heure d'... (6) intense en regardant les aventures d'un explorateur sur les neiges glacées du pôle nord en lutte avec un ours blanc extrêmement ... (7). Par contre, vous n'aurez rien à ... (8) si vous décidez de sortir jeudi soir. Rien d'intéressant à regarder ! Une nouvelle ... (9) sentimentale et assez ... (10) s'installe pour trois mois. Elle racontera, semaine après semaine, l'histoire de deux jeunes sœurs qui ... (11) beaucoup de chagrin à la mort de leurs parents mais décident de résister dans le petit village où elles résident, malgré l'... (12) qu'elles ressentent (il n'y a rien à faire dans cette petite ville morte). Heureusement, deux hommes jeunes arrivent dans la région pour monter une résidence de vacances et ne résistent pas à leurs charmes. Un ... (13) immédiat et réciproque apportera une solution à tous leurs problèmes. Ce sujet évidemment très ... (14) n'est même pas sauvé par un scénario peu travaillé ni par des actrices qui n'arrivent pas à ... (15) avec conviction leur rôle de victimes.

PRONONCIATION

4 Écoutez et cochez les cases selon que les phrases enregistrées contiennent une ou plusieurs des voyelles nasales indiquées.

	1	2	3	4
[ɑ̃]				
[ɔ̃]				
[ɛ̃]				

5 Soulignez, dans chacune des listes suivantes, les mots qui se prononcent de la même façon que celui de gauche.

1) pont — pot - pond - poids - ponds - peau
2) rang — rond - rende - range - reins - rend
3) plein — plan - plante - plat - plain - pleine
4) ton — tonne - thon - taux - TOM - temps
5) pain — paix - pin - peint - pont - pente
6) en — un - an - une - ans - âne

U3 BILAN COMMUNICATION : PORTFOLIO PAGE 11

UNITÉ 4

Planète techno

OBJECTIFS

- Communiquer en vis-à-vis et par téléphone (registre standard).
- Comprendre une conférence, un discours public (langue technique).
- Comprendre et faire des réclamations (domaine commercial et touristique).
- Comprendre et exprimer des désirs et des souhaits.
- Faire des hypothèses.
- Comprendre des argumentations et argumenter.
- Montrer son accord ou désaccord (thèmes de société).
- Comprendre / Écrire des textes narratifs littéraires.
- Stratégies de planification du monologue oral et critères d'évaluation de l'expression orale.

L7 LEÇON 7

COMMUNICATION
- Exprimer des désirs, des souhaits
- Donner et refuser des arguments
- Texte de science-fiction ; BD
- Messages personnels

GRAMMAIRE
- Conditionnel présent
- Expression de la condition
- Expression de la cause

LEXIQUE
- Environnement et société du futur

PRONONCIATION
- Groupes consonantiques

CIVILISATION
- Protection de l'environnement

L8 LEÇON 8

COMMUNICATION
- Douter ; se fâcher ; (se) calmer ; (se) justifier
- Vanter / Dénoncer le fonctionnement d'un appareil
- Extrait de roman
- Lettre de réclamation

GRAMMAIRE
- Conditionnel passé
- Expression de l'hypothèse
- Expression de la conséquence

LEXIQUE
- « Modes d'emploi » de produits alimentaires et d'appareils ménagers

PRONONCIATION
- Semi-voyelles

CIVILISATION
- Bricolage et inventions

Situation 1 > Pour ou contre le progrès

1 Écoutez l'enregistrement, puis répondez aux questions suivantes.

1) Qui sont Marco et Patricia ? Quels sont leurs goûts ? Que pensent-ils du progrès ? Réunissez toutes les informations obtenues au long de cette conversation.
2) Que savez-vous de José ? Partage-t-il toutes les opinions de Marco et Patricia ?
3) Pourquoi la voiture actuelle de Marco et Patricia ne leur convient-elle plus ?
4) Quelles sont les caractéristiques de la voiture intelligente dont rêvent Marco et Patricia ?
5) Quels arguments donne José contre la voiture intelligente ?

2 Lisez les trois messages ci-contre écrits par Patricia, Marco et José. Dites, pour chacun d'eux, qui a écrit à qui et pour quelle raison.

a)

Salut mon poussin !
Suis allée, comme convenu, à la banque et ai pu parler avec l'employé sympa (tu sais, le brun qui est toujours si marrant ?) C'est d'accord pour le prêt ! Il m'a donné tous les renseignements et les formulaires à remplir si on se décide ! Il est prêt à nous aider ! Super ! On en parle ce soir ! Rappelle-toi : je finis à 19 heures. RDV à 20 heures au « Marmiton du Béarn » Ne sois pas en retard comme à ton habitude ! Bises tout plein

b)

Pas de pot ! comme les freins du vélo ne marchent plus (une fois de plus !), je le laisse au passage chez Jacques et Frères ! Ne m'attends pas de bonne heure ce soir, je ne sais pas comment je vais revenir ! J'en ai marre ! Je me dépêche ! Tu prépares un petit dîner sympa, si t'as le temps ? J'en aurai besoin ! Salut !

c)

Sans titre
Envoyer | Annuler | Adresser | Imprimer

Monsieur,
Seriez-vous disponible pour me recevoir dans la journée de demain pour un court entretien ? J'aimerais reparler avec vous de cette possibilité d'augmentation à laquelle vous avez fait allusion pendant notre dernière réunion de travail.
Avec mes remerciements et dans l'attente de votre réponse.
M. Polo

3  Pour ou contre les maisons et les voitures intelligentes ? Par petits groupes, cherchez le plus d'arguments pour et d'arguments contre puis exposez-les.

Situation 2 > La gestion des déchets ménagers

1 **Quelles installations existe-t-il dans votre ville pour l'élimination des déchets ? Triez-vous vos ordures ménagères ? Que jetez-vous dans les containers spéciaux ?**

2 **Écoutez le document et commentez-le en petits groupes : de quel type de document s'agit-il ? Combien de personnes parlent ? Qui sont-elles ? De quoi parlent-elles et à quelle occasion ?**

3 **Réécoutez le document et répondez aux questions.**

1) Comment Ségolène Mérieux qualifie-t-elle le problème de la gestion des déchets ménagers ?
2) Quelle est la quantité de déchets jetés en France ?
3) Quelles habitudes ont prises les Français ? Citez les exemples donnés.
4) Que permettent ces gestes éco-citoyens ?
5) Que peut-on faire des déchets organiques ?
6) Que prévoient les experts pour l'année 2020 ?
7) L'intervention de Ségolène Mérieux va-t-elle se baser seulement sur des aspects théoriques ?

4 **Le plan de la conférence. Lisez la transcription. Dans quel ordre apparaissent les points suivants ?**

1) présentation des exigences
2) remerciement aux organisateurs
3) stratégies et obstacles
4) exemples de comportement éco-citoyen
5) analyse de la situation actuelle
6) présentation du sujet
7) présentation d'une expérience de gestion des déchets

5 **Retrouvez les expressions employées pour présenter le plan de la conférence et une expression synonyme d'*introduction*.**

■ Nous allons maintenant écouter Ségolène Mérieux, actuellement éco-conseillère à la commune de Mirepoix. Merci Ségolène, de participer à ces journées sur l'environnement.

■ Merci à vous de les organiser. Bonjour à tous et à toutes ! Je vais vous parler d'un problème pris très au sérieux depuis une dizaine d'années dans nos sociétés de consommation : la gestion des déchets ménagers. C'est un sujet qui nous concerne tous, car je vous rappelle que chaque Français jette en moyenne plus d'un kilo de déchets par jour, ce qui donne plus de 400 kg d'ordures ménagères par habitant et par an.
Il est vrai que les campagnes de sensibilisation au geste éco-citoyen ont donné des résultats, puisque le tri sélectif des ordures ménagères fait maintenant partie des habitudes des Français. Grâce à des petits gestes simples comme jeter les bouteilles ou les vieux papiers dans des containers spéciaux, on s'implique dans la préservation de l'environnement ! Et le recyclage du papier ou du verre, par exemple, permet, d'une part, de limiter les ponctions sur nos ressources naturelles et, d'autre part, d'éviter des effets toxiques dans l'atmosphère à cause de l'incinération des déchets. Un autre exemple, ce sont les déchets organiques qui représentent 40% de nos poubelles. Si on les trie au départ, on peut les récupérer pour faire du compost... pour produire du biogaz. À l'heure actuelle, de nombreuses communes, surtout en milieu rural, ont installé des fûts à compost pour un usage collectif.
Mais tout cela ne suffit pas, car en raison de l'amélioration du niveau de vie, la production des déchets municipaux devrait augmenter de 43 %, oui de 43 % d'ici 2020, d'après les prévisions des experts.
Nous sommes donc confrontés à cette problématique : éliminer ces tonnes d'ordures, mais le faire proprement, car cela peut avoir des répercussions à bien des niveaux : santé, hygiène de vie, cadre de vie, environnement...
Après cette longue entrée en matière, je vais, dans un premier temps, vous parler des exigences à prendre en compte dans la gestion des déchets et pour comprendre la complexité du problème, nous reviendrons sur la situation actuelle. Puis, mon intervention se centrera sur les stratégies possibles et les difficultés que l'on peut encore rencontrer. Enfin, nous verrons, à partir d'un cas concret, comment adapter le traitement des ordures ménagères aux particularités locales.

Expression de la condition

Observez ces phrases.

Et si un jour, tout votre système de navigation tombe en panne, qu'est-ce que vous ferez, hein ?
Si on les trie au départ, on peut les récupérer pour faire du compost, pour produire du biogaz.

Quel temps trouve-t-on après la conjonction *si* dans ces phrases ? À quel temps sont les verbes *faire* et *pouvoir* ?

- La réalisation d'un fait ou d'une action dépend de la réalisation ou non d'un autre fait ou action :
  –Si tu obtiens le poste de travail [...] tu changeras d'avis.
  –Si je change de travail et que Marco obtient une augmentation, on se décidera peut-être !
- La condition implique que les deux faits que l'on met en relation sont réalisables et vérifiables.

1 Terminez les phrases suivantes.

1) Si vous détestez les sports,...
2) Si des amis m'invitent à dîner chez eux,...
3) Si je sors ce soir,...
4) Si tu penses rentrer tard,...
5) Si vous partez au Sénégal,...
6) Si tu as mal à la tête,...
7) Si nous réussissons nos examens,...
8) Si je gagne le premier prix,...

Expression de la cause

Relisez ces phrases et repérez pour chacune d'elles les deux faits qui sont mis en relation.

Je ne changerai pas d'avis parce que je me refuse à entrer dans cette course stupide à la consommation.
Vous êtes fous... s'endetter à cause d'une voiture qui vous empêche de réfléchir !
Comme les freins du vélo ne marchent plus, je le laisse chez Jacques et Frères.
Les campagnes de sensibilisation ont donné des résultats, puisque le tri sélectif des ordures ménagères fait maintenant partie des habitudes des Français.
Grâce à des petits gestes tout simples, on s'implique dans la préservation de l'environnement.
En raison de l'amélioration du niveau de vie, la production des déchets municipaux devrait augmenter de 43 %.

Comment exprime-t-on la cause dans ces phrases ?

- Exprimer la cause, c'est mettre en relation deux faits dont l'un est à l'origine de l'autre.
- L'expression de la cause permet d'expliquer ou de justifier ce que l'on affirme :
  C'est un problème qui nous concerne tous, car chaque Français jette en moyenne plus d'un kilo de déchets par jour.
- On peut exprimer des causes de façon implicite ou de façon explicite :
  La municipalité a investi beaucoup d'argent dans la gestion des déchets ménagers : les résultats sont évidents.
  Mais ces investissements ne sont pas suffisants car on prévoit une augmentation considérable de la quantité d'ordures...

Pour exprimer explicitement la cause :

Conjonctions de subordination	Conjonctions de coordination	Prépositions
parce que (+ cause nouvelle) *puisque* (+ cause déjà connue) *comme*	*car*	*en raison de* *grâce à* (cause positive) *à cause de* (cause négative)

2 **Reliez les phrases suivantes en exprimant la cause de façon explicite.**

1) La couche d'ozone s'amincit. On utilise beaucoup d'aérosols.
2) Les poissons meurent dans les rivières. Les industries y déversent leurs déchets.
3) La recherche médicale avance considérablement. Les couples stériles peuvent avoir des enfants.
4) Il y a beaucoup de voitures dans les villes. Les taux de pollution sont très élevés.
5) En été, le nombre d'habitants des villages touristiques augmente. Le bon fonctionnement des téléphones portables n'est pas assuré.

• Le conditionnel présent

Observez ces phrases.

*–Oh, qu'est-ce que j'**aimerais** la conduire !*
*–Vous parlez sérieusement ? Vous **voudriez** avoir une voiture technologique ?*
*–La production des déchets municipaux **devrait** augmenter de 43 % d'ici 2020, d'après les prévisions des experts.*

AIMER	METTRE
j'aimer**ais** tu aimer**ais** il/elle/on aimer**ait** nous aimer**ions** vous aimer**iez** ils/elles aimer**aient**	je mettr**ais** tu mettr**ais** il/elle/on mettr**ait** nous mettr**ions** vous mettr**iez** ils/elles mettr**aient**

Observez ces verbes. Combien de formes différentes constatez-vous à l'oral ? Et à l'écrit ? Observez les terminaisons. Avec quel temps de l'indicatif coïncident-elles ?

FORMATION

- Le conditionnel présent se forme, comme le futur, à partir de l'infinitif suivi des terminaisons : ***-ais, -ais, -ait, -ions, -iez, -aient.***
- Comme au futur simple, certains verbes sont irréguliers :

aller : *j'irais ...* avoir : *j'aurais ...* devoir : *je devrais ...* envoyer : *j'enverrais ...* être : *je serais ...* faire : *je ferais ...*	falloir : *il faudrait ...* pouvoir : *je pourrais ...* venir : *je viendrais ...* voir : *je verrais ...* vouloir : *je voudrais ...*

À QUOI ÇA SERT ?

- À formuler poliment une demande : *Seriez-vous disponible pour me recevoir ?*
- À exprimer des souhaits : *J'adorerais...*
- À donner des conseils : *Tu devrais faire un peu plus de sport.*
- À présenter une information non vérifiée : *Le président de l'entreprise serait sur le point de démissionner.*
- À faire des hypothèses : (voir leçon 8) *J'aurais de l'argent, je t'en prêterais.* Ou : *Si j'avais de l'argent, je t'en prêterais.*

3 **Mettez au conditionnel présent les verbes entre parenthèses.**

a) Elles ... (vouloir) m'acheter ce bracelet mais elles n'ont pas assez d'argent.
b) Quelle chaleur ! Tu ... (pouvoir) ouvrir la fenêtre ?
c) Dans un monde imaginaire, la violence ... (ne pas exister).
d) On va jouer au papa et à la maman : je ... (être) la maman et tu ... (être) le papa.

4 **Donnez des conseils aux personnes suivantes.**

1) À un jeune homme qui veut arrêter de fumer.
2) À un cadre stressé à cause de son travail.
3) À un couple dont les voisins sont trop bruyants.
4) Au maire de votre ville.
5) À votre fille qui veut faire du théâtre.
6) À une amie qui s'est disputée avec son mari.
7) À une personne qui souffre d'asthme.
8) À un jeune homme qui veut monter son entreprise.

Le futur ! Parlons-en !

Sous les pavés, la plage

1 Si vous parlez de cadre de vie et d'environnement dans une société de consommation, à quoi pensez-vous ?

1) *saleté, béton, déchets, ordures ménagères, poubelles, containers, pollution, contamination...*
ou
2) *écologie, tri et recyclage des ordures, atmosphère propre, respect des ressources naturelles...*

2 À votre avis...

1) Pourrons-nous connaître, un jour, des villes propres ?
2) Faut-il se résigner à trouver papiers gras et boîtes de conserves dans les campagnes et sur les plages ?
3) Pourrons-nous protéger l'environnement terrestre et spatial des déchets que nous produisons ?

Quelques verbes pour vous aider à vous exprimer plus facilement :

produire, jeter, salir, polluer, trier, contrôler, prévenir, recycler, créer, moderniser, équilibrer, éduquer habituer à, faire prendre conscience (de), être préoccupé (par), se soucier (de), se moquer (de)...

3 Comment les optimistes et les pessimistes pourraient-ils envisager le futur de notre planète ? Où vous situez-vous, avec les premiers ou avec les derniers ? Qu'est-ce qui vous attire le plus et qu'est-ce qui vous fait le plus peur ?

1) Choisissez quelques éléments dans les colonnes qui suivent, puis définissez en quelques phrases votre vision du futur.

OPTIMISTES ☺	PESSIMISTES ☹
La découverte de l'espace	L'effet de serre et le réchauffement de la terre
Le contrôle et la prévention des catastrophes	La production de gaz toxiques
La création d'énergies alternatives	Le changement climatique et la désertification progressive
La guérison des maladies génétiques	La contamination alimentaire
La répartition des richesses	La surpopulation
La société de loisirs	La montée de l'individualisme
La technologie de pointe	La disparition d'espèces végétales et animales
La société de la communication	L'accroissement de l'écart entre riches et pauvres
L'aide au développement	La perte de postes de travail et la montée du chômage
Le recyclage des ordures	...
Un regain de solidarité	
La prise de conscience individuelle	
...	

2) Votre opinion : où situez-vous des éléments tels que le clonage et le contrôle de l'embryon humain, la production d'aliments OGM ? Sont-ils positifs ou négatifs à vos yeux ? Qu'en attendez-vous ?
3) Aimeriez-vous inclure d'autres éléments à ces deux listes ?

Quelques verbes pour vous aider à vous exprimer plus facilement :

guérir, soigner, partager, répartir, inventer, faire de la recherche, encadrer, aider, former, nettoyer, freiner, respecter les lois et les règlements, obliger...

4 Regardez ces photos, décrivez-les et commentez-les. (Utilisez, si nécessaire, un dictionnaire bilingue et / ou monolingue.)

❶

❷

LES GROUPES CONSONANTIQUES

1 Écoutez les mots enregistrés et entourez les graphies correspondant aux groupes de consonnes.

[ks] : *action, lexique, occident, exposer*
[gz] : *examen, hexagone, exil, zigzag*

2 Écoutez et cochez la case qui correspond au groupe consonantique prononcé.

	1	2	3	4	5	6	7	8
[ks]								
[gz]								

3 Lisez les paires de mots suivants, puis écoutez l'enregistrement.

1) acte - acteur
2) direct - directeur
3) docte - doctorat
4) insecte - insecticide
5) strict - strictement
6) secte - sectaire

4 Écoutez les mots enregistrés et dites s'ils commencent par une voyelle ou par une consonne.

	1	2	3	4	5	6	7	8	9	10
voyelle										
consonne										

On en parle, ils ont dit, elles accusent

"Arbre mon ami vert, ne pars pas en enfer."

Christian (10 ans)

PAC 04 68 32 52 91

PREFECTURE DE L'AUDE
Conservatoire de la Forêt Méditerranéenne

L'affiche avec son slogan " Arbre, mon ami vert, ne pars pas en enfer " est le résultat d'un concours scolaire.

Cet homme

Tom cet homme cet homme
Cet homme Tibili Tom

L'homme qui fout la terre en l'air
Et qui se fout de l'air
Il s'en fout
L'homme qui fait la terre comme l'enfer
Cet homme-là est fou c'est tout

Il s'en fout l'homme s'en fout l'homme
S'en fout l'homme s'en fout
L'homme s'en fout car il est fou
C'est normal
Il s'en fout l'homme

Et si cet homme-là est fou
Ira-t-il ira-t-il
Et si cet homme-là est fou
Ira-t-il jusqu'au bout
Fera-t-il de la terre
Un suaire un ossuaire un sanctuaire

Qu'est-ce qu'il y a dedans lui mon frère
Pour qu'il soit si fou
De l'univers il n'est pas propriétaire du tout

L'homme qui fout la terre en l'air
et qui se fout de l'air
Il s'en fout
L'homme qui fait la terre comme l'enfer
Cet homme-là est fou c'est tout

Castafiore Bazooka, *Au cabaret des illusions perdues*, © Lucie Production

« Les villes devraient être bâties à la campagne : l'air y est tellement plus pur. » Henri Monnier

« Il ne sert à rien à l'homme de gagner la Lune s'il vient à perdre la Terre. » François Mauriac

« Chantons et dansons sous la pluie. Tant qu'elle n'est pas radioactive. » Guy Bedos

« L'écologie est un nouveau nom pour un très vieux sujet » Charles Elton

1 **Répondez aux questions suivantes :**

1) Quel rapport voyez-vous entre tous ces documents ?
2) Pour quel problème a-t-on conçu, à votre avis, l'affiche de sensibilisation ?
3) À quel type de pollution peut-on voir une allusion dans la chanson ?
4) À quel homme font allusion les *Bazooka* ? que fait-il de mal ?
5) Quelles sont pour les chanteuses les conséquences de ses actes ?
6) Que pensez-vous de ces phrases d'hommes célèbres ?

Lire

1 **Lisez le texte suivant, puis répondez aux questions.**

Les hommes de ce XXIXe siècle vivent au milieu d'une féerie continuelle, sans avoir l'air de s'en douter. Blasés sur les merveilles, ils restent froids devant celles que le progrès leur apporte chaque jour. Tout leur semble naturel. S'ils la comparaient au passé, ils apprécieraient mieux notre civilisation, et ils se rendraient compte du chemin parcouru. Combien leur apparaîtraient plus admirables nos cités modernes aux voies larges de cent mètres, aux maisons hautes de trois cents, à la température toujours égale, au ciel sillonné par des milliers d'aéro-cars et d'aéro-omnibus ! Auprès de ces villes dont la population atteint parfois jusqu'à dix millions d'habitants, qu'étaient ces villages, ces hameaux d'il y a mille ans, ces Paris, ces Londres, ces Berlin, ces New York, bourgades mal aérées et boueuses, où circulaient des caisses cahotantes, traînées par des chevaux ! C'est à ne pas le croire ! S'ils se représentaient le défectueux fonctionnement des paquebots et des chemins de fer, leurs collisions fréquentes, leur lenteur aussi, quel prix les voyageurs n'attacheraient-ils pas aux aéro-trains, et surtout à ces tubes pneumatiques, jetés à travers les océans, et dans lesquels on les transporte à une vitesse de quinze-cents kilomètres à l'heure ? Enfin ne jouirait-on pas mieux du téléphone et du télépote, en se disant que nos pères en étaient réduits à cet appareil antédiluvien qu'ils appelaient le « télégraphe » ?

Jules Verne, *La journée d'un Américain en 2890.*

1) S'agit-il d'un texte de science-fiction, historique, sociologique ? Justifiez votre réponse.
2) Quel reproche fait le narrateur du texte aux personnes de son époque ?
3) Comment sont les cités de l'époque présentée dans le texte ?
4) Selon l'auteur, comment était la vie avant cette époque ?
5) Quels sont les progrès qu'il met en valeur ?
6) À votre avis, qu'est-ce que le « télépote » ?
7) Les villes décrites dans ce texte vous semblent-elles possibles dans l'avenir ?
8) Le reproche qu'il fait aux citoyens de son époque, pourrait-il être fait aux citoyens de la nôtre ?
9) Que pensez-vous de la vision que Jules Verne nous offrait du futur en 1890 ?

2 **Que signifient ces mots du texte ? Choisissez.**

1) féerie :	a) banalité	b) spectacle splendide	c) monde des fées
2) se douter :	a) avoir des doutes	b) se méfier	c) penser
3) blasé :	a) indifférent	b) enthousiaste	c) sensible
4) sillonner :	a) parcourir	b) remplir	c) envahir
5) atteindre :	a) réduire	b) espérer	c) arriver (à)
6) hameau :	a) groupe de cités	b) groupe de maisons rurales	c) grand village
7) cahotant :	a) secoué	b) roulant	c) rapide
8) antédiluvien :	a) moderne	b) très ancien	c) futuriste

3 **Lisez la B.D. qui se trouve au dos de la page. Où se passe cette scène ? Qui sont les personnages que vous voyez ? Que cherchent-ils ? Pourquoi ? Caractérisez les personnages et leur façon de parler. Qu'est-ce qui vous semble humoristique ?**

Titeuf et le derrière des choses par ZEP © Editions GLENAT.

expressions pour...

Retrouvez dans la leçon les expressions pour :

- Exprimer des désirs et des souhaits.
- Se justifier / Refuser une justification.
- Vanter les mérites de quelque chose.
- Demander / Donner des conseils.
- Manifester une opinion favorable / défavorable.

Parler

1 Conseil.
Par groupes de 2, jouez la scène. Une personne veut s'acheter une voiture. Elle n'en a jamais eu et demande conseil à un(e) ami(e) qui en a eu plusieurs.

2 Préparez un court monologue où vous aborderez l'un des sujets suivants :

a) la médecine du futur.
b) l'évolution climatique de la planète.
c) les avantages et les inconvénients du progrès technologique.
d) notre vie quotidienne dans le futur.

Réfléchissons !
Pour préparer un monologue, qu'est-ce que je fais et qu'est-ce que je pourrais faire d'autre ?

- Je pense aux idées que je vais exposer et je les organise (introduction, développement, conclusion).
- Je pense à des exemples pour illustrer ce que je dis.
- Je cherche le lexique nécessaire pour mon exposé.
- Je prépare les structures qui me permettent d'introduire les différentes parties de mon discours (*d'une part, d'autre part...*).
- Je regarde des modèles de monologue pour m'en inspirer.
- Je cherche des informations complémentaires sur le thème que j'ai choisi.
- J'explique ou je justifie mes affirmations.

Commentez vos réponses par petits groupes.

Écrire

1 Écrivez les messages suivants.

a) Vous voulez demander poliment un petit service à un collègue.
b) Vous rappelez à la personne qui partage l'appartement avec vous les courses qu'elle doit faire, vous lui donnez un petit conseil à ce sujet et vous la prévenez de votre heure de retour.
c) Vous demandez à votre copain / copine de vous réveiller à une heure précise pour un rendez-vous important car vous avez peur d'être en retard.
d) Vous voulez confirmer à une amie qui travaille dans votre entreprise que vous irez bien déjeuner avec elle.

2 Vous venez d'écrire plusieurs messages. Analysez-en quelques-uns pour répondre à ces questions :

– Les messages produits expriment-ils clairement les objectifs communicatifs ?
– Respectent-ils les consignes données ?
– Utilisent-ils le ton et les formules adéquats ?

Situation 1 > Une affaire à ne pas manquer

1 Écoutez et répondez aux questions.

1) À qui s'adresse le vendeur ? De quoi parle-t-il ? Avec quelle intention ?
2) Comment caractérise-t-il l'appareil ?
3) Sur quelles fonctions de l'appareil porte sa démonstration ?
4) Quel élément constitue une nouveauté ? Quels avantages offre-t-il ?
5) Que veut savoir le couple ? Quelle réponse leur donne le vendeur ?
6) Qu'offre-t-il en supplément ? À quoi servent ces gadgets ?
7) L'homme a-t-il convaincu son auditoire ? Qualifiez le ton qu'il emploie.
8) Quel argument final emploie-t-il ?

2 Faites la liste des arguments employés par rapport à l'appareil, à son prix, à l'utilisateur.

3 Avec les renseignements que vous avez, complétez cette « fiche technique ».

Appareil : ______
Fonctions : ______
Accessoires : ______
Prix et modalités de paiement : ______
Garantie : ______

Approchez, approchez, mesdames et messieurs, vous avez là une occasion à ne pas rater. Qui, parmi vous, aurait imagi ce matin qu'il trouverait aujourd'hui même la réponse à ses besoins en cuisine ? Personne, n'est-ce pas ? Eh bien si, elle là, devant vous ! Ce superbe robot ménager multi-fonctions va révolutionner votre vie, n'a pas son pareil dans le monde il est rapide, moderne, fonctionnel et facile à l'emploi !
Par conséquent, la cuisine devient un jeu d'enfant, tout se fa en un clin d'œil. Tenez, tenez, petite démonstration, le jus de fruits pour le goûter des enfants : je mets les fruits, j'appuie et voilà ! Vous voulez des frites à midi ? Alors on change, on met le disque à frites et hop, c'est coupé. Et puis une nouveauté, cette balance intégrée qui vous permet de peser vos aliments en même temps, donc de gagner du temps, de place sur votre plan de travail et d'avoir tout à portée de la main ! Ah, madame a une question. Vous auriez voulu un batteur avec ? Mais il est là, madame, en option, adaptable Alors, madame, c'est décidé ? [...]

4 Remettez dans l'ordre les différentes étapes de vente.

a) argumentation b) accueil c) réponse à une objection ou demande de précision d) conclusion e) présentation du produit

Situation 2 > Conversations téléphoniques

Aidez-nous à améliorer votre magasin

En nous donnant votre avis sur nos produits et nos services, vous nous permettez de mieux répondre à vos attentes

____
____
____
____
____
____

1 **Écoutez l'enregistrement. Y a-t-il un point commun à ces trois coups de téléphone ?**

2 **Réécoutez l'enregistrement. Confirmez vos hypothèses : déterminez, pour chacun des appels...**

a) le sujet précis de l'appel.
b) le problème posé.
c) l'objectif recherché.
d) la solution apportée.

3 **Exercez votre psychologie : analysez le comportement et les réactions des interlocuteurs.**

4 **Y a-t-il des ressemblances et des différences entre ces appels ? Justifiez votre réponse. Pour vous aider, réécoutez attentivement ces coups de téléphone et transcrivez les phrases exactes qui commencent par...**

Appel n° 1 : *Excusez-moi, si vous...*
Appel n° 2 : *Très bien, madame, alors regardez sur votre garantie...*
Appel n° 3 : *Ah, attendez ! Mon collègue me dit qu'il y en a un...*

Appel n° 1 : l'appareil photo

- Magasin Mégaprix, bonjour !
- Allô ! Le rayon HI-FI s'il vous plaît !
- C'est pour quoi ?
- Pour savoir si mon appareil photo est arrivé !
- C'est une commande ?
- Non, mon appareil est en réparation !
- C'est nous qui nous étions chargés de la réparation ?
- Non ! Je vous explique : le zoom ne marchait plus alors je l'ai rapporté il y a un mois et demi à peu près. On m'a dit qu'il fallait le renvoyer à l'usine, qu'on ne pouvait pas le réparer sur place, qu'il fallait un délai de 15 jours et voilà, j'attends toujours !
- Donc vous voulez savoir s'il est là ?
- Exactement et je suis fatigué de répéter la même chose tous les trois jours à une personne différente !
- Oh, c'est pas la peine de vous énerver ! Ça ne changera rien ! Si on pouvait les réparer ici les appareils, on le ferait mais voilà, c'est impossible !
- C'est pas mon problème à moi ! Vous vous rendez compte : si j'en avais un besoin urgent, de mon appareil, qu'est-ce que je ferais, hein ? J'ai jamais vu ça ! Je vous assure que si j'avais su comment étaient les services après-vente de votre magasin, je ne serais jamais venu ! Il y a un désordre et un manque de sérieux épouvantables !
- Excusez-moi, si vous voulez faire une réclamation, faites-la, je vous passe le responsable de la section !

5 **Les solutions apportées aux problèmes posés sont-elles logiques et adaptées aux situations ?**

6 **Laissez parler votre expérience : avez-vous des anecdotes de ce type à raconter ?**

Le conditionnel passé

Observez ces phrases.

Qui, parmi vous, ***aurait imaginé*** *ce matin qu'il trouverait aujourd'hui même, la réponse à tous ses besoins en cuisine ?*
Eh bien, franchement, vous ***auriez pu*** *le dire quand nous avons pris cette chambre !*

VOULOIR	PARTIR
j'aurais voulu tu aurais voulu il/elle/on aurait voulu nous aurions voulu vous auriez voulu ils/elles auraient voulu	je serais parti(e) tu serais parti(e) il/elle/on serait parti(e)(s) nous serions parti(e)s vous seriez parti(e)(s) ils/elles seraient parti(e)s

FORMATION

Le conditionnel passé se forme avec un auxiliaire (*être* ou *avoir*) au conditionnel + le participe passé du verbe que l'on conjugue : *Vous auriez voulu un batteur avec ? Vous seriez partie plus contente ?*

À QUOI ÇA SERT ?

- À faire des reproches : *Vous auriez pu m'avertir !*
- À exprimer des regrets : *Ton appareil photo est trop compliqué, j'aurais dû prendre le mien.*
- À faire des hypothèses : *On aurait su qu'il n'y avait pas de clim, on n'aurait pas pris cette chambre.* Ou : *Si on avait su qu'il n'y avait pas de clim, on n'aurait pas pris cette chambre.*
- À présenter une information non vérifiée : *On aurait découvert des vestiges d'une civilisation disparue.*

1 Conjuguez les verbes entre parenthèses au conditionnel passé.

1) J'ai raté mon avion. Je ... (devoir) me lever plus tôt.
2) À sa place, je ... (se présenter) au concours.
3) Si nous avions su, nous ... (partir) avant son arrivée.
4) Tu ... (pouvoir) me prévenir de ton retard.
5) Ton passeport est périmé. Tu ... (pouvoir) le faire renouveler avant.
6) Le restaurant est plein. Nous ... (devoir) réserver.
7) Il ... (préférer) ne pas la revoir. Il est toujours amoureux d'elle.
8) Ils ... (venir) si on les avait invités !
9) Cette facture est beaucoup trop élevée. Je ... (devoir) acheter ailleurs.
10) Si j'étais toi, je ... (appeler). Ils doivent être très inquiets.

L'expression de l'hypothèse

L'hypothèse implique que les faits présentés n'existent pas au moment où l'on parle. On pourrait dire qu'ils sont « virtuels ».

Observez ces phrases.

1) *Si j'en avais un besoin urgent, de mon appareil, qu'est-ce que je ferais ?*
2) *Si j'avais un ventilateur, je vous le monterais tout de suite, mais...*

Quel temps trouve-t-on après la conjonction *si* dans ces phrases ? À quel temps sont les verbes *faire* et *monter* ?

À QUOI ÇA SERT ?

La structure ***si*** **+ imparfait / conditionnel présent** sert à exprimer l'éventualité, le souhait.
On parle dans ce cas d'*hypothèse improbable.*

Observez ces phrases.

1) *Si j'avais su comment étaient vos services après-vente, je ne serais jamais venu !*
2) *Si tu avais essayé ce super-robot, tu l'aurais acheté.*

Quel temps trouve-t-on après la conjonction *si* dans ces phrases ? À quel temps sont les verbes *venir* et *acheter* ?

À QUOI ÇA SERT ?

La structure ***si*** **+ plus-que-parfait / conditionnel passé** sert à exprimer des regrets, à faire des reproches.
On parle dans ce cas d'*hypothèse irréelle.*

2 **Terminez les phrases suivantes.**

1) Si les autoroutes n'étaient pas payantes...
2) Si je faisais un petit effort...
3) Si tu rentrais un peu plus tôt...
4) Si la maladie n'existait pas...
5) Si je gagnais au loto...
6) Si je n'avais pas insisté...
7) Si tu étais venu me voir...
8) S'ils avaient moins bu...
9) S'il n'avait pas découvert l'Amérique...
10) Si tu lui avais dit la vérité...

L'expression de la conséquence

- La conséquence met en relation deux faits dont l'un est le **résultat réel** de l'autre. Dans l'ordre chronologique, la conséquence suit la cause qui l'a provoquée :
  Le caméscope qu'elle a acheté ne fonctionne pas, alors elle est allée se plaindre.
  Fait 1 (cause) : le caméscope ne fonctionne pas.
  Fait 2 (conséquence) : elle est allée se plaindre.
- L'expression de la conséquence permet d'expliquer ou de justifier ce que l'on affirme.
- On peut exprimer des conséquences de façon implicite ou de façon explicite :
  Cet hôtel n'a pas de climatisation. Nous irons ailleurs.
  Cet hôtel n'a pas de climatisation donc nous irons ailleurs.

Pour exprimer explicitement la conséquence :

Conjonctions de coordination	Conjonctions de subordination
alors *donc* *c'est pourquoi* *par conséquent*	*de sorte que*

Rappelez-vous les situations. Comment sont reliées les phrases suivantes ?

1) *Ce superbe robot n'a pas son pareil dans le monde : il est rapide, moderne, fonctionnel, facile à l'emploi ! La cuisine devient un jeu d'enfant.*
2) *Avec cette balance intégrée, vous pesez vos aliments en même temps. Vous gagnez du temps.*
3) *Le zoom ne marchait plus. Je l'ai rapporté.*
4) *C'est un cadeau. Je n'ai pas demandé !*
5) *Je ne voulais pas en parler à mon ami. Je ne voulais pas l'ennuyer.*

3 **Reliez les deux séries de phrases en exprimant la conséquence de façon explicite.**

1) Ma mère a acheté un robot ménager.
2) Nous n'avons pas pris la voiture.
3) On m'a offert un zoom pour mon appareil photo.
4) La batterie de ton portable est sous garantie.
5) Je déteste conduire.
6) Mes enfants sont grands.

a) Mon père gagnera du temps dans la cuisine.
b) Nous avons évité les embouteillages.
c) Je pourrai zoomer sur les détails.
d) Tu peux la rapporter chez Ducrot.
e) Je suis venu en train.
f) Je peux les laisser seuls le soir.

4 **Terminez les phrases.**

1) Il n'a pas étudié pour préparer son examen, par conséquent...
2) Ils sont tombés en panne, donc...
3) Pendant qu'il escaladait, son pied a glissé, alors...
4) Pendant ses fiançailles, elle est tombée amoureuse d'un autre, de sorte que...
5) Elle n'aime pas du tout la neige, c'est pourquoi...
6) Il ne restait plus de places pour la pièce de théâtre, donc...
7) Le secrétaire est parti en vacances pour un mois, par conséquent...
8) L'entreprise où il travaillait a déménagé dans le sud, de sorte que...

Quelques conseils d'utilisation...

Lire ceci avant de faire fonctionner l'appareil

- Choisir avec soin l'endroit où vous placerez votre appareil.
  Évitez de le placer directement au soleil ou près d'une source de chaleur. Éviter aussi les endroits sujets à des vibrations, à la poussière excessive, à la chaleur, au froid ou à l'humidité.
- Ne pas manipuler les disques avec des mains sales.
  Ne jamais insérer un disque dont la surface est craquelée.
- Ne pas essayer de nettoyer l'appareil avec des solvants chimiques car vous risqueriez d'endommager la surface.
  Utiliser un chiffon propre et sec.

1 Voici quelques conseils d'utilisation pour consommer correctement des produits alimentaires. Imaginez de quels produits il est question. Quels termes utilisés vous ont permis de le découvrir ?

À conserver au réfrigérateur
à + 6 °C maxi, après ouverture

Poids net : 800 g
Poids net égoutté : 530 g
Contenance : 850 ml

À conserver au sec et au frais.
À consommer de préférence avant la date figurant sur le couvercle ou sur le fond de la boîte.
Servir très frais.
MASSE NETTE : 800 ml

Au micro-ondes, et après les avoir retirés de leur emballage, déposez les palets congelés dans un plat adapté. Laissez cuire 2' en position cuisson, retournez à mi-temps. Au four : préchauffez à 210° pendant 15 et laissez cuire à mi-hauteur pendant 18 à 175°
CONTENANCE : 425 ml
POIDS NET : 510 g

2 De quels appareils ménagers parle-t-on dans ces trois modes d'emploi ? Quels termes utilisés vous ont permis de le découvrir ?

⚠ Un appareil ménager n'est pas un jouet. Le placer hors de la portée des enfants et ne pas laisser pendre son cordon.

L'appareil doit être débranché :

- avant de remplir son réservoir.
- avant chaque arrêt momentané.
- avant chaque nettoyage et entretien.
- aussitôt après utilisation.

► Lisez attentivement le mode d'emploi avant la première utilisation de votre appareil : une utilisation non conforme au mode d'emploi dégagerait Forinex de toute responsabilité.

► N'utilisez pas votre appareil s'il ne fonctionne pas correctement ou s'il a été endommagé : dans ce cas adressez-vous à un centre service agréé.

► Attention aux risques de brûlures. Lors du réchauffage, il est possible qu'un débordement se produise au moment où vous prenez le récipient pour le sortir de l'appareil.

Copie de bandes, entre la bande 1 et la bande 2 :
❶ Enfoncer la touche de la bande 1
❷ Retirer la bande 1 de la platine et faire fonctionner la bande 2 en vue de l'enregistrement.
Fonctionnement de la télécommande :
❸ Appuyer sur la touche pour établir l'alimentation.
❹ Appuyer sur la touche gauche de l'appareil pour régler le volume.

3 Y-a-t-il des *bons* gestes et des *mauvais* gestes pour chacun de ces appareils ?

4 Par petits groupes, établissez un mini-lexique pour répondre à vos besoins quotidiens en cuisine et dans le domaine technologique.

a) Reportez-vous aux documents oraux de cette leçon et aux documents de cette page.
b) Dressez, pour le domaine culinaire et le domaine technologique, une liste de substantifs (noms d'ustensiles / produits / appareils) d'adjectifs (pour les qualifier), de verbes (pour indiquer les gestes à faire ou à éviter pour les utiliser).
c) Vous manque-t-il des termes que vous aimeriez connaître ? Utilisez des dictionnaires (bilingue ou monolingue).

Acheter ou installer un appareil

1 Voulez vous acheter un appareil ou procéder à une installation ? Établissez une liste chronologique des démarches à effectuer en remettant les verbes ci-dessous dans l'ordre.

livrer, payer des frais d'envoi, porter plainte / déposer une plainte, faire un devis, faire une réclamation, commander, faire réparer, changer, renvoyer, rapporter

2 Portraits chinois : par petits groupes, choisissez un personnage célèbre ou une personne de la classe et, en laissant libre cours à votre spontanéité et à votre intuition, imaginez ce qu'il / elle serait s'il / elle était...

a) une matière.
b) un objet.
c) un appareil ou un ustensile ménager, pour rester dans le ton de cette leçon, ou toute autre chose.

LES SEMI-VOYELLES

1 Écoutez les séries de mots suivantes.

[j]	[ɥ]	[w]
nier miette biais scier	nuée muette buée suer	nouer mouette bouée souhait

2 Écoutez et dites si les deux mots prononcés sont identiques ou différents.

	1	2	3	4	5	6	7	8
=								
≠								

3 Écoutez et cochez la case qui correspond au son entendu.

	1	2	3	4	5	6	7	8
[j]								
[ɥ]								
[w]								

Concours Lépine : ingéniosité et astuce toujours

la cité des envies
FOIRE DE PARIS

Toujours actuel, le concours Lépine, ce rendez-vous annuel à la Foire de Paris accueille cette année des inventeurs venus de 12 pays qui, plus que changer le monde, veulent contribuer à améliorer le quotidien.

Car on est loin de l'âge d'or du concours, l'entre deux-guerres et de ces visionnaires qui découvrirent le stylo à bille (1919), l'aspirateur (1923), le cœur artificiel et le poumon d'acier (1937) ou, un peu plus tard, les lentilles de contact (1948).

Mais une partie des gadgets et astuces plus ou moins utiles, reflet de la tendance actuelle, parviendra à s'imposer dans notre vie de tous les jours, comme sans doute ces TTT (tréteaux tout terrain) qui s'adaptent à tous les sols sans jamais être bancals et feront le bonheur des bricoleurs ou peut-être aussi le briquet solaire, petit cylindre de métal surmonté d'une loupe et prolongé à la base par un support à cigarette.

On trouve aussi en vrac un bouchon adaptable pour les boîtes de soda entamées, des gants qui jouent de la musique par frottement, un « plie-chemise », un aspirateur d'odeurs ou une mixture fortifiante pour le cerveau.

Depuis 5 ans, un tiers des inventions du concours parviennent en effet au stade commercial, ce qui n'est le cas que de 2,5 % des brevets européens.

À retenir aussi, le cas de ce motard inventeur qui pense que le « végétal est l'avenir de tous » et a donc apporté sur sa moto les améliorations suivantes : un garde boue en amidon de maïs, une selle en fibre agricole et pour son moteur une huile végétale.

Et sans oublier quelques inventions plus discrètes mais peut-être capitales, comme cette prothèse du genou ou ce dispositif de compression pour moteur qui réduirait de 20 à 30 % la consommation de carburant.

Pour clore le tout, comme chaque année, remise des prix, la veille de la fermeture de la Foire de Paris.

1 Qui participe à ce concours ?

2 Quelle est la tendance actuelle ?

3 Laquelle de toutes les inventions citées trouvez-vous la plus étonnante ? La moins utile ? Laquelle, selon vous, pourrait être un succès commercial ?

4 Que vous suggère le logo de la Foire de Paris ? Et l'affiche ?

5 Vous rêvez d'inventer un objet qui vous faciliterait la vie. Lequel ? Quel avantage aurait-il ? Présentez votre idée au reste de la classe.

expressions pour...

Retrouvez dans la leçon les expressions pour :

- Inciter quelqu'un à faire quelque chose.
- Vanter les qualités d'un objet.
- Faire constater le mauvais fonctionnement d'un appareil.
- Exprimer sa colère ou son mécontentement.
- Essayer de calmer la colère de quelqu'un.
- Indiquer l'incertitude par rapport à un fait.

Parler

1 Réclamation.

Par groupes de 2, jouez la scène.
Un appareil que vous avez acheté il y a quelques jours ne fonctionne pas bien. Vous allez dans le magasin où vous l'avez acheté et vous parlez avec le responsable des réclamations.

2 Problème de chauffage !

Par groupes de 2, jouez la scène.
Vous téléphonez à la réception de votre hôtel parce que le chauffage de votre chambre ne marche pas bien.

3 Super robot !

Par groupes de 2, jouez la scène.
Vous venez d'acheter un super robot pour votre cuisine. Vous en parlez à une amie. Vous lui expliquez les avantages de l'appareil : fonctions, accessoires, prix, garantie...

Évaluez-vous !

Pour vous évaluer entre vous, aidez-vous des questions ci-dessous et donnez une note de 1 à 5 pour chacune des catégories données (1 = – ; 5 = +).

1) Communication

L'apprenant est-il capable de produire un discours d'une certaine longueur ?
Peut-il s'exprimer avec une certaine précision ?
Son discours est-il compréhensible, riche et bien organisé ?

2) Vocabulaire

L'apprenant montre-t-il un bon contrôle du vocabulaire élémentaire ?
Son vocabulaire est-il riche, varié et adapté à la situation de communication ?
Les répétitions et les difficultés de formulation ne l'empêchent-elles pas de se faire comprendre ?

3) Grammaire

L'apprenant peut-il utiliser avec une correction suffisante un répertoire d'expressions variées ?
A-t-il un bon contrôle grammatical malgré les influences de la langue maternelle ?
Ses erreurs grammaticales ne l'empêchent-elles pas de se faire comprendre ?

4) Prononciation

L'apprenant prononce-t-il de façon intelligible même s'il a quelquefois un accent étranger ?
Les erreurs de prononciation sont-elles occasionnelles ?
L'intonation, le rythme et le débit sont-ils adéquats ?

Lisez le texte suivant, puis répondez aux questions.

« –Le Contrôle Technique, c'est vous, non ?
J'en conviens d'un hochement de tête et balbutie que, justement, je ne comprends pas, les tests de contrôle avaient été effectués... –Comme pour la gazinière de la semaine dernière ou l'aspirateur du cabinet Boëry ! [...] Lehmann s'adresse de nouveau à la cliente. Il parle comme si je n'étais pas là. Il remercie la dame de n'avoir pas hésité à déposer sa plainte avec vigueur. [...] Lehmann estime qu'il est du devoir de la clientèle de participer à l'assainissement du Commerce. Il va sans dire que la garantie jouera et que le Magasin lui livrera séance tenante un autre réfrigérateur.
–Quant aux préjudices matériels annexes dont vous-même et les vôtres avez eu à pâtir (il parle comme ça, l'ex sous-off Lehmann, avec, au fond de la voix, le souvenir de la bonne vieille Alsace où le déposa la Cigogne - celle qui carbure au Riesling), M. Malaussène se fera un plaisir de les réparer. À ses frais, bien entendu.
Et il ajoute :
–Joyeux Noël, Malaussène !
Maintenant que Lehmann lui retrace ma carrière dans la maison, maintenant que Lehmann lui affirme que, grâce à elle, cette carrière va prendre fin, ce n'est plus de la colère que je lis dans les yeux fatigués de la cliente, c'est de l'embarras, puis de la compassion, avec des larmes qui remontent à l'assaut, et qui tremblent bientôt à la pointe de ses cils. [...] Ce que je vois dans les yeux de la cliente, maintenant, ne me surprend pas. *Je l'y vois, elle.* Il a suffi que je me mette à pleurer pour qu'elle prenne ma place. Compassion. Elle parvient enfin à interrompre Lehmann au milieu d'une respiration. Machine arrière toute. Elle retire sa plainte. Qu'on se contente de faire jouer la garantie du réfrigérateur, elle n'en demande pas plus. Inutile de me faire rembourser le réveillon de vingt-cinq personnes. (À un moment ou à un autre, Lehmann a dû parler de mon salaire.) Elle s'en voudrait de me faire perdre ma place une veille de fête. (Lehmann a prononcé le mot « Noël » une bonne vingtaine de fois.) Tout le monde peut faire des erreurs, elle-même il n'y a pas si longtemps, dans son travail... »

Daniel Pennac, *Au bonheur des ogres*, © Editions GALLIMARD

1) Quels sont les personnages qui apparaissent dans cet extrait et quelle relation ont-ils entre eux ?
2) Pourquoi Malaussène a-t-il été convoqué par Lehmann ?
3) À quel moment de l'année se situe le récit ?
4) Comment peut-on expliquer la manière de parler de Lehmann ? Est-ce normal dans une situation de ce type ?
5) La cliente garde-t-elle la même attitude tout le temps ? Pourquoi ? Auriez-vous réagi de la même manière ?

Écrivez la lettre qu'a envoyée Madame Antoinette Fontaine à la mairie de sa ville et dont le texte qui suit est la réponse.

RÉPUBLIQUE FRANÇAISE

MAIRIE DE SALON-DE-PROVENCE
Cabinet du Maire
Délégation à la Qualité de Vie
des Quartiers

Madame Antoinette Fontaine
370 Bd Maréchal Foch
13300 Salon-de-Provence

Salon-de-Provence, le 28 mars 2004

Réf. : CAB/QUART/F007

Madame,

Vous avez bien voulu faire part à Monsieur Le Goff de votre satisfaction en ce qui concerne l'entretien de votre quartier et je viens vous en remercier.

Vous émettez cependant le souhait de voir la moto-crottes passer plus fréquemment car vous déplorez ce problème de déjections canines sur votre boulevard. J'ai donc transmis votre demande au service municipal de nettoyage qui m'informe du passage quotidien de cet engin. De plus, le boulevard Maréchal Foch est lavé tous les jours ce qui contribue à l'élimination des excréments canins.

Je vous prie de croire, Madame, à l'expression de mes sentiments les meilleurs.

L'Adjoint Délégué

LEXIQUE

1 Dites le contraire des mots suivants.

a) ancien
b) refroidir
c) brancher
d) allumer
e) jeter

2 Donnez les substantifs dérivés des verbes suivants.

a) vendre
b) polluer
c) réparer
d) recycler
e) arroser

3 Complétez avec un seul mot par espace.

La matinée-catastrophes

Ce matin, à mon réveil, j'ai voulu me faire un café au lait mais comme je ne faisais pas attention, le lait a trop chauffé et a ... (1) ; la gazinière était tellement sale que j'ai dû la ... (2) complètement. Après, pendant que je faisais ma toilette dans la salle de bains, je me suis retournée pour prendre du coton et j'ai fait tomber ma radio par terre. Elle s'est ... (3). Alors j'ai voulu écouter les nouvelles à la télé mais elle ne ... (4) plus. Un copain devait venir me ... (5) les livres que je lui avais passés, je l'ai attendu mais il n'est pas venu. Je me demande ce qui va se passer maintenant !

GRAMMAIRE

4 Complétez le dialogue ci-dessous.

■ Qu'est-ce que tu fais cet aprèm ? On va au ciné ?
■ J'... (1) bien mais je ne peux pas. J'ai des choses à faire.
■ ... (2) tu me laisses seul ?
■ Désolée mais si tu ... (3) les courses ce matin, j'... (4) terminer mes corrections.
■ Pourquoi tu dis ça ?
■ ... (5) monsieur est toujours très occupé et ... (6) il ne peut pas perdre son temps avec les tâches ménagères.
■ Sur un autre ton ! Si tu ... (7) comme ça, je ... (8) faire un tour.
■ OK, on va pas se disputer à nouveau. Mais tu devrais reconnaître que j'ai raison. Si tu m'... (9) un peu plus, nous ... (10) plus de temps pour faire des choses ensemble. Ces derniers temps, on se voit presque pas.
■ ... (11) t'as toujours des cours à préparer, des copies à corriger, des articles à écrire...
■ Tu ... (12) que je sois une femme au foyer ? ... (13) mon travail on a pu changer de voiture cette année, ça nous arrange, non ?
■ On dirait que tu es la seule à travailler dans cette maison. Tu sais bien que si je ... (14) autre chose je ... (15) volontiers de travail mais, c'est pas évident...
■ Bon, ça suffit pour aujourd'hui. Quel film tu as envie de voir ?

PRONONCIATION

5 Écoutez et dites si les phrases suivantes correspondent à l'enregistrement.

	Oui	Non
1) C'est Louis qui l'a fait.	☐	☐
2) Regarde l'alouette.	☐	☐
3) Quelle jolie ruelle !	☐	☐

6 Chassez l'intrus. Écoutez et soulignez le mot qui ne correspond pas à la série.

1) galaxie, vaccin, accident, exhaustif, maximum.
2) dictionnaire, actif, adjectif, infarctus, rédacteur.
3) scanner, stopper, escalope, standard, snob.

U4 BILAN COMMUNICATION : PORTFOLIO PAGE 13

PROJET

2 Série noire

OBJECTIFS

Vous allez créer une intrigue policière par petits groupes et la représenter devant le groupe-classe qui devra trouver la clé de l'énigme.

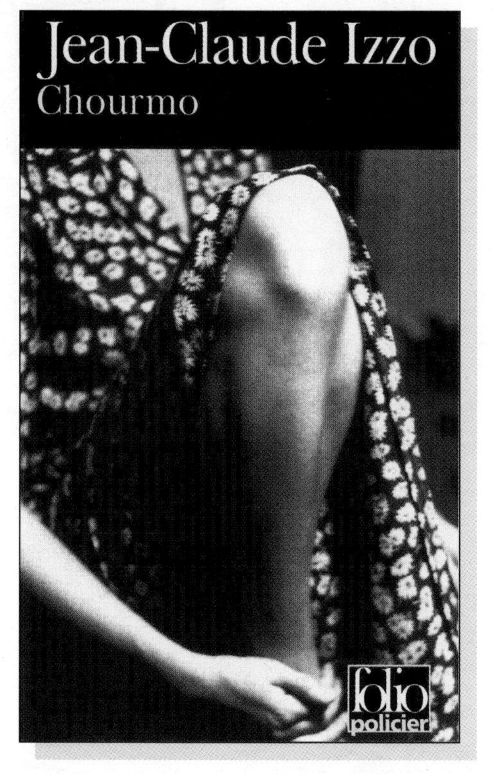

D'après photo © Christian Coigny

Rivages/Noir N° 482, © 2003, Éditions Payot & Rivages

1 **Mettez-vous en situation ! Lisez ce début de roman. Relevez et commentez par petits groupes les éléments qui permettent de créer une atmosphère d'intrigue policière.**

Une nuit si longue

Elle est couchée sur son lit. Elle ne s'est pas déshabillée, elle frissonne. [...] Elle attend que se calment les battements de son cœur. Elle attend que s'apaise cette douleur secrète. Ne pas penser à ce qui s'est passé. Ne pas laisser monter les images de cauchemar. Se concentrer sur sa respiration, remplir lentement ses poumons de l'air froid de la nuit. Demain, il sera temps de réfléchir à ce qu'il convient de faire. Pour l'instant, elle est chez elle, en sécurité. Elle inspire longuement, ferme les yeux un instant, pour les ouvrir aussitôt. N'est-ce pas une voiture qui vient de ralentir, en bas, dans la rue calme ? Elle s'est à demi redressée, dans un élan de panique. Mais non ! Ils ne peuvent pas l'avoir trouvée, si vite ! Ils n'ont pas dû s'apercevoir de sa disparition avant la fin de l'après-midi. Et Véra n'a sûrement pas révélé son adresse. À moins que...

[...] Cette nuit, elle n'attend personne. Elle ne veut voir personne... C'est juste pour se signifier à elle-même qu'elle est toujours vivante. [...] Elle est seule, elle ne peut compter que sur elle-même. Comme un animal pris au piège, elle se sent tétanisée, incapable de penser, d'agir.

Il faut pourtant qu'elle se lève, qu'elle aille écrire sur son ordinateur le témoignage qui peut la sauver. Le temps joue contre elle, elle le sait bien. Mais par où commencer ?

FRANÇOISE Laborde, *Dix jours en mars à Bruxelles* © Éditions RAMSAY

2 Les personnages.

Mettez-vous par groupes de 5 ou 6 et choisissez les personnages de votre histoire : un protagoniste et un personnage secondaire.

1) Les protagonistes.
Observez les personnages ci-dessous et choisissez votre protagoniste.
Décrivez-le brièvement et donnez-lui une personnalité.

2) Les personnages secondaires.
a) Observez les personnages ci-dessous et choisissez votre personnage secondaire.
Décidez si c'est un adversaire ou un allié du protagoniste.
b) Décrivez-le brièvement et donnez-lui une personnalité.

3) Pensez à d'autres personnages possibles : témoins, membres de la famille, journalistes...

3 Le problème. Décidez quel est le problème que doivent résoudre vos personnages.

4 Les lieux.

a) Observez les illustrations ci-dessous et choisissez le lieu de l'action.
b) Décrivez-le brièvement.

5 La clé de l'énigme. Résumez en quelques mots comment se termine votre histoire.

6 À vos plumes !

a) Une partie de votre histoire sera sous forme d'un récit où vous décrirez votre protagoniste (aspect physique et caractère), le lieu et une partie de l'intrigue.
Lisez l'extrait suivant pour vous en inspirer.

La maison était froide, pleine, ce matin-là, de courants d'air inhabituels, de bruits insolites. On rencontrait des gens qu'on ne connaissait pas et qui montaient ou descendaient l'escalier. Parfois la cloche résonnait, et c'était un sergent de ville qui allait ouvrir.
Dans la rue, les domestiques des voisins devaient passer leur temps sur les seuils ou aux fenêtres, tandis que Loursat remontait en soufflant de la cave, ses trois bouteilles à la main, et circulait, indifférent, parmi les gens de la police.
Comme il arrivait devant la porte du grand salon, celle-ci s'ouvrit. Nicole parut, très grande, très droite, d'une impassibilité exagérée, et elle s'arrêta instinctivement devant son père. Derrière elle se profilait la silhouette de Ducup, tiré à quatre épingles, calamistré, avec sa tête de rat malade, le sourire ironique qu'il avait adopté une fois pour toutes et qu'il jugeait catégorique.

Georges SIMENON, *Les inconnus dans la maison,* GEORGES SIMENON, Ltd., Chorion (IP) Ltd.

b) Une autre partie se composera de deux dialogues correspondant à deux moments différents de votre intrigue. Écoutez le dialogue suivant de la même intrigue policière. Lisez-le à haute voix pour vous entraîner.

–Vous avez vu l'assassin ?
–Non, le couloir n'était pas éclairé.
Il semblait répéter, tant il mettait d'ostentation à montrer son visage bien en face :
–Vous voyez que je ne mens pas ! Je vous jure que je ne l'ai pas reconnu !
–Et après ?
–L'homme a dû me voir ou m'entendre...
–C'était donc un homme ?
–Je le suppose.
–Cela ne pouvait pas être Nicole, par exemple ?
–Non puisque je venais de la quitter au seuil de sa chambre...
–Qu'a donc fait l'homme ?
–Il a couru vers le fond du couloir. Il est entré dans une pièce dont il a refermé la porte. J'ai eu peur et je suis descendu...
–Sans chercher à savoir qu'était devenu Gros Louis ?
–Oui.
–Vous êtes parti tout de suite ?
–Non je suis resté au rez-de-chaussée, à tendre l'oreille, pendant que vous montiez.
–Si bien qu'en dehors de vous il y avait un autre personnage dans la maison ?
–J'ai dit la vérité !
Puis volubile :
–J'étais venu vous demander, au cas où il ne serait pas déjà trop tard, de ne pas déclarer que j'étais ici. Ma mère a déjà eu assez de malheur ainsi... C'est sur nous que tout retombera... Nous ne sommes pas riches...

Georges SIMENON, *Les inconnus dans la maison*, GEORGES SIMENON, Ltd., Chorion (IP) Ltd.

7 La représentation.

Préparez votre représentation devant la classe. Une partie est lue (récit) et une partie est jouée (dialogues). Attribuez-vous les différents rôles : narrateur, protagoniste, personnage secondaire... Chacun travaille sa partie : intonation, ton, caractéristiques du personnage... Prévoyez des éléments du décor et des accessoires afin de donner une dimension théâtrale à votre pièce. Quelle musique mettriez-vous ?

8 Opinions.

Chaque groupe devine la fin de chaque histoire et donne son avis sur les différentes pièces représentées. Prenez en considération la réalisation de la pièce (la cohérence de l'histoire, la caractérisation des personnages, le ton et l'intonation utilisés...).

UNITÉ

5 Dans tous ses états

OBJECTIFS

- Prendre la parole dans des débats (registres standard et familier).
- Comprendre et participer à une interview dans le domaine professionnel.
- Comprendre et raconter des accidents et incidents.
- Intervenir dans une conversation ou un débat (donner et défendre son opinion, accepter l'opinion des autres ou la refuser).
- Comprendre et raconter des faits divers.
- Écrire des lettres amicales d'excuses.
- Réfléchir à des stratégies de compréhension d'articles de journaux.
- Utiliser des stratégies de planification de l'écrit.

L9 LEÇON 9

COMMUNICATION
- Exprimer son (dés)accord, indignation, insistance
- Demander et établir un diagnostic médical
- Demander et donner des explications
- Journal intime
- Lettre amicale

GRAMMAIRE
- Expression de la concession
- Style indirect

LEXIQUE
- Le corps
- Les maladies
- Les animaux

PRONONCIATION
- Les liaisons

CIVILISATION
- Protection sociale en France

L10 LEÇON 10

COMMUNICATION
- Intervenir dans une conversation
- Chercher ses mots
- Féliciter et accuser quelqu'un
- Rappeler quelque chose à quelqu'un
- Articles de journal, faits divers

GRAMMAIRE
- Expression du but
- Forme passive

LEXIQUE
- Accidents et catastrophes

PRONONCIATION
- Le [ə] caduc

CIVILISATION
- Médias : revues et journaux français

Problème de santé

Alors elle tomba malade.
J'ai le nez qui coule, les yeux qui pleurent, la bouche désséchée et mes oreilles qui fonctionnent à l'envers : au lieu de recevoir les bruits, comme d'honnêtes oreilles ont à faire, elles en émettent, bourdonnent, sifflent et crissent, dit-elle à Pauline. Je ne te parle pas de la toux qui me lacère la poitrine, ni la gorge qui brûle, je transpire à changer les draps de lit plusieurs fois par jour et je n'ai pas grand appétit.
–Aurais-tu un problème de santé ?
–Eh bien, ce cataclysme incroyable, ce raz de marée, cette fin du monde, c'est ce que le bon Letellier qui sort d'ici nomme un rhume. Je n'ai même pas droit au mot plus noble de grippe car je n'ai pas de fièvre.
–Ma pauvre fille ! Alors que c'est une grande consolation, si l'on est malade, que la maladie ait un nom poétique...
Tu dois t'ennuyer à mourir. Veux-tu que je vienne te tenir compagnie ?
–Tu es un ange mais je suis contagieuse. Je voulais t'avertir que je ne viendrai pas ce week-end et que tu n'auras pas les livres que je devais t'apporter...
Delphine raccrocha, se moucha, s'inonda de divers médicaments et se rendormit. Elle s'attendait chaque fois à se réveiller guérie et fut surprise de voir qu'elle se rétablissait mal. Elle gardait une toux douloureuse et un sentiment de faiblesse qui donnèrent un air de perplexité au médecin. Il la fit passer derrière un écran de radioscopie et grogna :
–Votre poumon droit est très vilain, dit-il.
Delphine repensa à *la Femme de 30 ans* et sourit :
–La pneumonie ?
–Je voudrais bien... »

JACQUELINE Harpman, *Récit de la dernière année*

1 **Lisez le texte ci-contre, puis définissez de façon précise les éléments de la situation de communication.**

a) Qui parle ?
b) À qui ?
c) De quoi ?
d) S'agit-il d'une conversation en face à face ?
e) Quel est le but de cette conversation ?
f) Qui est Letellier ?

2 **De quoi semble souffrir la narratrice ? S'agit-il d'une maladie grave ?**

3 **Relevez dans le texte les mots qui expriment les symptômes qu'elle ressent et l'état dans lequel elle se trouve.**

4 **Est-ce qu'une amélioration se produit dans l'état de santé de la narratrice ?**

5 **Quelle impression gardez-vous de la fin de ce texte ? Que laissent sous-entendre ses dernières lignes et que pouvez-vous déduire du titre de l'œuvre ?**

Situation > Consultation vétérinaire

1 **Vous allez écouter un document assez long et complexe. Pendant cette première écoute, demandez-vous en quoi consiste cette émission de radio et quels sont ses objectifs.**

2 **Commentez vos réponses avec votre voisin(e), puis en groupes. Y a-t-il des émissions de ce type dans votre pays ?**

3 **Réécoutez la première partie de ce document (jusqu'à « il faut généraliser »).**
Sur quelle idée le présentateur et le vétérinaire insistent-ils ? Qu'est-ce qu'ils critiquent tout particulièrement ?

4  **Réécoutez maintenant le reste du document, puis répondez aux questions.**

a) De quels animaux parle-t-on au vétérinaire ?
b) Quelles sont exactement les questions qui lui sont posées ?
c) Quelles réponses apporte-t-il à ces questions ?

5 **Avez-vous un animal chez vous ? Que pensez-vous de la présence d'animaux domestiques en appartement ? Quels avantages et quels inconvénients y voyez-vous ? Quels conseils croyez-vous utiles pour qu'humains et animaux vivent en bonne entente ?**

Expression de la concession

Observez ces phrases et repérez les mots qui permettent d'opposer des faits ou des affirmations. Quels sont les deux faits ou affirmations opposés dans chaque phrase ?

1) *Le médecin lui avait conseillé de se faire opérer mais elle hésitait.*
2) *Malgré toute la publicité actuelle qui présente la famille idéale accompagnée de son chien, si vous n'êtes pas sûrs de supporter un chien chez vous, n'en ayez pas.*
3) *Même si je défends la médecine naturelle, je ne suis pas totalement contre la médecine traditionnelle.*
4) *Essayez un traitement homéopathique. Cependant, consultez votre vétérinaire.*
5) *Notre chat nous griffe dès que nous l'approchons bien que ce soit un animal très affectueux.*

Pour exprimer explicitement la concession :

mots de coordination	adverbes	prépositions	conjonctions de subordination
mais	*cependant* *pourtant*	*malgré* + nom	*bien que* + subjonctif *même si* + indicatif

Attention à la conjonction *mais* !

1) *J'ai rendez-vous chez le vétérinaire aujourd'hui, mais je ne sais plus à quelle heure.*
2) *Gisèle n'est pas allée voir un traumatologiste mais un ostéopathe.*

Lisez les phrases ci-contre et traduisez-les en langue maternelle. Utilisez-vous le même mot dans les deux cas ?

1 Choisissez, dans chaque série de phrases, celles qui expriment la même idée que les phrases 1 à 5 citées ci-dessus.

1) a) Même si le médecin lui avait conseillé de se faire opérer, elle hésitait.
b) Malgré ses hésitations, le médecin lui avait conseillé de se faire opérer.

2) a) La publicité actuelle nous présente des familles avec des animaux. Alors, si vous n'êtes pas sûrs de supporter un chien chez vous, n'en ayez pas.
b) Bien que la publicité actuelle vous invite à le faire, si vous n'êtes pas sûrs de supporter un chien chez vous, n'en ayez pas.

3) a) Je défends cette médecine, pourtant je ne suis pas totalement contre la médecine traditionnelle.
b) Je défends cette médecine, donc je ne suis pas totalement contre la médecine traditionnelle.

4) a) Essayez un traitement homéopathique mais ne prenez pas le premier médicament venu.
b) Malgré tout, essayez un traitement homéopathique.

5) a) Comme c'est un animal très affectueux, notre chat nous griffe dès que nous l'approchons.
b) Notre chat nous griffe dès que nous l'approchons, mais c'est un animal très affectueux.

2 Terminez les phrases suivantes.

1) J'irai au bureau malgré...
2) Bien que Marielle déteste les hamsters...
3) Nous allons souvent au zoo, cependant...
4) Bien qu'elle travaille beaucoup...
5) Même s'il ne pleut pas...
6) Je lui ai dit de se joindre à nous, mais...
7) Il a été très patient, pourtant...
8) Ils ont pris la voiture malgré...
9) Je ne suis pas allergique à la pénicilline mais...
10) Même si les poissons rouges sont très mignons...
11) C'est un employé modèle, pourtant...
12) Sa famille était riche, pourtant...
13) Elle a été reçue au concours, cependant...
14) Même si tu es fatigué...
15) Bien qu'ils soient partis tôt,...
16) Ils étaient frère et sœur, mais...

Le style indirect

Regardez le tableau suivant et comparez les phrases au style direct et au style indirect. Sur quels éléments de la phrase portent les transformations ?

discours direct	discours indirect
Jonathan : *Les médecines douces ont une approche plus globale du malade.*	Jonathan a affirmé devant ses interlocuteurs que les médecines douces avaient une approche plus globale du malade.
Jonathan : *Je vais vous donner l'exemple d'un petit garçon qui faisait otite sur otite.*	Jonathan a dit qu'il allait leur donner l'exemple d'un petit garçon qui faisait otite sur otite.
Le médecin : *Faites-le opérer.*	Le médecin avait conseillé à la mère de le faire opérer.
Jonathan : *Sa mère s'est décidée à consulter un homéopathe.*	Jonathan a ajouté que la mère s'était décidée à consulter un homéopathe.
Le journaliste : *Nous répondrons à toutes vos questions après la pause.*	Le journaliste a annoncé aux auditeurs qu'ils répondraient à toutes leurs questions après la pause.

Au discours indirect, quand le verbe introducteur est au passé, à quels temps sont les verbes de la subordonnée ?
Au niveau des pronoms personnels et des adjectifs possessifs, qu'est-ce qui varie ?

Verbes de parole ou de pensée pour introduire le discours indirect

	ils apportent des informations sur...
dire, raconter, demander, répondre, répéter, annoncer, déclarer...	le mode d'intervention dans la communication
approuver, reprocher, interdire, suggérer, proposer, conseiller...	l'intention du locuteur
murmurer, crier, (s')exclamer...	la manière de parler

1 Choisissez parmi les trois options proposées la phrase qui a été prononcée au style direct.

1) Le présentateur : *On nous a demandé avant la publicité ce qu'il fallait... quels critères nous devions suivre pour acheter un chiot.*
   a) Qu'est-ce qu'il faut... quels critères nous devons suivre pour acheter un chiot ?
   b) Est-ce qu'il faut... quels critères vous devez suivre pour acheter un chiot ?
   c) Qu'est-ce qu'il a fallu... quels critères on a dû suivre pour acheter un chiot ?

2) Le vétérinaire : *J'ai déjà indiqué avant la pause qu'un chien donnait du travail, exigeait des soins et modifiait le style de vacances de ses maîtres.*
   a) Un chien donnera du travail, exigera des soins et modifiera le style de vacances de ses maîtres.
   b) Un chien donne du travail, exige des soins et modifie le style de vacances de ses maîtres.
   c) Un chien va donner du travail, va exiger des soins et va modifier le style de vacances de ses maîtres.

2 Mettez au style indirect les phrases suivantes.

1) Le présentateur : *Vous, Sonia, quand vous entendez cela, comment vous réagissez ?*
2) Jonathan : *Ça oui, on soigne les signes extérieurs des maladies, cependant est-ce qu'on s'attaque aux vraies causes ?*
3) Sonia : *Je ne vois pas bien où vous voulez en venir.*
4) Jonathan : *Je vais vous donner une bonne raison* [...]

Le corps et les états de santé

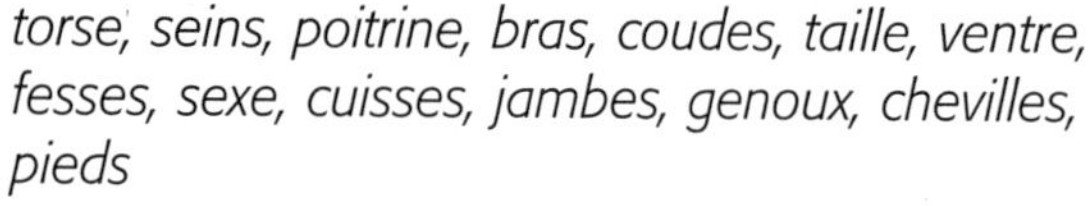

torse, seins, poitrine, bras, coudes, taille, ventre, fesses, sexe, cuisses, jambes, genoux, chevilles, pieds

visage, peau, cheveux, sourcils, yeux, cils, nez, joues, rides, bouche, menton, oreilles, barbe, moustache, épaules, bras, poignets

1 Décrivez ces tableaux à l'aide du lexique proposé. Qui sont ces personnes ? Comment sont-elles ? Que vous suggèrent-elles ?

2 Caractérisez avec un adjectif, puis avec son contraire, chacun des noms suivants : *visage, cheveux, sourcils, yeux, cils, nez, bouche.*

3 Jouez au *jeu du pendu* avec les mots que vous venez de découvrir et avec des mots du même champ lexical.

4 Retrouvez dans la liste ci-dessous le nom des maladies qui présentent les symptômes suivants.

les oreillons, la varicelle, une infection intestinale, la grippe

1) Le malade tousse, éternue, se mouche, a souvent mal à la tête et à la gorge. Il a des courbatures et de la fièvre.
2) Le malade est généralement très jeune, a beaucoup de fièvre et a mal aux oreilles ; il est très contagieux.
3) Le malade est également contagieux et il a beaucoup de boutons. Actuellement, on vaccine souvent les enfants contre cette maladie.
4) Le malade vomit, a mal au ventre, a la diarrhée, ne peut rien manger mais doit boire beaucoup pour éviter de se déshydrater.

5 Pouvez-vous raconter une anecdote ayant trait à un problème de santé ?

Quelques expressions pour vous aider : *avoir mal à l'estomac / la tête..., avoir le mal de mer, se faire mal à un doigt / la cheville, etc., se casser le bras / la jambe etc., tomber malade, se soigner / soigner quelqu'un, aller mal / bien / mieux, guérir.*

Nos amis les animaux

1 **Lisez attentivement cette liste d'animaux domestiques et sauvages, puis répondez aux questions.**

A- *abeille - âne - araignée* **B-** *baleine - bœuf - brebis* **C-** *cheval - coq - cigale* **D-** *dauphin - dinde - dromadaire* **E-** *écrevisse - écureuil - éléphant* **F-** *faisan - flamand - fourmi*	**G-** *girafe - grenouille - guêpe* **H-** *hareng - hérisson - hirondelle* **L-** *lapin - lion - lotte* **M-** *merlan - mouche - mouton* **O-** *oie - otarie - ours*	**P-** *papillon - pigeon - poule* **R-** *renard - renne - rhinocéros* **S-** *sardine - singe - souris* **T-** *taureau - tigre - tortue* **V-** *vache - veau - vipère*

1) Savez-vous de quels animaux il s'agit ?
2) Quel est le genre de chacun de ces noms ? (Consultez, si nécessaire, un dictionnaire).
3) Créez des associations d'animaux en formant des sous-ensembles en fonction de critères que vous ferez deviner aux autres.
4) Mémorisez entre tous les trois colonnes de cette liste, puis essayez de la répéter.
5) Quels noms d'animaux aimeriez-vous y ajouter ?

2 **Dix animaux se sont cachés dans ce bois. Retrouvez-les.**

LES LIAISONS

1 **Écoutez les paires de phrases suivantes. Dites si on prononce de la même façon les mots soulignés.**

1) Voilà mon petit frère. / Voilà mon petit ami.
2) Ce sont les copains de ma fille. / Ce sont les amis de ma fille.
3) On pense venir. / On a décidé de venir.
4) Il est malade. / Est-il malade ?
5) Il a réussi son concours. / Il a réussi son examen.

2 **Écoutez les phrases suivantes et indiquez les liaisons que vous entendez. Avec quelles consonnes fait-on les liaisons ?**

1) Quelles admiratrices veut-il rencontrer ?
2) Si vous achetez un chien, vous vous engagez pour dix ans.
3) Je voudrais offrir un animal à mon enfant pour son anniversaire.
4) Les auditeurs nous appellent, nous avons un premier coup de fil de Stéphane.

La protection sociale en France

La carte Vitale : un nouveau fonctionnement mis en place en 1999

En France, les affiliés à la Sécurité sociale disposent d'une carte d'assurance maladie informatisée, la carte Vitale, pour leurs consultations ou visites à des professionnels de la santé. Les professionnels, équipés du système Sesam Vital, établissent une feuille de soins électronique adressée directement à la Caisse maladie, ce qui présente l'avantage pour l'assuré d'obtenir le remboursement automatique des soins, de manière simple et rapide.
Cette carte Vitale a remplacé la carte d'assuré social « papier » mais n'est ni une carte de santé ni une carte de paiement. On prévoit à partir de 2004 une carte Vitale 2 qui, outre les données administratives, contiendra des informations médicales.

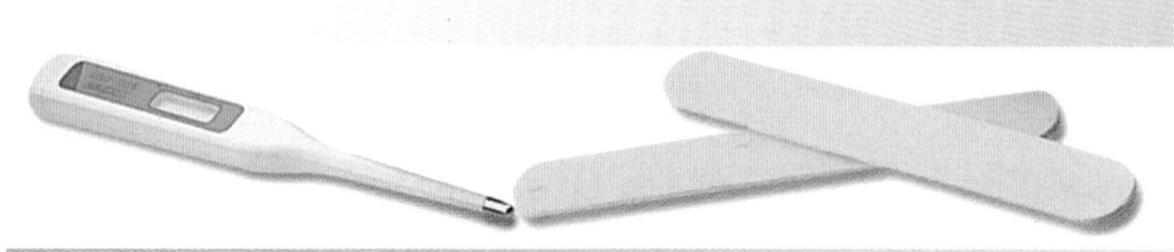

L'aide médicale État

Les étrangers en situation irrégulière en France peuvent demander l'aide médicale État auprès d'une Caisse primaire d'assurance maladie.

La Couverture maladie Universelle

Toute personne en résidence stable et régulière sur le territoire français et qui n'a pas de couverture sociale a droit à la Couverture Maladie Universelle, entrée en vigueur le 1er janvier 2000. Elle lui permet de bénéficier de la Sécurité sociale pour ses dépenses de santé et offre aux personnes dont les revenus sont les plus faibles une couverture complémentaire qui leur évite d'avancer les frais liés aux soins. Cette couverture complémentaire s'accorde sur demande et sous conditions de ressources, sauf pour les allocataires du RMI qui en bénéficient automatiquement.
Personnes couvertes au 30 / 09 / 2000 : 1,1 million pour la Couverture Maladie, 4,4 millions pour la complémentaire.

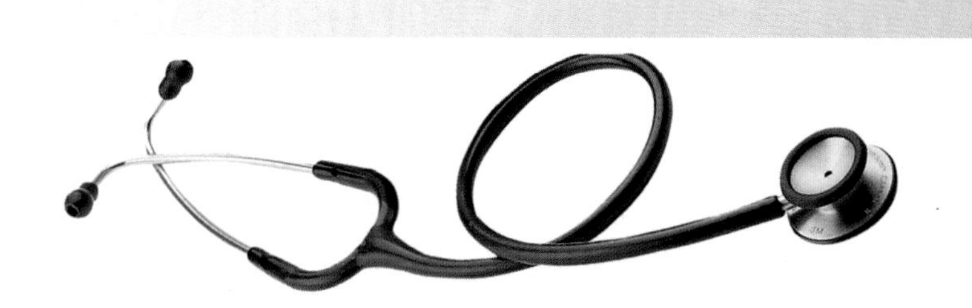

La liberté de choisir son médecin

39 % des Français choisissent leur médecin généraliste par tradition familiale, 27 % sur conseil de leur entourage, 14 % par hasard, 35 % sur Minitel, 2 % sur le conseil de leur pharmacien, 15 % sur d'autres critères.

G. Mermet, *Francoscopie 2001* © Larousse / HER 2000

Les allocations : une aide de l'État

Hormis le domaine de la santé, des aides économiques peuvent être accordées aux personnes les plus démunies en fonction de leur situation familiale ou personnelle. C'est la Caisse d'Allocations Familiales qui gère les prestations sociales perçues par les Français et les étrangers en possession d'un permis de séjour. Quelques exemples des allocations qu'on accorde en France :
- les Allocations Familiales versées pour l'éducation des enfants à partir de deux enfants à charge
- l'Allocation de rentrée scolaire pour l'achat des fournitures et livres scolaires
- l'Allocation de parent isolé pour les familles monoparentales
- l'Allocation de garde d'enfant à domicile
- le Revenu Minimum d'Insertion pour les personnes de plus de 25 ans sans ressources
- l'Allocation aux adultes handicapés

1 Retrouvez dans les textes à quoi correspondent ces sigles : AF, CAF, CMU, RMI.

2 De quoi disposent ces trois personnes pour leurs dépenses de santé ?
a) Laure, 27 ans, touche le RMI
b) Hubert, salarié dans une entreprise de produits industriels
c) Hassan, sans papiers en France

3 Qu'apprenez-vous sur le droit à la santé en France ? Ce fonctionnement est-il le même dans votre pays ?

4 Dans votre pays, quels types d'aides peut-on recevoir de l'État ?

Écouter

1 Écoutez l'enregistrement, puis répondez le plus précisément possible aux questions suivantes.

1) À quoi participent Jonathan et Sonia ?
2) Qui est la troisième personne et quel rôle joue-t-elle ?
3) De quels types de médecine parle Jonathan et comment se situe-t-il ?
4) Quels sont ses premiers arguments ? Quels exemples donne-t-il ?
5) Sonia partage-t-elle son opinion ? Quels arguments emploie-t-elle pour défendre sa position ?

2 Qu'en pensez-vous ?

1) À votre avis, Jonathan et Sonia appartiennent-ils au corps médical ?
2) Quel est, selon vous, le style de vie de Jonathan ?
3) Et vous, comment vous situez-vous dans ce débat ?

3 À propos de médecine...

Réécoutez le dialogue. Faites un tableau où vous allez noter...
1) les types de médecine.
2) les adjectifs utilisés pour les caractériser.
3) les professions médicales ou spécialités citées.
4) les traitements ou soins cités.
Connaissez-vous en français d'autres mots que vous pourriez placer dans ces catégories ?

expressions pour...

Retrouvez dans la leçon les expressions pour :

- **Montrer partiellement son accord.**
- **Illustrer sa manière de penser.**
- **Demander et donner des conseils.**
- **Mettre en valeur une idée, une opinion.**
- **Expliquer les symptômes d'un problème de santé.**
- **Manifester son indignation.**

Parler

1 Jeux de rôles.

Mettez-vous par groupes de 2 et choisissez votre rôle (2e jeu de rôle page 118).

1) Un chien malade.

Rôle A
Vous aimez énormément votre petit chien *Toutounet*. Depuis quelque temps, il ne se comporte plus comme avant. Vous allez consulter son vétérinaire, vous le connaissez depuis très longtemps.

Rôle B
Vous êtes vétérinaire par vocation. Vous aimez soigner les animaux comme un médecin soignerait ses malades. Vous appréciez les clients qui se montrent affectueux avec leurs animaux.

2) Chez le médecin.
Rôle A
Vous détestez consulter les médecins. Vous n'y allez que quand vous vous sentez très mal comme aujourd'hui. Vous n'aimez pas prendre de médicaments.
Rôle B
Vous êtes un médecin généraliste ouvert à la médecine alternative. Vous avez de bonnes relations avec vos patients. Vous tenez compte dans chaque cas de l'aspect humain et psychologique.

2 Débat.

Mettez-vous par groupes de 3 ou 4.
Vous réalisez l'émission *L'heure du forum* mais, cette fois-ci, le sujet est : *Les relations personnes / animaux*. Choisissez les invités de cette émission et le présentateur.

Pour préparer votre intervention :
- imaginez le personnage que vous allez jouer (pensez au ton, aux caractéristiques personnelles...)
- préparez vos idées, vos opinions...
- cherchez les mots ou expressions qui vous permettront de les formuler.
- entraînez-vous avant de le représenter en classe.

3 Émission de radio.

Mettez-vous par groupes de 3 ou 4.
Vous réalisez une émission de *Radio Avenir* sur le thème : *Traitement et chirurgie esthétiques*. Décidez quels sont les auditeurs qui vont téléphoner, les questions qu'ils vont poser et choisissez le présentateur.

Lettre à un(e) ami(e).

Vous écrivez à un(e) ami(e). À cause d'un problème de santé, vous n'avez pas pu répondre plus tôt à son mail. Vous vous excusez, donnez les raisons de votre retard, racontez votre problème, expliquez votre état actuel et demandez de ses nouvelles.

Réfléchissons ! Vous venez d'écrire un texte sans modèle. Par petits groupes, analysez les lettres proposées pour donner une note sur 15 points (cinq points par critère). Pour vous aider, voici une série de questions :

1) Communication
   Le texte produit respecte-t-il la consigne donnée ?
   Présente-t-il le ton et les formules adéquats ?
   Est-il clair, bien organisé et cohérent ?
   Exprime-t-il clairement l' / les objectif(s) communicatif(s) ?
2) Lexique
   Le texte produit présente-t-il un lexique correct, adéquat et varié pour le niveau ? Intègre-t-il des éléments nouveaux à d'autres déjà connus ?
   Relie-t-il les mots et les phrases de façon adéquate ?
3) Grammaire et orthographe
   Le texte produit présente-t-il une morphologie et une syntaxe correctes, variées et adaptées au niveau ?
   L'orthographe et la ponctuation sont-elles correctes et ne gênent-elles pas la compréhension ?

Je ressors du bureau. Je pose le carnet de rendez-vous près du téléphone. Tu n'es pas souvent de bonne humeur le matin, encore moins les lendemains de garde. On dirait que tu n'as pas envie de travailler. Lorsque tu as eu des journées chargées, je comprends ça. Voir des gens malades toute la journée, ça doit être fatigant, mais parfois, lorsque les appels se font plus rares, je me fais du souci, je me dis que les patients ne veulent peut-être plus venir, les gens sont si changeants. Les deux premières années, tu passais des heures au cabinet médical sans voir plus d'une ou deux personnes dans la journée, et les gens du bourg me demandaient d'un air préoccupé si tu gagnais assez ta vie, si tu n'allais pas partir. Moi, je me disais que si tu n'avais pas assez de clients, tu ne pourrais pas te permettre de continuer à payer une employée, même à mi-temps. Mais tu me disais souvent que tu étais content de m'avoir et je te répondais que j'étais contente d'être ici, parce que moi j'aime tenir le cabinet médical, ranger les instruments, recopier les examens, répondre au téléphone, accueillir les gens qui viennent te voir, noter les rendez-vous. Je ne pouvais pas trouver meilleur travail que ça, à trois minutes de l'école et cinq de la maison avec tout le chômage qu'il y a. Depuis que tu es arrivé, tu t'es fait des patients fidèles, des familles entières, des jeunes, des vieux. Tu t'es fait ta clientèle. Elle n'est pas encore aussi importante que celle des autres médecins du canton, mais les gens t'apprécient beaucoup, ils disent que tu les écoutes bien. Tout le monde n'est pas de cet avis, c'est bien normal, il en faut pour tous les goûts. [...]

Depuis quelque temps, j'ai le sentiment que tu n'as plus la même patience, tu es souvent silencieux, irritable, et parfois tu me parles sèchement au téléphone. Certaines fins d'après-midi, tu me passes la ligne après tes consultations, tu pars à Tourmens, et quand tu reviens, tu as l'air mécontent d'avoir plusieurs rendez-vous, alors que si tu as du travail, c'est parce que les gens sont contents de toi, d'ailleurs ils le disent, et c'est pour ça qu'ils viennent. Je les entends, à la boulangerie ou à l'épicerie, ils disent : « Le Docteur Sachs, au moins on peut lui parler et puis il nous explique. » Bien sûr tu as beaucoup pris au Docteur Cronin, à Langes, parce que le bourg vieillit et son médecin aussi. [...]

Quand je vois que tu as beaucoup de rendez-vous je suis plutôt contente, ta clientèle augmente, j'ai même vu des gens venir de Tourmens ou de plus loin encore pour te consulter. Beaucoup de gens viennent te voir parce qu'on leur a parlé de toi, on sait que tu rassures, que tu es du genre docteur tant-mieux. Depuis quelques mois, je viens ouvrir la salle d'attente le samedi matin, parce que tu n'es pas encore rentré de tes visites, et je trouve régulièrement huit ou dix personnes qui t'attendent dans la cour. Et, je ne comprends pas, alors que ta clientèle augmente, pourquoi tu n'es pas content, pourquoi tu es souvent triste et nerveux.

Martin Winckler, *La maladie de Sachs*, © P.O.L. 1998

1 **Lisez le texte ci-dessus puis, relevez les informations concernant...**

1) le narrateur / la narratrice.
2) son travail et l'évolution de son travail depuis le début.
3) ses craintes.
4) la personne dont on parle : qualités, humeur le matin, comportement, état d'esprit...

2 **À votre avis, pourquoi cette personne n'est-elle pas contente ?**

3 **Savez-vous ce que signifient les mots *bourg* et *canton* ? Qu'est-ce que cela vous apprend sur le cadre géographique du texte ?**

4 **Comment imaginez-vous le personnage dont on parle à partir de l'expression *genre docteur tant-mieux* ?**

Faits divers

1 **Pour faciliter l'écoute des faits divers, reconstituez les phrases avec les mots qui vous sont donnés ci-dessous en désordre.**

Fait divers n° 1
la mort / une avalanche / d'un promeneur / dans / a provoqué / les Hautes-Alpes / de soixante-cinq ans

Fait divers n° 2
une société / avec / transports de fonds / des gangsters / dans les / ont attaqué / spécialisée / une bétonnière

Fait divers n° 3
les pompiers / un jeune garçon / du village / s'amusait / de douze ans / à insulter

Fait divers n° 4
a provoqué / à un garçon / de course / de graves blessures / de huit ans / une voiture

2 **Écoutez les faits divers, puis retrouvez...**

1) les protagonistes et les participants.
2) les actions.
3) le lieu.
4) les indications de temps (date, jour et heure).
5) les causes.
6) les autres éléments du fait divers.

3 **Réécoutez l'enregistrement pour compléter les phrases suivantes.**

1) Ce montagnard ... effectuait ... sur un ... de la ... .
2) ... une bétonnière a été ... pour défoncer ..., puis ... pour ... la porte ... .
3) Insultes ou ..., depuis ..., devant..., l'adolescent ... appelait ... le ... des sapeurs.
4) Selon les ..., toutes les ... de ... avaient ... été .... Les ... se ... bien en retrait à ... du ... .

4 **Hold-up. Retrouvez l'ordre chronologique des faits.**

1) Ils ont défoncé la porte d'entrée avec une bétonnière.
2) Un des vigiles a riposté.
3) Un commando a attaqué le siège de l'ATD, une société spécialisée dans les transports de fonds.
4) Ils ont fait sauter la porte de la salle des coffres avec de la dynamite.
5) Ils ont été surpris par l'arrivée d'un fourgon blindé.

5 **Si vous avez à expliquer un fait divers, quels éléments vous semblent obligatoires ?**

Situation > Interview

1 Écoutez l'interview et choisissez l'option correcte.

1) L'émission de radio s'appelle...
   a) Radio Santé 2005.
   b) Témoignages de vie.
   c) Incendies en France.
2) Le choix du thème de l'émission...
   a) est lié à la situation dramatique des forêts françaises.
   b) est lié à la saison et à l'endroit où se déroule aujourd'hui l'émission de radio.
   c) est dû au hasard.
3) Qu'est-ce qui fait de la Corse une zone particulièrement sensible aux incendies ?
   a) Il s'agit d'une île où il fait très chaud et où il y a des forêts.
   b) Il s'agit d'une île où on fait peu de travaux d'entretien.
   c) Il n'y a pas assez de pompiers sur l'île.
4) Kevin est...
   a) né en Corse, a 24 ans et travaille dans la région des Landes.
   b) né en Corse, a 34 ans et travaille dans le sud de la France.
   c) né en Corse, a 24 ans et travaille comme pompier forestier.
5) La présentatrice du programme s'intéresse davantage à...
   a) ce qui concerne le métier de pompier.
   b) ce qui concerne les paysages de la Corse.
   c) ce qui concerne l'état des forêts corses.

2 Définissez le profil professionnel du pompier tel que l'explique Kevin.

■ [...] Vous êtes, comme je viens de le dire, pompier forestier, vous avez 24 ans et vous êtes originaire de Corse. Alors notre première question sera la suivante : votre lieu de naissance a-t-il joué un rôle important dans le choix de votre profession ?

■ Eh ben, je ne sais pas... c'est pas évident de répondre à cette question... Il y a toujours un tas de hasards qui font qu'on choisit un métier... mais... en gros... on peut dire que... oui ... c'est vrai... j'ai été habitué, depuis tout petit à aimer et à faire attention à la forêt. Je suis né dans un tout petit village de l'intérieur de l'île et l'été, il fait tellement chaud qu'il suffit de très très peu pour que le maquis s'enflamme. Une fois, j'étais petit, on a dû évacuer la maison de peur que le feu nous encercle, alors forcément... ça te marque !

■ En quoi consiste le travail de pompier forestier ? Quelle est votre journée-type en été et quand il fait chaud comme aujourd'hui ?

■ Eh ben... on est chargés de la surveillance rapprochée de la forêt, on observe si tout est normal... s'il n'y a pas de fumée... pas de gens qui se promènent là où c'est interdit... pour éviter tout risque d'incendie...

■ Et quand un feu se déclare ?

■ Eh ben... quand un feu se déclare, on est chargés d'arriver le plus vite possible sur le terrain afin d'éviter sa propagation. Je travaille sur un canadère... un petit avion quoi... et pour nos interventions, on va chercher l'eau au plus près... dans un lac, un fleuve, ou une piscine même... et nous la lâchons au-dessus du feu pour tenter de l'éteindre. Parfois, ça suffit mais le plus souvent il faut monter les dispositifs de lutte contre l'incendie et alors là... ça, c'est très dur... quelquefois, il faut lutter corps à corps avec le feu en évitant d'être piégés par les flammes... [...]

3 Quelles phrases prononcées par Kevin au cours de l'émission de radio correspondent aux phrases ci-dessous ?

1) Le choix de mon métier est dû à beaucoup de facteurs.
2) Mes parents m'ont éduqué dans l'amour et le respect de la forêt.
3) Pour être un bon pompier, on ne doit pas être nerveux et il faut avoir le sens de la discipline.
4) Les arbustes et les arbres prennent feu immédiatement.
5) On n'oublie pas quand il faut partir de chez soi et fuir devant le feu.
6) On doit surveiller les bois de très près.

Expression du but

On exprime le but quand on présente de façon explicite ou non l'objectif, l'intention qui justifie un fait ou un événement.

Observez.
On est chargés de la surveillance rapprochée de la forêt pour éviter tout risque d'incendie.
Quel est l'objectif de cette *surveillance rapprochée* ? Quel mot permet d'expliciter le but dans cette phrase ?

Repérez dans les phrases ci-dessous les mots ou expressions qui introduisent le but.
Il suffit de très peu pour que la végétation prenne feu.
Des arbres qu'on a toujours vus doivent être abattus de peur qu'ils (ne) tombent.
Quand un feu se déclare, on est chargés d'arriver le plus vite possible sur le terrain afin d'éviter sa propagation.
On va chercher de l'eau au plus près et nous la lâchons au-dessus du feu pour tenter de l'éteindre.

Classez ces mots ou expressions selon qu'ils sont suivis d'un verbe à l'infinitif ou au subjonctif. Que constatez-vous ?

Pour exprimer le but de façon explicite

Prépositions ou locutions prépositionnelles quand les deux sujets sont identiques		Locutions conjonctives quand les deux sujets sont différents	
pour *afin de* *de peur de* (but à éviter) *dans le but de*	+ infinitif	*pour que* *afin que* *de peur que ... (ne)* (but à éviter)	+ subjonctif

1 Reliez les éléments de chaque colonne à l'aide des connecteurs proposés.

1) On a averti le garde forestier
2) Elle a prévenu les sapeurs-pompiers
3) La compagnie d'assurances a envoyé quelqu'un
4) L'équipe travaille avec précaution
5) Les pompiers risquent leur vie
6) La municipalité interdit les feux en forêt
7) Ils ont lancé une campagne d'information

dans le but de pour afin de pour que de peur que de peur que pour que

a) les gens soient plus prudents en forêt.
b) constater les dégâts dus aux inondations.
c) ils aident les sinistrés.
d) le feu ne se propage.
e) sauver celles des autres.
f) provoquer l'effondrement de l'immeuble.
g) réduire les risques d'incendies.

2 Terminez les phrases suivantes.

1) Je suis allée à la bibliothèque afin de...
2) Nous sommes arrivés de bonne heure pour que...
3) Murielle téléphone à son père de peur que...
4) Mes parents vont m'acheter cette voiture afin que...
5) Elle n'a pas pris la voiture de peur de...
6) Les voisins ont porté plainte pour...
7) Il a téléphoné à la banque dans le but de...
8) Les employés sont en grève pour que...
9) Leurs parents ne les laissent jamais seuls de peur que...
10) Elle a préféré ne pas sortir afin de...
11) Ils sont partis tôt afin de...
12) Il est venu la chercher de peur que...

La voix passive

Observez ces phrases et repérez pour chacune d'elles le sujet et le C.O.D. À quel temps sont les verbes ?

Une plaque de neige l'a emporté sur plus de 200 mètres.
L'arrivée d'un fourgon blindé a surpris les gangsters en pleine activité.
Le proviseur du collège où il étudiait l'a démasqué.

À présent, rappelez-vous les formulations exactes qui correspondent aux phrases ci-dessus.
Il a été emporté sur plus de 200 mètres par une plaque de neige.
Les gangsters ont été surpris par l'arrivée d'un fourgon blindé.
Frédéric a été démasqué par son proviseur.

Est-ce qu'on a les mêmes sujets ? Y a-t-il encore des C.O.D ? Quelle préposition permet d'introduire le complément d'agent ?

TRANSFORMATION

Voix active :	*Le juge*	*interroge*	*l'accusé.*	**sujet + verbe + C.O.D.**
Voix passive :	*L'accusé*	*est interrogé*	*par le juge.*	**sujet + verbe + complément d'agent**
Voix active :	*On*	*interroge*	*l'accusé.*	**sujet + verbe + C.O.D.**
Voix passive :	*L'accusé*	*est interrogé.*	ø	**sujet + verbe**

Attention ! La transformation passive n'est possible que si le verbe a un C.O.D.
Voix active : *Alain téléphone à son père.* Voix passive : ø.

À QUOI ÇA SERT ?

- À faire porter l'attention sur l'information considérée primordiale : *Des dizaines d'incendies sont détectés en France.*
- À éviter le pronom *on* : *Il faut suivre les ordres qui nous sont donnés.*
- À ne pas mentionner l'auteur de l'action (parce qu'il est évident ou parce qu'on ne veut pas le mentionner) : *Nous avons été élevés comme ça.*

3 Transformez les phrases suivantes à la voix passive.

1) La police criminelle a ouvert une enquête après la découverte d'un cadavre non identifié dans un terrain vague.
2) Des opposants ivoiriens saccagent leur ambassade à Paris.
3) Henri Le Noir aurait pu passer une grande partie de sa vie en prison si l'ADN n'avait pas prouvé son innocence.
4) François Alpin remplacera Ludovic Perez, blessé la semaine dernière lors du match contre les Girondins.
5) Le président de la République a reçu les élèves d'un collège de la banlieue parisienne.

4 Transformez les phrases suivantes à la voix active.

1) Les dirigeants de la société SMP avaient été entendus, mi-novembre, à Nice, par la juge d'instruction Dominique Josse.
2) Un bébé d'origine vietnamienne, enlevé mercredi à Boulogne-Billancourt, a été retrouvé sain et sauf.
3) L'entraîneur du club de foot OMC a présenté sa démission qui a été acceptée par le président du club.
4) Les indices retrouvés hier soir dans la maison du suspect sont actuellement analysés par la police.

Accidents, Catastrophes, Accidents, Catastrophes, Accidents...
Quand les quatre éléments se fâchent...

1 Pour l'air, les conséquences sont : les tempêtes, les ouragans, les typhons, les orages.

2 Pour le feu, les conséquences sont : les incendies, les éruptions volcaniques.

3 Pour la terre, les conséquences sont les glissements de terrain, les tremblements (de terre).

le sol / le terrain / la terre
trembler, s'ouvrir, se fissurer

4 Et pour l'eau, les avalanches, les crues, les inondations, les naufrages.

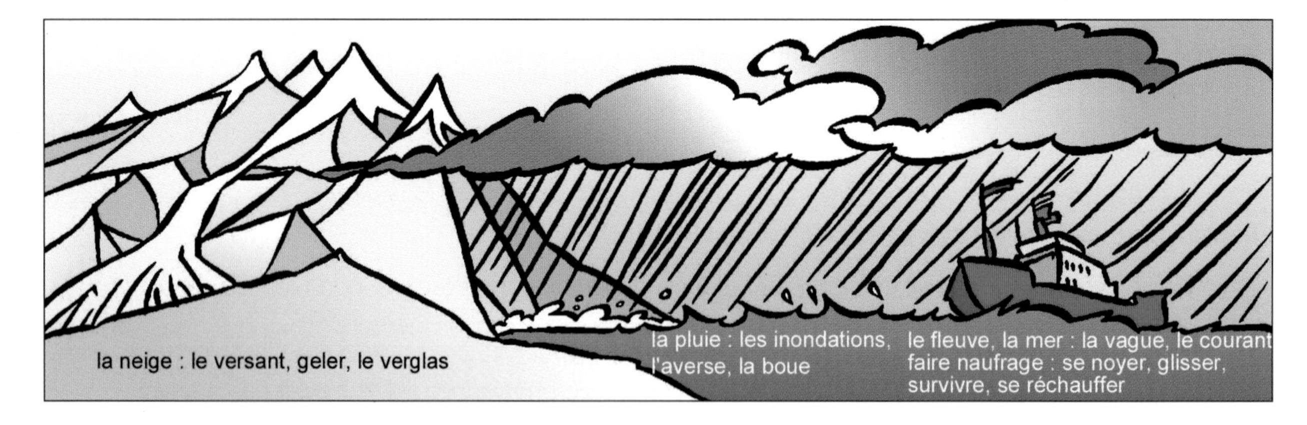

5 Quand la main de l'homme ou la fatalité s'en mêlent...

l'accident	les délits	les acteurs	les actions
• *de voiture : l'accrochage, heurter*	• *le vol*	• *le voleur*	• *voler, cambrioler*
• *de train : le déraillement*	• *le cambriolage*	• *le cambrioleur*	• *enlever*
• *d'avion : le crash, (s')écraser*	• *l'enlèvement*	• *le malfaiteur*	• *étouffer, poignarder, tirer sur*
• *de montagne : la chute, déraper*	• *le crime*	• *le criminel*	• *s'échapper, fuir*
	• *le butin*	• *la victime*	• *mener l'enquête*
	• *la rançon*	• *l'inspecteur*	• *interpeller, arrêter, emprisonner*

Les conséquences sont :

des pertes de vies humaines, des morts, des décès *des dommages, des dégâts, la famine* *des frais, des dépenses* *les premiers secours, un engagement, la solidarité*	*abattre, démolir, entraîner,* *abîmer, endommager* *partager, reloger, aider,* *porter secours à, se battre*

1 Voici deux photos. Par petits groupes, choisissez celle qui attire le plus votre attention et décrivez-la par écrit, le plus exactement possible (utilisez dix noms et dix verbes présents dans ces pages de lexique et dix adjectifs de votre choix). Puis lisez à haute voix votre description.

LE [ə] CADUC

L'adjectif *caduc* signifie que le [ə] peut tomber comme les feuilles de certains arbres. Sa chute dépend principalement de l'origine géographique du locuteur et du style plus ou moins formel qu'on emploie.

1 Écoutez et comparez les deux prononciations possibles :

Je vous rappelle rapidement. / Dans le sud principalement. / Nous venons de vous le dire.

2 Écoutez et indiquez si le son [ə] du pronom *le* est prononcé ou non.

	1	2	3	4	5	6	7
Oui							
Non							

3 Écoutez et répétez les paires de phrases enregistrées : dans la première phrase, vous devrez prononcer le [ə] et dans la deuxième, vous devrez le supprimer.

4 Attention ! À l'impératif, le [ə] du pronom ne peut pas être supprimé. Comment lisez-vous les phrases suivantes ?

1) Fais-le. 2) Dis-le. 3) Jette-le. 4) Passe-le. 5) Suis-le.

La presse en France

Les résultats d'une enquête sur les habitudes de lecture des Français révèlent qu'un Français sur quatre ne lit jamais de quotidien national. Il semble que l'intérêt pour la presse quotidienne nationale augmente avec le niveau de diplôme et les revenus.

Par contre, la presse régionale mobilise un lectorat beaucoup plus large, deux personnes sur trois étant au moins des lecteurs occasionnels. Les lecteurs les plus fidèles et réguliers des régionaux sont les agriculteurs, les artisans, les commerçants et ouvriers, mais on observe de grandes différences d'audience pour les quotidiens régionaux selon leur implantation locale.

On constate un énorme intérêt pour les magazines : les Français se situent parmi les plus gros « consommateurs » du monde (34,5 millions de personnes de plus de 15 ans). Chaque jour, 67% de lecteurs lisent au moins un magazine, la plupart du temps chez eux, mais aussi, à l'occasion, chez des amis ou de la famille, sur le lieu de travail ou dans une salle d'attente. Parmi ces lecteurs, une majorité de femmes qui lisent la presse féminine mais aussi des revues thématiques (santé, décoration, famille, *people*). Les hommes ont d'autres pôles d'intérêts : sport, bricolage, voiture.

Si l'on se reporte à la pyramide des âges, les revues « juniors » ont perdu ces dernières années la moitié de leur clientèle alors que les revues pour « seniors » connaissent un développement considérable.

(d'après *Francoscopie 2001*)

Les Français font-ils confiance à la presse ?

En général, à propos des nouvelles que vous lisez dans le journal, vous vous dites :

- **Les choses se sont vraiment passées comme le journal les raconte** — 5%
- **Les choses se sont à peu près passées comme le journal les raconte** — 45%
- **Il y a sans doute pas mal de différences entre la façon dont les choses se sont passées et la façon dont le journal les raconte** — 41%
- **Les choses ne se sont vraisemblablement pas du tout passées comme le journal les raconte** — 5%
- **Sans opinion** — 4%

Sondage *SOFRES* décembre 2001

1 Lesquels des journaux présentés connaissez-vous ? Dans quelle catégorie les placez-vous : quotidiens nationaux, quotidiens régionaux, hebdomadaires d'actualité, hebdomadaires spécialisés, mensuels ?

2 Que vous apprennent ces documents sur la lecture de la presse ? La situation est-elle semblable dans votre pays ? En quoi diffère-t-elle ?

3 Quels magazines ont la meilleure audience dans votre pays ?

4 Que pensez-vous des résultats du sondage SOFRES ? Y aurait-il les mêmes dans votre pays ? Vous-même, où vous situez-vous ? Organisez le sondage dans la classe.

Retrouvez dans la leçon les expressions pour :

expressions pour...

- Rappeler quelque chose à quelqu'un.
- Éviter de donner son opinion.
- Résumer une opinion, une idée.
- Féliciter quelqu'un.
- Accuser quelqu'un de façon implicite.
- Chercher ses mots.

1 Jeux de rôles.

Mettez-vous par groupes de 2 et choisissez votre rôle.

Rôle A
Vous avez lu un fait divers dans lequel on parle d'une avalanche mortelle. Vous pensez que les skieurs devraient être plus prudents car leurs actions coûtent très cher à la société. Au cours d'une conversation informelle, vous racontez le fait divers à un collègue de votre entreprise, *Technotone*, et vous lui dites ce que vous en pensez.

Rôle B
Vous travaillez pour l'entreprise, *Technotone*. Vous allez prendre un pot avec un collègue. Vous êtes un skieur qui aime le risque. Vous pensez que vous êtes responsable et « prudent » en général.

2 Émission de radio.

Vous participez à l'émission *Témoignages de vie* qui, aujourd'hui, présente deux ou trois invités qui ont été victimes ou témoins de catastrophes naturelles. Déterminez de quel(s) type(s) d'accident(s) vous allez parler, et distribuez-vous les rôles : décidez qui joue le rôle du présentateur et qui joue celui de chaque invité.

Pour préparer votre intervention :
- imaginez le personnage que vous allez jouer (pensez au ton, aux caractéristiques personnelles...).
- préparez vos idées, opinions, questions à poser...
- cherchez les mots ou expressions qui vous permettront de les formuler.
- entraînez-vous avant de le représenter en classe.

3 Monologue.

Préparez un court monologue où vous parlerez de vos goûts en matière de presse (journaux, revues...). Dites ce que vous lisez, à quel moment, avec quelle fréquence et dans quelles langues. Précisez quels articles ou rubriques vous intéressent. Justifiez vos opinions, idées...

4 Conversation.

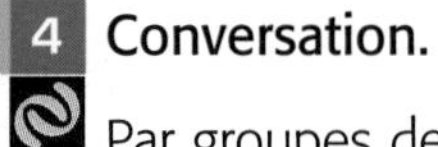

Par groupes de 2, jouez la scène.
Deux amis se rencontrent dans la rue. L'un d'eux a une jambe dans le plâtre. Il raconte qu'il a eu un petit accident de moto quelques jours auparavant.
L'autre lui pose des questions pour connaître tous les détails.

1 Voici deux articles de presse. Donnez les caractéristiques de chaque journal, la date de parution et le thème traité. Puis lisez les textes et dites sur quelles informations on met l'accent.

LE MONDE / VENDREDI 13 SEPTEMBRE 2002

Seule face à la catastrophe, Alès redécouvre la solidarité

L'agglomération gardoise, qui compte cinq morts parmi ses habitants, a été coupée du monde pendant 48 heures et s'est sentie abandonnée. Les habitants se sont spontanément mobilisés pour parer au plus urgent, reloger les familles et commencer les opérations de déblaiement.

ALÈS, (GARD)
de notre envoyé spécial

[...] Il faut dire que l'épreuve que vient de vivre Alès est de celles que l'on n'oublie pas : 48 heures durant, la ville, privée d'électricité et de liaison téléphonique, y compris par portable, a été littéralement coupée du monde et s'est sentie abandonnée. « *Les médias parlaient des villages environnants comme si nous n'existions pas,* s'indigne un commerçant du centre. Ici, il y a eu cinq morts dans l'agglomération : un à Saint-Martin, un à Saint-Hilaire, pris dans leurs voitures, et à Rousson un père de famille et ses deux enfants de 6 et 11 ans ont été emportés par les flots. » [...]
Toutes les voies d'accès à Alès étaient devenues impraticables, et il suffit d'emprunter la route reliant Nîmes, rouverte mardi vers 17 heures, pour réaliser à quel point l'obstacle était infranchissable.

« ÉLAN EXTRAORDINAIRE »

On imagine mal par quel miracle la violence de la crue n'a pas fait des dizaines de victimes parmi les quelque 2 000 automobilistes piégés. Trois cents d'entre eux ont pu se réfugier dans le collège de Brignon et, 24 heures plus tard, c'est d'Alès l'assiégée qu'est venu le salut. Des autocars sont partis chercher ces naufragés qui ont reçu assistance et soutien psychologique avant d'être hébergés dans le hall des sports et une salle polyvalente.
[...] Grâce à des guichets ouverts à l'hôtel de ville, le relogement des 500 à 600 familles sinistrées put s'accomplir sans difficulté. « *Nous disposions d'un parc de logements sociaux vacants et les propositions d'accueil des familles ont dépassé les demandes,* souligne Alain Bensakoun, directeur général des services de la mairie. *Nous avons besoin de beaucoup de choses, notamment d'engins et d'équipes de nettoyage et de matériel de couchage mais, jusqu'ici, l'élan de solidarité a été extraordinaire.* »
De fait, à Alès, comme à Vaison-la-Romaine ou à Toulouse, la population s'est spontanément mobilisée et soudée face à l'adversité. D'une grande douleur est né un immense battement de cœur. Mercredi 11 septembre au soir, ils étaient encore des centaines à manier la pelle et le balai pour débarbouiller la ville, restaurer un semblant de propreté dans des habitations transformées en cloaques. Trois frêles adolescents crottés jusqu'aux yeux repartaient vers leur village après une journée harassante, des lycéens prenaient la relève. Et Antoine, un ouvrier retraité qui avait ressorti son bleu de travail pour pelleter le rez-de-chaussée d'une HLM, résumait bien l'état d'esprit d'Alès la battante : « *Je m'abrutis devant la télévision et là je me sens utile, je parle à des gens que je ne connaissais pas. Ce maudit Gardon nous aura au moins apporté ça.* »

Robert Belleret, © ***Le Monde***

Lundi 16 septembre 2002

Dans le Gard sinistré, la vie reprend lentement son cours

Une semaine après les dramatiques inondations dans le Gard, l'est héraultais et le Vaucluse, la majorité des lycées, collèges et école primaires rouvrent aujourd'hui, sauf à Alès, Aramon, Brignon et Sommières. Le signe que la vie reprend - difficilement, certes - son cours dans les communes sinistrées. Les chantiers de l'urgence – pompage, nettoyage, évaluation des dégâts ... – n'en sont pas pour autant terminés et devraient se prolonger encore une semaine au moins. [...] Entre 9 000 et 10 000 Gardois restent privés de téléphone, et le retour à la normale n'interviendra pas avant le 9 octobre malgré la mobilisation de 500 de ses agents, un « record », selon France Télécom. Si les routes nationales ont été rouvertes, 76 départementales restent endommagées et une quinzaine sont toujours impraticables. Des passerelles ont dû être aménagées pour ravitailler à pied quelques hameaux isolés. Quelque 3 200 maisons ont été endommagées par les crues dans une quarantaine de villages, selon une première estimation de l'association « Architectes de l'urgence », qui précise que le nombre d'habitations touchées n'a pas encore été chiffré à Aramon, Sommières et Alès. Des centaines d'entreprises ont été sinistrées. Un tiers du vignoble du Gard et du Vaucluse a été inondé. Environ 171 tonnes de carcasses d'animaux morts ont été ramassées dans le Gard. Les évaluations se poursuivent en attendant la déclaration d'état de catastrophe naturelle, prévue mercredi. Tous les sinistrés ont regagné leurs habitations à l'exception d'une trentaine de personnes à Sauveterre. La vie quotidienne reste cependant difficile et, pour beaucoup, suspendue aux aides publiques. Ainsi, chaque jour, 15 000 repas et 65 000 litres d'eau sont distribués dans le Gard. Si l'eau est revenue dans les foyers, il est encore conseillé de vérifier auprès des mairies si elle est potable. Les résultats de 200 prélèvements seront donnés aujourd'hui.

2 Répondez aux questions suivantes.

1) Quel tableau de la région fait-on dans chacun des articles ? Quelles sont les conséquences de la catastrophe ? Qu'est-ce qui a déjà été fait et qu'est-ce qui va l'être ?
2) Que vous apprend le premier texte sur les sentiments des victimes ?
3) Dans le deuxième texte, comment sont présentées les informations non confirmées ?
4) À quoi servent les marques typographiques : caractères gras, italique, guillemets, majuscules, crochets ?
5) Pourquoi trouve-t-on tant de chiffres dans ces articles ? Dans quels cas font-ils référence à des quantités précises et à des quantités imprécises ? Pourquoi trouve-t-on les deux possibilités ?
6) Quels sont les mots que vous ne connaissiez pas ? En avez-vous compris le sens ? Quelles stratégies avez-vous appliquées ?

Écrire

Rédigez un fait divers ayant l'un des titres suivants. Racontez ce qu'il s'est passé, comment la catastrophe s'est produite, présentez-en les conséquences et indiquez les mesures prises et à prendre.

« Vague de froid en Ardèche »
« Avalanche mortelle à Briançon »
« Deux voitures en feu après une collision en plein centre de Paris »

Utilisez les critères d'évaluation de l'écrit présentés page 118 pour évaluer vos productions.

GRAMMAIRE

1 Choisissez la bonne réponse pour compléter le texte suivant.

En 63, la ville de Pompéi fut en partie détruite ... (1) un tremblement de terre. Selon les sismologues, cette secousse ... (2) être de 8° sur l'échelle de Mercalli. La ville n'était pas encore entièrement reconstruite quand, lors de l'éruption du Vésuve le 24 août 79, elle fut ensevelie sous les cendres.
On a toujours cru que 2 000 personnes, environ 15% de la population, ... (3) asphyxiées et brûlées. Mais des archéologues italiens ont révélé que beaucoup de ces victimes n'étaient pas mortes asphyxiées ... (4) tuées instantanément par une violente vague de chaleur.

Les ruines ont été découvertes par hasard au XVIIe siècle et ... (5) les premières excavations datent de 1748. Les recherches avaient d'abord pour ... (6) de récupérer des « objets d'art » dignes d'entrer dans les collections royales, les œuvres mineures étaient détruites ... (7) empêcher quiconque de s'en emparer. Les travaux réalisés ... (8) au jour une cité remarquablement conservée qui constitue un document exceptionnel sur la vie romaine au 1er siècle. Aujourd'hui, une grosse moitié du site de Pompéi a été fouillée, ... (9) les bâtiments se dégradent sous l'effet des intempéries, du soleil, des touristes et même de certaines méthodes de consolidation. Il n'y a pas assez de moyens ... (10) restaurer tout le site.

	a)	b)	c)
1)	a) grâce à	b) par	c) pour
2)	a) devrait	b) devait	c) doit
3)	a) étaient mortes	b) étaient morts	c) avaient été tuées
4)	a) pourtant	b) cependant	c) mais
5)	a) malgré	b) pourtant	c) bien que
6)	a) but	b) cause	c) conséquence
7)	a) de peur d'	b) afin d'	c) pour qu'
8)	a) ont été mis	b) ont mis	c) auraient mis
9)	a) malgré	b) car	c) mais
10)	a) pour	b) pour que	c) afin que

LEXIQUE

2 Les brèves.

Gros ... (1), accompagnés de vents violents dans le Rhône. S'ils n'ont fait aucune ... (2) , ils ont entraîné plus de 300 interventions des équipes de ... (3). Les ... (4) matériels sont considérables, plusieurs bâtiments ont été ... (5).
Hier, au zoo de Vincennes, un homme a été mordu à la ... (6) par un ... (7) alors qu'il lui tendait une banane. Il a été aussitôt ... (8) à l'hôpital. Aujourd'hui, il ... (9) et il regagnera son domicile en fin de matinée.

Une équipe de chercheurs vient de décoder le génome du moustique responsable de la malaria. On espère pouvoir ... (10) très bientôt cette ... (11) résistante aux ... (12) et qui affecte 300 millions de personnes dans le monde.

PRONONCIATION

3 Écoutez et dites les phrases qui correspondent à l'enregistrement.

1) Il est passionné par ces auteurs.
2) Elles oublient toujours son anniversaire.
3) Il n'a pas retrouvé de haches.
4) Finalement, il faut ajouter deux zéros.
5) Je le prononce en faisant les liaisons.
6) Tu le trouves dans le dictionnaire ?

U5 BILAN COMMUNICATION : PORTFOLIO PAGE 17

UNITÉ

6 Faits et merveilles

OBJECTIFS

- Utiliser la langue de classe comme outil de travail permanent.
- Communiquer dans des échanges très variés (domaine administratif).
- Comprendre, raconter des contes, des anecdotes.
- Demander et donner des informations, appréciations, explications.
- Demander et proposer de l'aide, remercier, rassurer et réconforter.
- Comprendre intégralement une chanson d'auteur.
- Écrire un texte créatif.
- Stratégies : comprendre précisément un document oral et adapter son discours au contexte.

L11 LEÇON 11

COMMUNICATION
- Exprimer hésitation, empressement, chagrin, découragement
- Registres soutenu, standard et familier

GRAMMAIRE
- Participe présent et gérondif
- Tournure présentative

LEXIQUE
- Lexique du récit
- Lexique administratif

PRONONCIATION
- Révision

CIVILISATION
- Contes francophones
- Traditions culturelles

L12 LEÇON 12-PROJET

OBJECTIFS
- Élaborer un projet en commun, exposer des idées et des préférences, négocier.
- Découvrir des centres d'intérêt en relation avec la culture francophone.
- Faire le point sur son apprentissage et évaluer son bagage linguistique.

Conte du bon vieux temps

Il était une fois, dans le royaume de Temporellie, deux villages, pas très distants l'un de l'autre mais qui pourtant se tournaient le dos. Comment était née la discorde entre eux, c'était une chose dont personne ne se souvenait et d'ailleurs personne ne s'en souciait non plus, tout persuadés qu'étaient les habitants de chaque lieu de détenir la vérité.

À Lavavite, tout le monde courait dans tous les sens, s'affairait dès le point du jour, mangeait sur le pouce. On ne ralentissait que la nuit venue pour sauter dans son lit et prendre en vitesse le chemin des rêves, rêves dont nul ne se souvenait au réveil car ils étaient passés trop vite. Le mouvement était perpétuel. Tout allait très vite à Lavavite, même la production agricole ! Les agriculteurs, rêvant de devenir riches, avaient bousculé le rythme des saisons, si bien que le rendement de la production avait augmenté tout comme la taille de leurs fruits et légumes. Hop, les semis et plantations, hop, les engrais et traitement des sols, hop l'arrosage permanent, et en un clin d'œil, ils avaient leur récolte. Et cela, c'était sans parler de l'élevage des animaux : vous en voyiez un, vous saviez à quoi ressemblaient les autres. Tous sur le même modèle, les brebis, les canards, les lapins, les poulets logés en rangs serrés dans de grands entrepôts où on les nourrissait pour les transformer en un clin d'œil en aliments pour votre assiette. Ceci pour vous donner un exemple, mais c'était le village entier qui vibrait de la même hâte.

À La Lente-Heure, c'était une tout autre histoire. À première vue, c'était un village où rien ne semblait bouger. En s'approchant, on constatait pourtant que tout le monde vaquait à ses occupations, mais à un rythme qui coulait comme la rivière du village, paisiblement. Et l'occupation en question pouvait très bien être pour l'ébéniste, celle de passer une main satisfaite sur la jolie commode dont il venait d'arrondir les angles ou encore, pour le tisserand, de passer tranquillement la navette d'un côté puis de l'autre. Les Lente-Heureux aimaient

1 Lisez le texte ci-dessus, puis répondez aux questions.

1) Où se déroule cette histoire ? Est-elle récente ?
2) Quelle est la particularité de chaque village ?
3) Quels exemples illustrant cette caractéristique donne-t-on pour chacun d'eux ?
4) De quoi les parents des deux villages menacent-ils leurs enfants ?
5) Qu'est-ce qui oppose les deux villages ?
6) Qui est le héros du conte ?
7) Quels dons et dispositions montre-t-il ?
8) Quel est l'élément qui provoque un changement dans l'histoire ? Pour quelle raison ?
9) Qu'est-ce qui pousse le héros à l'action ?
10) Que se propose-t-il de faire ?

surtout prendre le temps de vivre, de vivre le moment, qu'il s'agisse de travailler, de se distraire, de se reposer. Ils n'en étaient pas pour autant des fainéants. Et comme personne n'était pressé d'en finir, c'était le village de la contrée comptant le plus de centenaires.

Il va sans dire que les habitants des deux villages s'ignoraient superbement. Ceux de La Lente-Heure ne daignaient faire allusion à ceux d'en face que pour faire peur aux enfants un peu trop turbulents : Si tu ne te tiens pas tranquille, je t'envoie à Lavavite. De l'autre côté, les Lavavitois invoquaient la punition suprême pour les enfants qui auraient eu envie de traîner un peu, celle d'être mis en pension à La Lente-Heure, et ça ne va pas tarder ! C'était une terrible menace que les parents n'auraient jamais mise à exécution mais cela, les enfants l'ignoraient et, du coup, effrayés par cette horrible perspective, ils suivaient le rythme de leurs aînés.

Or, il advint que naquit à Lavavite un enfant que ses parents appelèrent Phil. Celui-ci montra dès son plus jeune âge une prédisposition innée au mouvement et une grande curiosité. Phil Hardy grandit, il ne tenait pas en place et faisait la fierté de toute la famille. À l'âge de six ans, il avait déjà adapté un moteur sur sa patinette puis, il se lança dans l'exploration du village et des alentours. À 12 ans, il devint passionné de football et c'est ainsi qu'un beau jour, un de ses coups de pied les plus énergiques changea le cours de l'histoire. Le ballon décrivit un gigantesque arc de cercle et alla atterrir à La Lente-Heure. Phil fonça comme l'éclair pour le récupérer, pas question que les gens du village apprennent sa mésaventure ! En ramassant son ballon à La Lente-Heure, il croisa le regard brun et interloqué d'une petite fille brune et bouclée qui amorçait un geste vers l'objet à terre, et son cœur s'embrasa. Dès lors, il n'eut plus qu'un désir en tête, conquérir le cœur de la petite Lente-Heureuse et peut-être même aussi le village tout entier. Il mit au point un stratagème...

2 Comment comprenez-vous les phrases suivantes ?

1) *Deux villages pas très distants l'un de l'autre, mais qui pourtant se tournaient le dos.*
2) *C'était le village entier qui vibrait de la même hâte.*
3) *Il croisa le regard brun et interloqué d'une petite fille.*

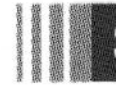

3 À vous d'imaginer la suite et la fin du conte. Comment le héros va-t-il s'y prendre ? Quel est le stratagème qu'il met au point ? Va-t-il rencontrer des obstacles ? Lesquels ? Que va-t-il faire pour les vaincre ? Utilisez la « recette » qui se trouve dans le lexique.

Participe présent et gérondif

LE PARTICIPE PRÉSENT

Observez ces phrases.
Les agriculteurs, ***rêvant*** *de devenir riches, avaient bousculé le rythme des saisons.*
C'était le village de la contrée ***comptant*** *le plus de centenaires.*

À quels mots se rapportent les participes présents des phrases ci-dessus ? Quelle est la catégorie grammaticale de ces mots ?

FORMATION

Le participe présent est invariable. On le forme à partir de la base de la 1re personne du pluriel du présent de l'indicatif + *-ant* :
rêver → nous ***rêv****ons →* ***rêv****ant*
aller → nous ***all****ons →* ***all****ant*
finir → nous ***finiss****ons →* ***finiss****ant*
conduire → nous ***conduis****ons →* ***conduis****ant*
Exceptions :
être → ***étant***
avoir → ***ayant***
savoir → ***sachant***

À QUOI ÇA SERT ?

- Le participe présent sert à remplacer une proposition relative introduite par le pronom *qui :*
Les agriculteurs, ***qui rêvaient*** *de devenir riches, avaient bousculé le rythme des saisons.*
C'était le village de la contrée qui ***comptait*** *le plus de centenaires.*

LE GÉRONDIF

Observez ces phrases.
C'était un village où rien ne semblait bouger. ***En s'approchant,*** *on constatait pourtant que tout le monde vaquait à ses occupations.*
En ramassant *son ballon à La Lente-Heure, il croisa le regard brun et interloqué d'une petite fille brune et bouclée.*

Quel est le participe présent des verbes *s'approcher* et *ramasser* ? Comparez-le aux gérondifs en caractères gras : que constatez-vous ?

FORMATION

Le gérondif a les mêmes formes que le participe présent **mais** il est précédé de la préposition *en*.

À QUOI ÇA SERT ?

Le gérondif sert à marquer divers rapports circonstanciels, en particulier :
a) La manière :
La petite fille marchait toute contente dans le bois en sautillant d'un pied sur l'autre.
b) Le temps (la simultanéité) :
La petite fille marchait toute contente dans le bois en chantant le dernier tube de Lorie.

Relisez les phrases ci-dessus : à quels mots se rapportent les gérondifs ? Les sujets des deux propositions sont-ils les mêmes ou sont-ils différents ?

1 Transformez les phrases suivantes en utilisant un participe présent.

1) Je cherche un appartement qui ait une jolie terrasse.
2) Un ancien camarade de classe, qui vit au Japon depuis des années, m'a téléphoné hier soir !
3) Un garçon de 12 ans, qui conduisait une voiture volée, a été arrêté près d'ici.
4) J'ai toujours gardé l'image de Mamie qui nous racontait de belles histoires avant de nous coucher.
5) Ce directeur veut un acteur qui chante, qui danse et qui parle couramment l'allemand.
6) Je cherche une personne qui sache conduire pour garder mes enfants.

2 Transformez les phrases suivantes en utilisant un gérondif.

1) J'ai fait le ménage et j'ai écouté de la musique en même temps.
2) Vous prenez votre petit-déjeuner et vous regardez les dessins animés en même temps ?
3) Ils ont traduit ce texte. Ils ont utilisé un bon dictionnaire bilingue.
4) Malika lisait la lettre de son copain et elle riait en même temps.
5) Détendons-nous et respirons profondément.
6) Il n'arrive pas à lire et à écouter de la musique en même temps.
7) Loïc ! Ne joue pas quand tu manges !
8) Cette nuit, tu as parlé quand tu dormais.

3 Participe présent ou gérondif ? Utilisez le participe présent ou le gérondif des verbes entre parenthèses.

1) Mon fils s'est brûlé (jouer) avec un briquet.
2) Amandine fait ses devoirs (regarder) la télé, imagine le résultat !
3) Le professeur de français corrige les élèves (prononcer) le *s* final.
4) Je ne supporte pas les hommes (se croire) supérieurs.
5) Nous nous sommes rendu compte de notre oubli (rentrer) à la maison.
6) Il lui est difficile de connaître des gens (avoir) les mêmes goûts que lui, il est tellement bizarre !
7) On dit souvent que le chauffeur ne doit pas parler (conduire).
8) Je me suis tordu la cheville (courir) pour ne pas rater le bus.
9) Il est parti (claquer) la porte, tellement il était en colère.
10) Elle veut un mari (savoir) cuisiner.

La tournure présentative *c'est qui / c'est que*

Comparez ces paires de phrases.
Le village entier vibrait de la même hâte.
→ ***C'était** le village entier **qui** vibrait de la même hâte.*
Les parents n'auraient jamais mis à exécution cette terrible menace.
→ ***C'était** une terrible menace **que** les parents n'auraient jamais mise à exécution.*

Quelles transformations constatez-vous ? Observez-vous des points en commun ? Comment justifiez-vous l'emploi de *qui* et *que* ?

À QUOI ÇA SERT ?

Cette tournure permet de mettre en valeur un élément en le mettant en début de phrase.

Attention ! Quand on met en relief un pronom personnel, on utilise le pronom tonique :
Phil Hardy est le héros du conte. → *C'est **lui** qui est le héros du conte.*

4 Choisissez un élément de chaque colonne pour former des phrases.

1) C'est elle		a) suis arrivée la première !
2) C'est moi		b) tu as rencontré au restau ?
3) C'est eux	qui	c) l'avez voulu.
4) C'est lui	que	d) a répondu au téléphone ?
5) C'est toi		e) m'ont dit que j'avais tort.
6) C'est vous		f) j'aime.
7) C'est moi		g) avons écrit ce livre.
8) C'est nous		h) ai téléphoné.

5 Transformez les phrases suivantes en mettant en relief les parties soulignées.

1) Monsieur Lustucru, j'ai perdu mon petit minet.
2) Le géant a bu la potion magique et a disparu.
3) La sorcière a caché son trésor sous un énorme peuplier.
4) À l'époque, les gens du village adoraient la fée de la source.
5) Ils avaient peur d'être ensorcelés.
6) Je lis un conte à mes enfants avant de les coucher.
7) De tous les contes, mon fils préfère le *Chat botté*.
8) Les habitants du château craignaient l'arrivée de l'ogre.
9) Mes enfants adorent les contes de Perrault.
10) La sorcière a le mauvais rôle dans beaucoup de contes.

De l'imaginaire au réel

POUR RACONTER DES CONTES ET DES HISTOIRES

LA CHRONOLOGIE

Le début :

Il était une fois... (on ne sait pas trop quand / Il y a très longtemps...)
Dans un pays lointain, dans une contrée lointaine, dans un royaume disparu...

Les étapes de l'action :

au commencement / au début
un jour / ce jour-là / alors / le jour de Noël...
brusquement / soudain / tout à coup

La fin :

Ils furent très heureux. / C'est ainsi que l'histoire finit.

Quelques personnages de contes célèbres :

l'ogre, la fée, la sorcière, le nain, le géant, l'enchanteur, le héros, l'héroïne...

Pour attribuer des caractéristiques aux personnages :

Gai comme un pinson, belle comme le jour, bleu comme le ciel...
Il semblait le plus heureux des hommes, il était beau comme dieu...

L'espace :

se trouver, dominer, entourer, s'élever...

Le transport d'objets et de personnes :

porter, apporter, emporter, amener, emmener...

Les événements :

se passer, arriver, se produire, avoir lieu, commencer, se dérouler, durer, s'achever...

Le mouvement :

traverser, longer, fuir, avancer, reculer, se retourner...

Le changement :

devenir, se transformer en, se modifier...

Pour inventer un conte ou une jolie histoire : prendre un ou deux personnages ou un héros de votre choix, les saupoudrer de quelques caractéristiques physiques et morales bien relevées, y ajouter cent grammes de temps et de lieu, sélectionner trois ou quatre événements dramatiques et heureux. Remuer bien le tout.
Et voilà... le tour est joué !

Alors, allez-y, essayez la recette !

POUR VIVRE DANS DES PAYS FRANCOPHONES

1 **Il y a toujours des formalités administratives...**

Si vous voulez, en tant qu'usager, bénéficier d'un droit, d'une subvention ou d'une allocation, vous devrez presque toujours :

- vous renseigner auprès d'(un organisme officiel...)
- vous adresser à (un employé, un bureau...)
- demander (un renseignement, un justificatif, une attestation, un certificat...)
- remplir (un dossier, un papier, une fiche, un formulaire...)
- faire la queue à (un guichet...)
- fournir des pièces justificatives (une carte d'identité, une quittance de loyer, une facture de téléphone...)
- faire transférer (un dossier...)

Si vous voulez ouvrir un compte, vous pourrez choisir de le faire...
– dans une banque,
– dans une caisse d'épargne,
– à la poste.

2 **Pour des démarches administratives ou en cas de problèmes et d'incidents pratiques, quel comportement adopterez-vous ? Rafraîchissez votre mémoire...**

1) Pour éviter de faire la queue dans une banque, où pourrez-vous retirer de l'argent ?
2) Si un objet ou un produit que vous avez acheté dans un magasin ne marche pas (bien), que pourrez-vous faire ?
3) Si vous avez perdu ou si on vous a volé vos papiers, que devrez-vous faire ?
4) Si vous avez un accident (assez important), que devrez-vous faire ?
5) Si vous avez une panne de voiture, qui appellerez-vous ?
6) Si vous voulez demander une carte de séjour, où irez-vous ?
7) Si vous voulez trouver un appartement, dans quel type d'agence irez-vous ?
8) Quels papiers devez-vous avoir obligatoirement quand vous conduisez votre voiture ?

Continuez le jeu, inventez d'autres questions que vous poserez aux autres membres du groupe.

RÉVISION

1 **Écoutez ces deux comptines, choisissez-en une, apprenez-la par cœur et récitez-la à la classe.**

J'AI UN GROS NEZ ROUGE

J'ai un gros nez rouge
Des traits sous les yeux
Un chapeau qui bouge
Un air malicieux
Deux grandes savates
Un grand pantalon
Et quand je me gratte
Je saute au plafond !

MES DEUX SORCIÈRES

J'ai aperçu deux sorcières
qui dansaient dans la clairière !
– C'était quand ? – La nuit dernière !
J'ai cru voir les deux sorcières
changer des crapauds en pierres !
– C'était où ? – Là-bas derrière !
J'ai vu deux vieilles fermières
sur des balais de bruyère !
– C'était qui ? – Mes deux sorcières !

L'heure du conte francophone

De tout temps et en tout lieu, ont existé les conteurs.
Voici quelques illustrations et débuts de contes du monde francophone.

1 À votre avis, mettent-ils en scène un monde imaginaire ou réel ? Dans quel pays ?

Au pays de Gruyère, dans l'ancien temps, une comtesse se désolait de ne pas pouvoir donner de descendant à son mari, le comte Michel. Elle priait le ciel d'exaucer son vœu le plus cher, lui donner un fils…

Tradition orale suisse

Moïse, enfant, vivait dans un clan composé de sa famille, en tout une vingtaine de personnes. À l'automne, aux première gelées après l'été indien, son clan quittait le village pour partir chasser et ne revenir qu'au printemps…

Tradition orale québécoise

À Tahiti vécut autrefois un jeune guerrier nommé Oro. Il était beau et vif comme un torrent, fier comme un arbre, dans ses yeux brillaient des soleils…

Henri Gougaud, *L'arbre à soleils*

Il y avait une fois, dans le quartier des Gobelins, à Paris, une vieille sorcière, affreusement vieille et laide, mais qui aurait bien voulu passer pour la plus belle fille du monde…

Pierre Gripari, *La sorcière de la rue Mouffetard*

2 Les pots de contes.

On les a trop secoués et les titres sont mélangés. Retrouvez-les. Ces contes existent-ils dans votre langue ? Quels autres contes font partie de votre culture ?

Retrouvez dans la leçon les expressions pour :

expressions pour...

- Demander à quelqu'un de rendre un service / Proposer de rendre un service.
- Rassurer / Encourager.
- Promettre de l'aide.
- Manifester des sentiments intenses.
- Exprimer la rapidité / lenteur d'une action.
- Exprimer son hésitation.

1 Conversation.

Par groupes de 3 ou 4, parlez des contes de votre enfance, de ceux qui vous ont marqués, expliquez qui vous les racontait, pourquoi et quand. Parlez aussi de vos personnages préférés. Dites si vous continuez à lire des contes, lesquels et pourquoi.

2 Monologue.

Racontez une anecdote de voyage, d'enfance, de travail. Expliquez quand elle vous est arrivée, parlez de la situation (événements antérieurs, présentation des personnes, du lieu...), de ce qui vous est arrivé, de la fin de l'histoire.

3 Jeux de rôles.

Mettez-vous par groupes de 2 et choisissez votre rôle.

À la poste

Rôle A
Vous voulez envoyer un paquet en recommandé. Vous ne l'avez jamais fait auparavant. Vous allez à la poste et vous demandez des renseignements à l'employé(e). Vous êtes méticuleux(se) et vous paniquez à l'idée de vous tromper. Vous êtes plutôt du genre insistant.

Rôle B
Vous êtes employé(e) à la poste de votre ville. Vous n'aimez pas votre travail et vous êtes plutôt expéditif(ve) avec les clients. Vous pensez que plus c'est rapide, mieux c'est, donc vous donnez le moins d'explications possibles.

Pour préparer votre intervention :
– imaginez le personnage que vous allez jouer (pensez au ton, caractéristiques personnelles...).
– préparez vos idées, opinions, questions à poser...
– cherchez les mots ou expressions qui vous permettront de les formuler.
– entraînez-vous avant de le représenter en classe.

4 Situations.

Par groupes de 2, choisissez l'une des deux situations.
1) Une personne a un problème administratif. Elle s'adresse à un organisme officiel pour le régler. Elle parle avec l'employé du bureau.
2) Une personne se rend compte que son appareil électroménager est en panne. Elle téléphone au service de dépannage.
L'employé lui explique ce qu'il faut faire.

Écouter

1 **Écoutez l'enregistrement, puis répondez aux questions en choisissant l'option correcte.**

1) Les deux interlocutrices sont...
   a) amies et collègues d'une entreprise de produits pharmaceutiques.
   b) amies et collègues dans le même hôpital.
   c) collègues qui ne se voient pas en dehors du travail.

2) Où et quand a lieu cette conversation ?
   a) Dans la rue, le matin de bonne heure.
   b) À la caféteria, le soir à 21 heures.
   c) À la caféteria, durant la journée.

3) Marie est...
   a) de très mauvaise humeur contre un patron de bar vraiment très désagréable.
   b) très préoccupée parce qu'elle a un problème professionnel grave.
   c) très fâchée contre elle-même parce qu'elle estime qu'elle a fait une bêtise.

4) Marie se trouvait...
   a) loin de chez elle, dans un endroit inconnu.
   b) loin de chez elle mais dans un endroit connu.
   c) près de chez elle et elle venait de chez le dentiste.

5) Marie...
   a) a perdu ses papiers de voiture dans un bar.
   b) a oublié sa carte d'identité sur la table d'un bar.
   c) a laissé volontairement sa carte d'identité au patron d'un bar.

6) En acceptant la proposition du patron de bar, elle voulait...
   a) le rassurer : elle reviendrait payer sa consommation.
   b) le rassurer : elle reviendrait régulièrement dans son bar.
   c) éviter qu'il appelle la police pour la dénoncer.

7) Pourquoi n'est-elle pas revenue au bar ?
   a) Parce qu'elle ne sait plus dans quelle rue il se trouve ni comment il est.
   b) Parce qu'elle avait peur que le patron du bar se fâche contre elle.
   c) Parce qu'elle avait peur de revenir dans ce quartier qui ne lui plaît pas.

8) Elle garde un souvenir horrible de sa journée précédente,
   a) mais elle se sent assez satisfaite, malgré ses bêtises, de la fin de l'aventure.
   b) et elle est très inquiète : elle a raté un rendez-vous professionnel très important.
   c) et elle est très inquiète : elle ne sait pas encore comment finira cette aventure.

9) Elle raconte son aventure à Tania pour...
   a) la décider à l'accompagner dans ses recherches.
   b) lui demander d'aller à ses rendez-vous à sa place.
   c) se faire consoler et encourager par son amie.

10) Tania la console et...
   a) lui dit qu'elle ne voit pas de solution à ses problèmes.
   b) lui promet de l'accompagner le soir-même dans ses recherches.
   c) lui promet qu'elle tentera de se libérer pour l'accompagner dans ses recherches.

2 Résumez rapidement la mésaventure de Marie et dites quelles en sont les trois fins possibles.

3 Quel sens donnez-vous aux mots et expressions suivants : *être bouleversé, réconforter, avoir honte, foncer sur, se faire traiter de tous les noms d'oiseaux, se prendre la tête, avoir la pêche ?*

4 Quels sont les mots et expressions qui, à votre avis, appartiennent au registre standard et au registre familier ?

Réfléchissons !

Comment comprendre un document oral ?

Commentez rapidement avec les autres membres du groupe les stratégies suivantes : vous semblent-elles toutes utiles ? Dans quel ordre chronologique est-il préférable de les appliquer ? Quelles sont celles qui vous semblent les plus difficiles à utiliser ?

- Je résume le document avec mes mots à moi en identifiant le thème central et les informations secondaires.
- Je cherche à comprendre globalement la situation en me posant les questions *qui, où, quand, quoi, pourquoi, pour quoi faire* et en me reportant à mon expérience personnelle.
- Je répertorie le nombre et la nature des informations contenues dans le document.
- Je cherche à capter le caractère, l'humeur, le statut de la personne ou des personnes qui parlent (en observant systématiquement le ton et la manière de s'exprimer).
- Je cherche les intentions explicites et implicites de la personne ou des personnes qui parlent.
- Je fais des hypothèses sur les parties du document que je ne comprends pas pour les confirmer au cours d'une écoute postérieure.
- Je cherche les causes et les conséquences des événements ou des faits racontés.
- Je note les parties de phrases qui me semblent importantes et que je comprends.

Chanson

5 Écoutez maintenant une chanson pour le plaisir de l'écouter et de la comprendre.

Madeleine

Ce soir j'attends Madeleine
J'ai apporté du lilas
J'en apporte toutes les semaines
Madeleine elle aime bien ça
Ce soir j'attends Madeleine
On prendra le tram trente-trois
Pour manger des frites chez Eugène
Madeleine elle aime tant ça

Madeleine c'est mon Noël
C'est mon Amérique à moi
Même qu'elle est trop bien pour moi
Comme dit son cousin Joël
Ce soir j'attends Madeleine
On ira au cinéma
Je lui dirai des « je t'aime »
Madeleine elle aime tant ça
[...]

6 Commentez cette chanson avec le groupe-classe à partir des questions ci-dessous.

a) Aimez-vous cette chanson ? Que vous suggère-t-elle ?
b) Que pouvez-vous dire de son ton ? Est-il neutre, dramatique, un peu humoristique ?
c) Qui est le narrateur ? Dans quel pays vit-il ? Quel monde s'est-il créé ?
d) Que pense le narrateur de lui-même ? De Madeleine ? Attend-il vraiment quelque chose de Madeleine ?

UN HIT-PARADE PAS COMME LES AUTRES !

Dans cette leçon, vous allez devenir les créateurs et réalisateurs d'une émission de radio exceptionnelle qui, peut-être, réussira à gagner le GPER (Grand Prix des Émissions de Radio)...

1 Pour commencer, par petits groupes, commentez vos goûts et préférences en matière de radio.

2 Mettez-vous dans l'ambiance !
a) Testez vos connaissances sur la radio.

1) Quel est le premier média à travers le monde ?
a) la presse écrite b) la radio c) la télévision

2) La première émission de radio entre la France et l'Angleterre a eu lieu en...
a) 1865 b) 1899 c) 1920

3) Même s'il s'agit d'une invention collective, on considère que l'inventeur de la radio est...
a) Morse b) Marconi c) Thomson

4) Le principal hebdomadaire de radio durant la Seconde Guerre mondiale s'appelait...
a) Les Hertz b) Radio Andorre c) Les Ondes

5) En 1944, la radio de Londres émettait des messages codés pour prévenir les Résistants d'entrer en action. L'un des plus célèbres était « les carottes sont...
a) râpées. » b) cuites. » c) crues. »

6) Les années 50 sont l'époque de gloire des...
a) émissions culturelles b) débats politiques c) feuilletons radiophoniques

7) Pendant les années 70, la plupart des stations de radio françaises étaient des radios...
a) d'État b) pirates c) libres

8) En 1990, quelle est la radio n° 1 de France ?
a) RTL b) Nostalgie c) Radio classique

9) Parmi les radio-amateurs célèbres on trouve
a) Bill Clinton b) le prince Charles d'Angleterre c) le roi Juan Carlos d'Espagne

10) Dans les pays francophones africains, Radio-trottoir c'est...
a) la rumeur publique b) la radio locale c) un jeu radiophonique

b) **Devinette et rébus.**

– Mon élément c'est l'onde, mais pas celle de l'océan. Vous pouvez m'écouter mais moi je ne vous entends pas. Par contre je peux vous accompagner de la cave au grenier et ma voix peut vous tenir compagnie où bon vous chante, car je suis léger et maniable et vous me posez où vous voulez.

3 Le public.

Décidez à quel public vous désirez vous adresser. Réfléchissez pour cela aux points suivants :

1) le type d'émissions (magazine, débat, jeu, informations...)
2) l'horaire et la durée de l'émission
3) la cible (âge, cadre socioculturel...)
4) les participants de l'émission (animateur, invité, spécialiste, auditeurs...)
5) autres...

4 N'oubliez pas qu'il s'agit du GPER, voici le règlement :

1. *Le concours s'adresse à des radio-amateurs, les professionnels francophones en sont exclus.*
2. *Seules les émissions en français seront admises au concours.*
3. *Les auteurs de l'émission devront tous intervenir oralement.*
4. *Les émissions devront avoir une durée de 15 à 20 minutes. Interdiction de faire écouter 4 chansons d'affilée.*
5. *Toutes les émissions devront respecter les quotas suivants : 20 % minimum de composante culturelle, 20 % minimum de composante informative et 20 % minimum de composante ludique.*
6. *Pour le bienfait de la francophonie, les parties musicales seront exclusivement en français.*
7. *Vous voulez un plus, sachez faire place à l'improvisation.*
8. *N'oubliez pas qu'à la radio le silence n'existe pas !*

5 Quels programmes émettra votre station de radio ? Quelques idées pour vous inspirer.

a) Associez le nom des émissions de Radio-Canada et la description correspondante.

a) Capricieuse, la langue française ? Elle n'en évolue pas moins au rythme de la vie contemporaine ! Un rythme qui s'apparente forcément à celui des médias... pour le meilleur et pour le pire. Le conseiller linguistique de la radio française de Radio-Canada, Guy Bertrand, les retrace ici avec tact et humour. Histoire de leur infliger une bonne correction !

b) En compagnie d'André Chouinard, les tensions de la semaine font place aux loisirs ! Que demander pour le samedi ? De bonnes chansons, une chronique des chefs savoureuse, une revue de presse et une chronique d'horticulture. L'animateur nous propose toutes ces choses et nous invite, pour les deux premiers mois de l'automne, à une tribune téléphonique afin de savoir tout, ou presque, sur le monde des fleurs et des potagers. Un véritable service de consultation horticole !

1) Les affaires et la vie
2) Allez, c'est le retour
3) Les Années Lumière
4) Au Détroit de la nuit
5) Capsule linguistique
6) Bouquinville
7) 100 % pas pressé
8) Les décrocheurs d'étoiles
9) Devine qui vient nous voir ?

c) Le samedi midi, c'est le rendez-vous des mordus de la grande et petite actualité économique de la semaine. Le menu est toujours copieux, mais jamais indigeste !

d) Cette émission vous invite à un fabuleux voyage hebdomadaire au pays de l'astronomie, de la biologie, de la chimie, de l'environnement, de l'exploration spatiale, de la génétique, du génie, de l'histoire, de la philosophie des sciences...

e) Pour ceux et celles qui aiment les idées qui dérangent l'ordre établi, la parole non reçue, les jeunes, les marginalités, les utopies, la délinquance du discours, la liberté, la musique et la poésie.

f) Un auteur, un comédien, un metteur en scène... Une histoire à suivre ! La première partie de chaque émission sera confiée à un invité œuvrant dans le domaine théâtral. Comédiennes et comédiens, metteurs en scène et dramaturges réputés livreront, en toute intimité, leurs réflexions concernant un sujet généralement lié à une fiction radiophonique, qu'ils vous présenteront ensuite. Décors sonores, musique d'atmosphère, mots voyageurs... la fiction deviendra réalité.

g) Un magazine hebdomadaire sur les auteurs québécois et sur les livres publiés en langue française à travers le monde. Les collaborateurs de l'émission commentent les livres et les auteurs sont invités à venir parler de leur œuvre. L'émission propose également des reportages sur les événements à caractère littéraire ou des questions d'actualité liées au monde du livre et de l'édition.

h) Une émission pour éloigner le blues du dimanche ! Jacques Boulanger, en vieux routier de la radio, sait vous rendre la vie agréable que vous soyez à la maison ou en voiture. Des grands classiques de la chanson aux nouveautés, le panorama musical n'a pas de limite.

i) Une émission qui surprend les auditeurs où qu'ils soient. Fort de ses 44 ans d'animation, Michel Trahan crée l'ambiance d'une boîte de nuit pour membres aux goûts éclectiques, avec cocktails musicaux latino-techno-mondo...

b) Pour chaque cas, pouvez-vous dire s'il s'agit d'une émission culturelle, informative, musicale, sur l'économie ou de divulgation scientifique ?

6 **Voici quelques noms de stations de radio francophones :** ***Autoroute FM, Chérie FM, France Culture, Kioskradio, Nostalgie, Radio Campus Lille, France Musique, Radiogag, Sud Radio, Skyrock, Radio France*.**

a) Que vous suggèrent-ils par rapport au public visé et au choix des émissions ?

b) Par petits groupes, choisissez le nom de votre station de radio et imaginez aussi le logo qui l'identifie.

7 Vous rappelez-vous certaines émissions de radio que vous avez entendues tout au long de *C'est la vie !* ?

a) Écoutez ces extraits et dites pour chacun...

1) À quel type d'émission radiophonique il correspond et quel est le public visé par cette émission ?
2) À quel moment de l'émission il appartient (début, fin...) ?
3) Quel est l'objectif de communication du locuteur ou de la locutrice de radio ?
4) Commentez les types de locuteurs / locutrices que vous venez d'entendre : ont-ils tous le même ton de voix, le même débit, la même manière de s'exprimer ?

b) **Repérez dans ces extraits les formules qui servent à...**

1) saluer.
2) se présenter / présenter quelqu'un.
3) présenter une émission.
4) situer dans l'espace et dans le temps.
5) encourager les auditeurs à intervenir / faire quelque chose.
6) donner la parole à quelqu'un.
7) prendre congé.

c) **Complétez cette liste avec des phrases et des expressions que vous considérez importantes pour élaborer votre propre émission de radio.**

8 Par groupes, prenez des décisions.

1) Quel programme de radio allez-vous élaborer ?
2) À quel public sera-t-il adressé ?
3) Quel type de locuteurs / locutrices allez-vous devenir ?
4) Quel registre de langue allez-vous privilégier ?
5) Quel ton de voix allez-vous prendre ?

9 Maintenant, préparez vos émissions.

a) Distribuez-vous les différents rôles : animateur(s), invité(s)...
b) Pensez aux questions que vous allez poser, aux informations que vous allez donner, aux commentaires que vous allez faire...
c) Faites très attention à l'interprétation de votre personnage, à l'intonation et à la prononciation...

Pause-détente

1) Mots mêlés.

Nous vous donnons le premier mot concernant le monde de la radio, retrouvez les 20 autres qui se trouvent dans cette grille, horizontalement, de droite à gauche et inversement, verticalement, de haut en bas et vice-versa.

C	H	I	T	P	A	R	A	D	E	O	I	F	S
H	E	C	O	U	T	E	U	R	C	I	M	R	U
A	T	U	B	E	S	E	E	S	N	P	O	E	R
N	E	R	A	N	I	M	A	T	E	U	R	W	E
S	N	B	Y	O	Z	I	L	U	U	B	E	E	P
O	N	D	E	S	E	S	T	D	Q	L	L	I	O
N	E	I	N	F	O	S	O	I	E	I	R	V	R
S	T	E	T	A	R	I	P	O	R	C	A	R	T
D	N	E	R	O	N	O	S	P	F	I	P	E	A
Q	A	F	S	J	E	N	Q	U	E	T	E	T	G
T	N	E	M	E	R	T	S	I	G	E	R	N	E
I	J	O	U	R	N	A	L	I	S	T	E	I	Z

2) Retrouvez les mots qui correspondent aux définitions suivantes. Une piste : tous les mots commencent par... radio !

1) Personne qui émet et diffuse des messages sur ondes courtes sans être un professionnel.
2) Appareil récepteur de radio associé à un lecteur-enregistreur de cassettes.
3) Technique d'enregistrement photographique de la structure interne d'un corps, traversé par des rayons X.
4) Système permettant à une personne abonnée à un service de télécommunication d'être informée, où qu'elle se trouve, qu'un message lui est destiné.
5) Appareil de radio que l'on peut programmer, de façon à ce qu'il se mette en marche, à l'heure où l'on souhaite se réveiller.
6) Taxi muni d'un poste émetteur-récepteur de radio, ou d'un radiotéléphone, lui permettant de rester en liaison avec sa compagnie qui lui indique l'adresse des clients qu'il doit aller chercher.

3) Retrouvez les sept différences.

10 Finie la pause, il est temps d'aborder la réalisation de l'émission. Voici quelques conseils pour vous aider.

- ✓ Préparez et structurez votre présentation.
- ✓ Suscitez l'intérêt de votre auditoire.
- ✓ Surmontez votre trac et votre nervosité.
- ✓ Transmettez votre message en amusant votre auditoire.
- ✓ Frappez l'imagination de l'auditoire.
- ✓ Soyez naturel.
- ✓ Utilisez efficacement l'improvisation.
- ✓ Maîtrisez un éventuel échange questions-réponses.
- ✓ Concluez en force et dans les délais requis.

11 Chaque groupe présente son émission au groupe-classe et juge les émissions des autres groupes afin de sélectionner les gagnants du concours GPER. Tenez compte des critères suivants :

1) Est-ce que le règlement du concours a été respecté ?
2) Croyez-vous que l'émission ressemble à une vraie émission de radio ?
3) La prononciation des participants permet-elle une bonne compréhension ?
4) Pensez-vous que les participants ont utilisé des mots et des structures suffisamment corrects et variés ?
5) Le lexique utilisé au cours de l'émission est-il assez varié et adéquat ?

Attribuez des micros :

12 Maintenant, décidez quel est le groupe gagnant.

13 Voici une chanson pour terminer en musique.

La F.M. qui s'est spécialisée funky.

Tu sors d'un night-club un peu beurré
Montes dans une Plymouth bleu métallisé
Dernier modèle
Tu longes la mer tu longes les palmiers
Assise à tes côtés
Un top model

La belle vie l'ami
La vie en Floride à Miami
Branché sur la F.M. qui
S'est spécialisée funky

Et vous voilà sur une plage privée
Elle s'est déshabillée
Elle est super belle
Court sur le sable pour aller nager
Sur sa bouche est resté
Le goût du sel
Alors c'est
La belle vie l'ami
La vie en Floride à Miami
Quand tu t'es
Branché sur la F.M. qui
S'est spécialisée funky

Tout est organisé à l'avance
Qualité-prix sans concurrence
Alors où sont vos bagages ?
Vous allez vivre une semaine intense
Inutile d'aller voir d'autres agences
De voyages

Ou alors nous avons Ajaccio, mais
Même si tu allumes la radio
Ce s'ra jamais, jamais

La belle vie l'ami
La vie en Floride à Miami
Branché sur la F.M. qui
S'est spécialisée funky

La belle vie l'ami
La vie en Floride à Miami
Branché sur la F.M. qui
S'est spécialisée funky
La belle vie l'ami la vie en Floride à Miami
Quand tu t'es branché sur la F.M. qui s'est spécialisée funky

Auteur, compositeur et interprète : Michel Jonasz

GRAMMAIRE ET LEXIQUE

1 Complétez le texte suivant en choisissant l'option (a, b, c) qui convient.

Il y a bien longtemps, le conte ne se ... (1) pas à une forme de littérature orale, c'était une véritable pratique sociale. Encore aujourd'hui, dans certains pays, le conte fait partie intégrante de la culture populaire et joue un ... (2) dans la cohésion sociale. Le conte ... (3), et appartient encore, à un contexte culturel précis. ... (4) la façon de conter peut être très rigide comme en Afrique, ou très lâche comme en Europe.
... (5) n'a jamais entendu ou lu un conte ? Personne ! Mais je ne suis pas d'accord avec ... (6) pensent que les contes et les légendes sont réservés aux enfants.
L'association *Récits d'hier et d'aujourd'hui* ... (7) je suis la présidente vous invite à rentrer dans ce monde de ... (8), de plaisir et d'enchantement. Car les contes ne sont pas seulement de petites histoires avec des ... (9) ou des loups, ils sont une porte ouverte sur le monde.
... (10), pour les amoureux de Tolkien ou d'Eddings, il existe tout un monde peuplé de trolls, de gnomes ou d'elfes. Ce monde a été conté tout au long de notre histoire, ... (11) le Moyen Âge, et ce dans toute l'Europe. Dans nos régions, le conte est toujours très ... (12). Il ... (13) difficile de citer les régions de France où la tradition du conte reste vivace sans en oublier et donc sans ... (14) de choquer ... (15) sensibilités. Faites-nous parvenir des contes de vos régions afin que nous ... (16) créer un « *Tour de France* » du conte. Vous préférez des régions plus chaudes ? ... (17) délectez-vous des *Contes des Mille et Une Nuits,* ces histoires pour adultes qui sont ... (18), croustillantes et même parfois un peu légères...
Il y a ... (19) les contes africains qui ont gardé leur vocation éducative. Les contes africains sont peuplés d'animaux et chaque animal a son caractère, ses qualités et ses ... (20). Un peu comme dans les fables de La Fontaine. ... (21), il ne faut pas oublier la ... (22) des contes asiatiques : chinois, japonais, indiens qui nous apprennent beaucoup sur les caractères des êtres humains, sur l'intelligence et la bêtise des gens.

1)	a) limitait	b) limite	c) limiterait
2)	a) fonction	b) papier	c) rôle
3)	a) avait appartenu	b) appartenait	c) a appartenu
4)	a) En raison de	b) C'est pourquoi	c) Parce que
5)	a) Qui	b) Qu'est-ce que	c) Qu'est-ce qui
6)	a) celles que	b) ceux que	c) ceux qui
7)	a) qui	b) que	c) dont
8)	a) cauchemars	b) rêves	c) sommeils
9)	a) tortues	b) fées	c) faits
10)	a) D'abord	b) Ensuite	c) Premier
11)	a) ça fait	b) il y a	c) depuis
12)	a) vif	b) vivant	c) inexpressif
13)	a) serait	b) sera	c) aurait été
14)	a) tenter	b) commettre	c) risquer
15)	a) certaines	b) d'autres	c) les mêmes
16)	a) pouvoir	b) pouvons	c) puissions
17)	a) Même si	b) Alors	c) Pour
18)	a) bizarres	b) drôles	c) ridicules
19)	a) autant	b) comme	c) également
20)	a) défauts	b) inconvénients	c) avantages
21)	a) Finalement	b) Après	c) Définitivement
22)	a) jalousie	b) richesse	c) faiblesse

PRONONCIATION

2 Écoutez et dites combien de fois vous entendez les sons suivants.

1) [ʃ] : ..... fois **2)** [y] : ..... fois **3)** [s] : ..... fois **4)** [ɑ̃] : ..... fois **5)** [ø] : ..... fois

1. Le groupe du nom

1.1 Les déterminants : les adjectifs indéfinis (leçon 3)

Les adjectifs indéfinis peuvent exprimer différents degrés de quantité, la diversité ou la similitude, la totalité :

*Elle ne perd **aucune** occasion de me rappeler ma situation.* (quantité nulle)
*Il m'a demandé **plusieurs** fois de sortir avec lui et je lui donne toujours **la même** réponse.* (quantité imprécise, similitude)
***L'autre** jour, j'ai vu Nadine dans la rue avec **tous** ses chiens.* (diversité, totalité)

LA QUANTITÉ	plusieurs, quelques, certain(e)s, aucun(e)
LA RESSEMBLANCE	la même, le même, les mêmes
LA DIFFÉRENCE	un(e) autre, d'autres, l'autre, les autres
L'INDIVIDUALITÉ	chaque
LA TOTALITÉ	tout, toute, tous, toutes

Certaines formes sont invariables, d'autres s'accordent en genre et / ou en nombre avec le nom qu'elles précèdent :

*Tu as **quelques** minutes ? J'ai **plusieurs** questions à te poser.* (toujours au pluriel)
*Remets **chaque** chose à sa place, s'il te plaît ! **Chaque** jour c'est la même histoire !* (toujours au singulier)

2. Pronoms

2.1 Les pronoms interrogatifs (leçon 1)

a) Pour interroger à propos d'une personne :
***Qui (est-ce qui)** a pris cette décision ?* (la question porte sur le sujet)
***Qui** veux-tu voir ? **Qui est-ce que** tu veux voir ?* (la question porte sur le C.O.D.)

b) Pour interroger à propos d'une chose :
***Qu'est-ce qui** fait la richesse de l'Europe ?* (la question porte sur le sujet)
***Que** fais-tu ? **Qu'est-ce que** tu fais ?* (la question porte sur le C.O.D.)

c) Pour faire préciser ou interroger sur un choix : ***lequel, laquelle, lesquels, lesquelles.*** C'est le seul pronom interrogatif qu'on doit accorder en genre et en nombre :
*Je t'achète un livre, **lequel** tu préfères ?*
*Il y a deux possibilités, mais **laquelle** est la meilleure ?*

2.2 Les pronoms démonstratifs (leçon 1)

Les formes varient en genre (masculin, féminin, neutre) et en nombre :

	MASCULIN	FÉMININ	NEUTRE
SINGULIER	celui	celle	ce (c') / ceci, cela (ça)
PLURIEL	ceux	celles	

Les pronoms démonstratifs n'apparaissent jamais isolément, mais accompagnés :

- **d'un adverbe :**

  *De ces deux candidates, c'est **celle**-ci qui me semble la plus capable.*

  *Voilà votre jambon, monsieur, et avec **ce**ci ?* (exception : l'adverbe est inclus dans le pronom)

- **d'une proposition relative :**

  *Je dois acheter un autre dictionnaire pour remplacer **celui** que tu m'as perdu.*

  *Tu peux répéter **ce** que tu viens de dire ?* J'ai dit : *« **celui** qui m'était très utile ».*

- **de la préposition *de* suivie d'un nom :**

  *Nous avons loué un appartement à Argelès, mais pas **celui** de l'année dernière.*

Attention ! Ne confondez pas ces formes avec les formes des adjectifs démonstratifs :

	MASCULIN	FÉMININ
SINGULIER	**ce** disque / **cet** orchestre	**cette** chanson
PLURIEL	**ces** disques / **ces** orchestres	**ces** chansons

2.3 Les pronoms relatifs (leçon 2)

En français, le choix du pronom dépend de la fonction du substantif dans la phrase :

Sujet : *Le directeur veut parler avec les élèves **qui** se sont plaints. (**Les élèves** se sont plaints.)*

C.O.D. : *Les questions **que** tu me poses sont très intéressantes. (Tu me poses **des questions.**)*

Complément de lieu : *À Paris, j'ai visité la maison **où** Victor Hugo est né.* (Victor Hugo est né ***dans cette maison***.)

Complément de temps : *C'est une période **où** tous les étudiants pensent aux vacances. (Les étudiants pensent aux vacances **en cette période**.)*

Complément de verbe : *C'est un individu **dont** il vaut mieux se méfier. (Il vaut mieux se méfier **de cet individu**.)*

Complément de nom : *Je connais un peintre **dont** les tableaux sont très appréciés. (Les tableaux **de ce peintre** sont très appréciés.)*

Complément d'adjectif : *Il y a des pronostics **dont** personne ne peut être sûr. (Personne ne peut être sûr **de ces pronostics**.)*

Les pronoms relatifs ***qui*** et ***que*** servent aussi à former la tournure présentative ***c'est ... qui /que*** :

*__C'est__ Paul Guimard **qui** a écrit « Rue du Havre », j'en suis certain.*

*__C'était__ un roman **que** lui avait donné sa mère.*

Cette tournure permet de mettre en valeur l'élément que l'on met en début de phrase. Quand on met en relief un pronom personnel, il faut utiliser les pronoms toniques :

*Mais oui, tu as raison, **c'est** lui **qui** en est l'auteur. Non, **certains** sont restés dormir.*

2.4 Les pronoms indéfinis (leçon 3)

Comme les adjectifs indéfinis, ces pronoms peuvent exprimer différents degrés de quantité, la diversité ou la similitude, la totalité :

*Elle a eu bien des occasions de s'excuser, elle n'en a saisi **aucune.*** (quantité nulle)

*Mais il est riche ! Il n'a pas une maison, il en a **plusieurs.*** (quantité imprécise)

*Y a-t-il encore des artisans ici ? Oui, il en reste **quelques-uns.*** (quantité imprécise)

*J'aime beaucoup ces verres mais en avez-vous **d'autres** moins chers ?* (diversité)

*Mais où sont les enfants ? Ils sont **tous** partis ?* (totalité)

2.4 Les pronoms indéfinis (suite)

LA QUANTITÉ	plusieurs, quelque chose, quelques-un(e)s, certain(e)s, personne, rien, aucun(e)
LA RESSEMBLANCE	la même, le même, les mêmes
LA DIFFÉRENCE	un(e) autre, d'autres, l'autre, les autres
L'INDIVIDUALITÉ	chacun(e)
LA TOTALITÉ	tout, toute, tous, toutes

2.5 Les pronoms possessifs (leçon 5)

La forme des pronoms dépend de la personne grammaticale et des nombre et genre de l'antécédent.

	UNE CHOSE POSSÉDÉE		PLUSIEURS CHOSES POSSÉDÉES	
	MASCULIN	FÉMININ	MASCULIN	FÉMININ
UN POSSESSEUR	le mien le tien le sien	la mienne la tienne la sienne	les miens les tiens les siens	les miennes les tiennes les siennes
PLUSIEURS POSSESSEURS	le nôtre le vôtre le leur	la nôtre la vôtre la leur	les nôtres les vôtres les leurs	

À l'oral, c'est la forme de l'article qui permettra de discriminer le nombre (***le mien, les miens***). Cet article peut se contracter :

Sophie doit s'occuper de son fils, je vais lui demander qu'elle s'occupe ***du mien****.*

Je donne des vitamines à mon chien, tu en donnes ***au tien*** *?*

Ne confondez pas ces formes avec les formes des adjectifs possessifs :

	UNE CHOSE POSSÉDÉE		PLUSIEURS CHOSES POSSÉDÉES
UN POSSESSEUR	MASCULIN	mon - ton - son	mes - tes - ses
	FÉMININ	ma - ta - sa*	
PLUSIEURS POSSESSEURS	notre - votre - leur		nos - vos - leurs

* On utilise *mon - ton - son* si le nom féminin qui suit commence par une voyelle ou un " h ".

3. Temps verbaux

3.1 Emploi des temps de l'indicatif (leçons 2 et 4)

3.1.1. Le présent

Le **présent de l'indicatif** sert à indiquer...

a) des actions en cours : *Je tape à l'ordinateur le texte de mon discours.*

b) des actions habituelles : *Je prends mon petit déjeuner à 8 h 30.*

c) des actions futures : *La semaine prochaine, je pars aux Seychelles.*

d) des actions passées : *Albert Camus gagne le prix Nobel de littérature en 1957.*

3.1.2. Les futurs

Pour parler de l'avenir, vous pouvez utiliser le **présent**, le **futur simple**, le **futur proche** et le **futur antérieur (leçon 4).**
Le futur antérieur se forme avec un auxiliaire (*être* ou *avoir*) au futur + le participe passé du verbe.
Il sert principalement à indiquer qu'un fait est antérieur à un autre fait futur :
*Je lui raconterai mon aventure quand il **sera rentré** du bureau.*
Il sert aussi à faire des suppositions : *Il a de la fièvre, il **aura pris** froid à la patinoire.*

3.1.3. Les passés

a) **Le passé composé (leçon 3)** sert à parler de faits, événements ou actions qui ont eu lieu dans un passé proche ou lointain :
Il est né en 1952, mais il a connu son père seulement la semaine dernière.
Le passé composé se forme avec un auxiliaire (*être* ou *avoir*) au présent + le participe passé du verbe :
*Sophie **a reçu** un coup de fil à six heures et elle **est sortie** à sept heures.*
La plupart des verbes se conjuguent avec l'auxiliaire *avoir*. Tous les verbes pronominaux et un petit groupe de 14 verbes prennent l'auxiliaire *être* ; le participe passé doit alors s'accorder en genre et en nombre avec le sujet :
***Sophie** est sortie et pas encore rentré**e**. **Ses parents** sont allé**s** la chercher.*
Pour les verbes qui se conjuguent avec l'auxiliaire *avoir*, le participe passé s'accorde avec le C.O.D. (en genre et en nombre) quand le complément précède le verbe :
*Je n'ai jamais connu mon père, il **m'**a abandonné**e** quand j'avais 6 ans.*

b) **L'imparfait (leçon 2)** sert principalement à décrire et à évoquer des habitudes.
*Quand **j'étais** jeune, je **chantais** dans le métro pour gagner un peu d'argent.*
L'imparfait se forme à partir du radical de la 1re personne du pluriel au présent de l'indicatif suivi des terminaisons : ***-ais, -ais, -ait, -ions, -iez, -aient***.
Quand on raconte une histoire au passé, le passé composé et l'imparfait sont deux temps complémentaires : le passé composé sert à présenter l'action comme un événement, comme un fait ponctuel, tandis que l'imparfait sert à décrire « le décor » d'un événement particulier ou encore à présenter l'action comme une situation.

c) **Le plus-que-parfait (leçon 2)**
Le plus-que-parfait se forme avec l'auxiliaire *être* ou *avoir* à l'imparfait + le participe passé du verbe.
Il marque l'antériorité par rapport à un verbe au passé (imparfait ou passé composé) :
*Nous sommes arrivés dans le nouvel appartement un jour de printemps. Il **avait plu** toute la nuit et il y avait de l'eau partout.*

3.2 Emploi du conditionnel (leçons 7 et 8)

3.2.1. Le conditionnel présent (leçon 7)

Le conditionnel présent se forme, comme le futur, à partir de l'infinitif suivi des terminaisons : ***-ais, -ais, -ait, -ions, -iez, -aient***.
Le conditionnel présent sert à formuler des demandes, à exprimer des souhaits, à donner des conseils :
*J'**aimerais** tant devenir célèbre, vous ne **pourriez** pas m'aider ?*
Il intervient aussi dans l'expression de l'hypothèse (voir plus loin).

3.2.2. Le conditionnel passé (leçon 8)

Le conditionnel passé se forme avec un auxiliaire (*être* ou *avoir*) au conditionnel + le participe passé du verbe. Il sert à faire des reproches, à exprimer des regrets :
*Vous **auriez pu** me le dire avant, j'**aurais fait** moins de sottises.*
Il intervient aussi dans l'expression de l'hypothèse (voir plus loin).

3.3 Emploi du subjonctif (leçons 5 et 6)

Le subjonctif est un mode verbal qui s'oppose à l'indicatif parce qu'il sert principalement à exprimer la subjectivité. Il se forme à partir de la 3e personne du pluriel du présent de l'indicatif suivie des terminaisons : ***-e, -es, -e, -ions, -iez, -ent***.

Le **subjonctif** est obligatoire après un verbe exprimant :
a) les sentiments : *être content / triste que, avoir peur que, regretter que...*
b) la volonté et ses nuances : *il faut que, souhaiter que, préférer que, vouloir que, exiger que...*
c) le doute, la possibilité, l'éventualité : *douter que, ne pas être sûr que...*, et les constructions impersonnelles *il est* + adjectif + *que...* : *Il est indispensable qu'il vienne ici.*

Par contre, on utilise l'**indicatif** après un verbe exprimant :
a) la connaissance, la certitude, le jugement : *savoir que, être sûr que, supposer que...*
b) la déclaration : *dire que, raconter que...*

Pour ce qui concerne les verbes d'opinion, on utilise l'indicatif après un verbe à la forme affirmative et le subjonctif quand le verbe est à la forme négative :

Je crois qu'elle a raison / Je ne crois pas qu'elle ait raison.

Le verbe *espérer* est suivi de l'indicatif : *J'espère qu'elle sera reçue.*

3.4 Le participe présent et le gérondif (leçon 11)

Le **participe présent** est un mot invariable. On le forme à partir de la 1re personne du pluriel du présent de l'indicatif : *nous venons* → *venant*. Il sert à remplacer une proposition relative introduite par le pronom *qui* :

La police a récupéré un sac ***contenant*** *(qui contenait) 20 000 euros.*

Le **gérondif** a les mêmes formes que le participe présent, mais il est précédé de la préposition *en*. Il sert à marquer divers rapports circonstanciels, comme la manière et le temps :

Elle a été renversée par un camion ***en traversant*** *l'avenue.*
C'est ***en forgeant*** *qu'on devient forgeron.*

Le gérondif ne s'emploie que si les deux verbes ont le même sujet : *elle a été renversée, elle traversait l'avenue.*

3.5 La voix passive (leçon 10)

La voix passive sert à mettre en valeur l'information jugée primordiale *(Le PDG de l'entreprise* ***a été interrogé*** *par le juge.)*, à éviter le pronom *on* *(Des restes de vêtements* ***ont été retrouvés*** *sur les lieux du crime.)*, ou à taire le sujet de l'action *(Une bande de gangsters* ***a été arrêtée****.)*.
Seuls les verbes transitifs (qui exigent un C.O.D.) acceptent la transformation passive. Quand il est explicité, le complément d'agent (qui correspond au C.O.D. de la phrase active) est le plus souvent introduit par la préposition ***par***. *(Une bande de gangsters* ***a été arrêtée*** *par la police.)*

4. Les rapports logiques

4.1 L'expression de la cause (leçon 7)

CONJONCTIONS DE SUBORDINATION	CONJONCTIONS DE COORDINATION	PRÉPOSITIONS
parce que (+ cause nouvelle) **puisque** (+ cause déjà connue) **comme**	**car**	**en raison de** **grâce à** (cause positive) **à cause de** (cause négative)

La couche d'ozone s'amincit ***parce qu'****on utilise beaucoup d'aérosols.* (cause nouvelle)
Puisqu'*on utilise beaucoup d'aérosols, la couche d'ozone s'amincit.* (cause déjà connue)
Comme *on utilise beaucoup d'aérosols, la couche d'ozone s'amincit.*
Les poissons meurent dans les lacs ***car*** *les industries y déversent leurs déchets.*
Les poissons meurent dans les lacs ***à cause*** *des déchets que les industries y déversent.*
De nos jours, même les couples stériles peuvent avoir des enfants ***grâce aux*** *progrès de la recherche médicale.*

4.2 L'expression de la conséquence (leçon 8)

La conséquence met en relation deux faits dont l'un est le résultat réel de l'autre. Dans l'ordre chronologique, la conséquence suit la cause qui en est l'origine.

Mots de coordination pour exprimer explicitement la conséquence :
- **alors** : *La pièce a beaucoup de succès* ***alors*** *il faudra réserver les places à l'avance.*
- **donc** : *J'avais oublié de composter mon billet, j'ai* ***donc*** *dû payer une amende.*
- **c'est pourquoi** : *L'usine est en faillite,* ***c'est pourquoi*** *le comité d'entreprise a convoqué une réunion.*
- **par conséquent** : *Il ment trop souvent,* ***par conséquent*** *je ne lui fais plus confiance.*

N'oubliez pas que le rapport de cause-conséquence qui existe entre deux faits est **invariable** ; ce qui change c'est la manière de le présenter :
Je suis épuisée, je vais ***donc*** *me coucher.*
Je vais me coucher ***car*** *je suis épuisée.*

4.3 L'expression du but (leçon 10)

On exprime le but quand on présente (de façon explicite ou non) l'objectif, l'intention qui justifie un fait ou un événement.

Pour exprimer le but de façon explicite :

PRÉPOSITIONS OU LOCUTIONS PRÉPOSITIONNELLES	LOCUTIONS CONJONCTIVES
pour **afin de** **de peur de** (but à éviter)	**pour que** **afin que** **de peur que ... (ne)** (but à éviter)

Ces prépositions ou locutions prépositionnelles sont toujours utilisées quand les sujets des deux propositions sont identiques. Le verbe qui les suit est à l'**infinitif**.
Il va falloir économiser ***pour*** *pouvoir faire ce voyage.*
Il va falloir économiser ***afin de*** *pouvoir faire ce voyage.*
Ils ont limité leurs dépenses ***de peur de*** *manquer d'argent pour leurs vacances.*

Quand les sujets des deux propositions sont différents, ces locutions conjonctives sont toujours utilisées avec le **subjonctif** :
On fera appel à un médiateur ***pour qu'****il résolve le conflit.*
On fera appel à un médiateur ***afin qu'****il résolve le conflit.*
Je m'en chargerai ***de peur que*** *la secrétaire (****n'****)oublie de le faire.*

4.4 L'expression de la condition (leçon 7)

On exprime la condition lorsqu'on précise que la réalisation d'un fait ou d'une action dépend de la réalisation ou non d'un autre fait ou action. Les deux faits qu'on met en relation sont réalisables et vérifiables :

S'il n'arrive pas avant 8 heures, appelle-le sur son portable.
S'il n'arrive pas avant 8 heures, tu peux lui passer un coup de fil.
S'il n'arrive pas avant 8 heures, je lui ferai une scène qu'il n'oubliera pas facilement !

La condition est toujours introduite par la structure ***si* + présent de l'indicatif.** Dans la proposition principale, on peut trouver un verbe à l'impératif, au présent ou au futur.

4.5 L'expression de l'hypothèse (leçon 8)

Contrairement à la condition, l'hypothèse implique que les faits présentés n'existent pas au moment où l'on parle. On pourrait dire qu'ils sont « virtuels » :

Si je savais où est mon fils, je serais moins inquiète. (expression du souhait)
Si j'avais su où il était, je n'aurais pas piqué une crise. (expression du regret)

a) **L'hypothèse improbable ou irréelle dans le présent** est introduite par la structure ***si*** + **imparfait de l'indicatif**. Le verbe de la proposition principale est au **conditionnel présent.**
b) **L'hypothèse irréelle**, non réalisée dans le moment passé où on parle, est introduite par la structure ***si*** + **plus-que-parfait de l'indicatif**. Le verbe de la proposition principale est au **conditionnel passé.**

4.6 L' expression de la concession (leçon 9)

On exprime la concession lorsqu'on présente un événement qui n'a pas lieu comme la logique l'aurait exigé.

MOTS DE COORDINATION	ADVERBES	PRÉPOSITIONS	CONJONCTIONS DE SUBORDINATION
mais	**cependant** **pourtant**	**malgré** + nom	**bien que** + subjonctif **même si** + indicatif

*Ce restaurant est très cher **mais / cependant / pourtant** il n'est pas très bon.*
*Ce restaurant n'est pas très bon **malgré** son prix élevé.*
Même s'*il est très cher, ce restaurant n'est pas très bon.*
Bien qu'*il soit très cher, ce restaurant n'est pas très bon.*

Attention à la double valeur de la conjonction *mais* :

*J'ai de la fièvre **mais** j'irai travailler. / Elle n'est pas psychiatre **mais** psychologue clinique.*

5. Les adverbes (leçon 1)

Les adverbes sont des mots invariables qui peuvent accompagner un adjectif, un verbe ou un autre adverbe, ce qui détermine leur position dans la phrase. Ils servent à donner des précisions sur :
a) **le lieu** : *ici, là-bas, dedans, dehors...*
b) **le temps** : *après, parfois, ensuite, souvent, jamais, bientôt, rarement...*
c) **la manière** : *bien, mal, vite, lentement, constamment...*
d) **la quantité** : *beaucoup, trop, peu, assez...*
Les adverbes de manière en *-ment* se forment généralement à partir de l'adjectif au féminin.

6. La négation (leçon 6)

La négation se compose toujours de deux particules : ***ne*** + une particule qui dépend de l'élément sur lequel porte la négation (***pas, plus, jamais, personne, rien, aucun...***). Si la négation porte simultanément sur deux éléments, on utilise la structure ***ne... ni... ni...*** :

Tes commentaires ***ne*** *me font* ***ni*** *chaud* ***ni*** *froid.*

La structure ***ne... que*** permet de limiter la portée de la négation et d'exprimer plutôt une restriction :

Super ! Il ***ne*** *me reste* ***que*** *50 copies à corriger.*

7. L'expression du temps (leçon 4)

Pour situer un moment dans le temps :

	PASSÉ	PRÉSENT	FUTUR
PRÉCIS	**hier** **avant-hier** **l'année dernière** **le mois dernier** **la semaine dernière** **en 1476, au XVe siècle** **il y a ... jours, ans...**	**aujourd'hui** **maintenant** **actuellement** **cette année** **ce mois-ci** **cette semaine**	**demain** **après-demain** **dans 2 ans** **l'année prochaine** **le mois prochain** **la semaine prochaine**
IMPRÉCIS	**autrefois, jadis** **à ce moment-là**		**dans quelques années** **bientôt**

Pour exprimer la durée :

DURÉE ABSOLUE	DURÉE DANS LE PASSÉ	DURÉE DANS LE FUTUR
pendant **pour** **en** **de... à...**	**depuis** **il y a** **Ça fait... que**	**dans** **d'ici à...** **jusqu'à...**

8. Le style indirect (leçon 9)

Le passage du style direct au style indirect entraîne des modifications des énoncés qui ont été prononcés (pronoms personnels, adjectifs possessifs, expressions de temps, etc.). Quand le verbe introducteur est au présent, il n'y a pas de changement de temps verbaux mais, si le verbe introducteur est au passé, il faut apporter les modifications suivantes :

DISCOURS DIRECT	DISCOURS INDIRECT (passé)
présent **imparfait** **passé composé** **plus-que-parfait** **futur** **futur antérieur**	→ **imparfait** → **imparfait / plus-que-parfait** → **plus-que-parfait** → **plus-que-parfait** → **conditionnel présent** → **conditionnel passé**
Je sais !	***Il a dit qu'il savait.***

Selon l'intention communicative du locuteur ou sa façon de parler, il faudra utiliser des verbes introducteurs différents...

- selon le mode d'intervention : *dire, raconter, demander, répondre, répéter, annoncer, déclarer...*
- l'intention du locuteur : *approuver, reprocher, interdire, suggérer, proposer, conseiller...*
- la manière de parler : *murmurer, crier, (s')exclamer...*

INFINITIF	PRÉSENT	IMPARFAIT	PASSÉ COMPOSÉ	FUTUR	CONDITIONNEL	SUBJONCTIF PRÉSENT	IMPÉRATIF PART. PRÉSEN
AVOIR	j'ai	j'avais	j'ai eu	j'aurai	j'aurais	que j'aie	aie
	tu as	tu avais	tu as eu	tu auras	tu aurais	que tu aies	ayons
	il/elle/on a	il/elle/on avait	il/elle/on a eu	il/elle/on aura	il/elle/on aurait	qu'il/elle/on ait	ayez
	nous avons	nous avions	nous avons eu	nous aurons	nous aurions	que nous ayons	
	vous avez	vous aviez	vous avez eu	vous aurez	vous auriez	que vous ayez	
	ils/elles ont	ils/elles avaient	ils/elles ont eu	ils/elles auront	ils/elles auraient	qu'ils/elles aient	ayant
ÊTRE	je suis	j'étais	j'ai été	je serai	je serais	que je sois	sois
	tu es	tu étais	tu as été	tu seras	tu serais	que tu sois	soyons
	il/elle/on est	il/elle/on était	il/elle/on a été	il/elle/on sera	il/elle/on serait	qu'il/elle/on soit	soyez
	nous sommes	nous étions	nous avons été	nous serons	nous serions	que nous soyons	
	vous êtes	vous étiez	vous avez été	vous serez	vous seriez	que vous soyez	
	ils/elles sont	ils/elles étaient	ils/elles ont été	ils/elles seront	ils/elles seraient	qu'ils/elles soient	étant
AIMER	j'aime	j'aimais	j'ai aimé	j'aimerai	j'aimerais	que j'aime	aime
	tu aimes	tu aimais	tu as aimé	tu aimeras	tu aimerais	que tu aimes	aimons
	il/elle/on aime	il/elle/on aimait	il/elle/on a aimé	il/elle/on aimera	il/elle/on aimerait	qu'il/elle/on aime	aimez
	nous aimons	nous aimions	nous avons aimé	nous aimerons	nous aimerions	que nous aimions	
	vous aimez	vous aimiez	vous avez aimé	vous aimerez	vous aimeriez	que vous aimiez	
	ils/elles aiment	ils/elles aimaient	ils/elles ont aimé	ils/elles aimeront	ils/elles aimeraient	qu'ils/elles aiment	aimant
ALLER	je vais	j'allais	je suis allé(e)	j'irai	j'irais	que j'aille	va
	tu vas	tu allais	tu es allé(e)	tu iras	tu irais	que tu ailles	allons
	il/elle/on va	il/elle/on allait	il/elle/on est allé(e)(s)	il/elle/on ira	il/elle/on irait	qu'il/elle/on aille	allez
	nous allons	nous allions	nous sommes allé(e)s	nous irons	nous irions	que nous allions	
	vous allez	vous alliez	vous êtes allé(e)(s)	vous irez	vous iriez	que vous alliez	
	ils/elles vont	ils/elles allaient	ils/elles sont allé(e)s	ils/elles iront	ils/elles iraient	qu'ils/elles aillent	allant
APPELER	j'appelle	j'appelais	j'ai appelé	j'appellerai	j'appellerais	que j'appelle	appelle
	tu appelles	tu appelais	tu as appelé	tu appelleras	tu appellerais	que tu appelles	appelons
	il/elle/on appelle	il/elle/on appelait	il/elle/on a appelé	il/elle/on appellera	il/elle/on appellerait	qu'il/elle/on appelle	appelez
	nous appelons	nous appelions	nous avons appelé	nous appellerons	nous appellerions	que nous appelions	
	vous appelez	vous appeliez	vous avez appelé	vous appellerez	vous appelleriez	que vous appeliez	
	ils/elles appellent	ils/elles appelaient	ils/elles ont appelé	ils/elles appelleront	ils/elles appelleraient	qu'ils/elles appellent	appelant
S'ASSEOIR	je m'assieds	je m'asseyais	je me suis assis(e)	je m'assiérai	je m'assiérais	que je m'asseye	assieds-toi
	tu t'assieds	tu t'asseyais	tu t'es assis(e)	tu t'assiéras	tu t'assiérais	que tu t'asseyes	asseyons-nous
	il/elle/on s'assied	il/elle/on s'asseyait	il/elle/on s'est assis(e)(s)	il/elle/on s'assiéra	il/elle/on s'assiérait	qu'il/elle/on s'asseye	asseyez-vous
	nous nous asseyons	nous nous asseyions	nous nous sommes assis(es)	nous nous assiérons	nous nous assiérions	que nous nous asseyions	
	vous vous asseyez	vous vous asseyiez	vous vous êtes assis(e)(s)	vous vous assiérez	vous vous assiériez	que vous vous asseyiez	
	ils/elles s'asseyent	ils/elles s'asseyaient	ils/elles se sont assis(es)	ils/elles s'assiéront	ils/elles s'assiéraient	qu'ils/elles s'asseyent	s'asseyant
ATTENDRE (DESCENDRE, RÉPONDRE, ENTENDRE, VENDRE)	j'attends	j'attendais	j'ai attendu	j'attendrai	j'attendrais	que j'attende	attends
	tu attends	tu attendais	tu as attendu	tu attendras	tu attendrais	que tu attendes	attendons
	il/elle/on attend	il/elle/on attendait	il/elle/on a attendu	il/elle/on attendra	il/elle/on attendrait	qu'il/elle/on attende	attendez
	nous attendons	nous attendions	nous avons attendu	nous attendrons	nous attendrions	que nous attendions	
	vous attendez	vous attendiez	vous avez attendu	vous attendrez	vous attendriez	que vous attendiez	
	ils/elles attendent	ils/elles attendaient	ils/elles ont attendu	ils/elles attendront	ils/elles attendraient	qu'ils/elles attendent	attendant
BOIRE	je bois	je buvais	j'ai bu	je boirai	je boirais	que je boive	bois
	tu bois	tu buvais	tu as bu	tu boiras	tu boirais	que tu boives	buvons
	il/elle/on boit	il/elle/on buvait	il/elle/on a bu	il/elle/on boira	il/elle/on boirait	qu'il/elle/on boive	buvez
	nous buvons	nous buvions	nous avons bu	nous boirons	nous boirions	que nous buvions	
	vous buvez	vous buviez	vous avez bu	vous boirez	vous boiriez	que vous buviez	
	ils/elles boivent	ils/elles buvaient	ils/elles ont bu	ils/elles boiront	ils/elles boiraient	qu'ils/elles boivent	buvant
CHOISIR	je choisis	je choisissais	j'ai choisi	je choisirai	je choisirais	que je choisisse	choisis
	tu choisis	tu choisissais	tu as choisi	tu choisiras	tu choisirais	que tu choisisses	choisissons
	il/elle/on choisit	il/elle/on choisissait	il/elle/on a choisi	il/elle/on choisira	il/elle/on choisirait	qu'il/elle/on choisisse	choisissez
	nous choisissons	nous choisissions	nous avons choisi	nous choisirons	nous choisirions	que nous choisissions	
	vous choisissez	vous choisissiez	vous avez choisi	vous choisirez	vous choisiriez	que vous choisissiez	
	ils/elles choisissent	ils/elles choisissaient	ils/elles ont choisi	ils/elles choisiront	ils/elles choisiraient	qu'ils/elles choisissent	choisissant

INFINITIF	PRÉSENT	IMPARFAIT	PASSÉ COMPOSÉ	FUTUR	CONDITIONNEL	SUBJONCTIF PRÉSENT	IMPÉRATIF PART. PRÉSENT
COMMENCER	je commence tu commences il/elle/on commence nous commençons vous commencez ils/elles commencent	je commençais tu commençais il/elle/on commençait nous commencions vous commenciez ils/elles commençaient	j'ai commencé tu as commencé il/elle/on a commencé nous avons commencé vous avez commencé ils/elles ont commencé	je commencerai tu commenceras il/elle/on commencera nous commencerons vous commencerez ils/elles commenceront	je commencerais tu commencerais il/elle/on commencerait nous commencerions vous commenceriez ils/elles commenceraient	que je commence que tu commences qu'il/elle/on commence que nous commencions que vous commenciez qu'ils/elles commencent	commence commençons commencez commençant
CONNAÎTRE	je connais tu connais il/elle/on connaît nous connaissons vous connaissez ils/elles connaissent	je connaissais tu connaissais il/elle/on connaissait nous connaissions vous connaissiez ils/elles connaissaient	j'ai connu tu as connu il/elle/on a connu nous avons connu vous avez connu ils/elles ont connu	je connaîtrai tu connaîtras il/elle/on connaîtra nous connaîtrons vous connaîtrez ils/elles connaîtront	je connaîtrais tu connaîtrais il/elle/on connaîtrait nous connaîtrions vous connaîtriez ils/elles connaîtraient	que je connaisse que tu connaisses qu'il/elle/on connaisse que nous connaissions que vous connaissiez qu'ils/elles connaissent	connais connaissons connaissez connaissant
CRAINDRE (JOINDRE, PEINDRE)	je crains tu crains il/elle/on craint nous craignons vous craignez ils/elles craignent	je craignais tu craignais il/elle/on craignait nous craignions vous craigniez ils/elles craignaient	j'ai craint tu as craint il/elle/on a craint nous avons craint vous avez craint ils/elles ont craint	je craindrai tu craindras il/elle/on craindra nous craindrons vous craindrez ils/elles craindront	je craindrais tu craindrais il/elle/on craindrait nous craindrions vous craindriez ils/elles craindraient	que je craigne que tu craignes qu'il/elle/on craigne que nous craignions que vous craigniez qu'ils/elles craignent	crains craignons craignez craignant
CROIRE	je crois tu crois il/elle/on croit nous croyons vous croyez ils/elles croient	je croyais tu croyais il/elle/on croyait nous croyions vous croyiez ils/elles croyaient	j'ai cru tu as cru il/elle/on a cru nous avons cru vous avez cru ils/elles ont cru	je croirai tu croiras il/elle/on croira nous croirons vous croirez ils/elles croiront	je croirais tu croirais il/elle/on croirait nous croirions vous croiriez ils/elles croiraient	que je croie que tu croies qu'il/elle/on croie que nous croyions que vous croyiez qu'ils/elles croient	crois croyons croyez croyant
DEVOIR	je dois tu dois il/elle/on doit nous devons vous devez ils/elles doivent	je devais tu devais il/elle/on devait nous devions vous deviez ils/elles devaient	j'ai dû tu as dû il/elle/on a dû nous avons dû vous avez dû ils/elles ont dû	je devrai tu devras il/elle/on devra nous devrons vous devrez ils/elles devront	je devrais tu devrais il/elle/on devrait nous devrions vous devriez ils/elles devraient	que je doive que tu doives qu'il/elle/on doive que nous devions que vous deviez qu'ils/elles doivent	 devant
DIRE	je dis tu dis il/elle/on dit nous disons vous dites ils/elles disent	je disais tu disais il/elle/on disait nous disions vous disiez ils/elles disaient	j'ai dit tu as dit il/elle/on a dit nous avons dit vous avez dit ils/elles ont dit	je dirai tu diras il/elle/on dira nous dirons vous direz ils/elles diront	je dirais tu dirais il/elle/on dirait nous dirions vous diriez ils/elles diraient	que je dise que tu dises qu'il/elle/on dise que nous disions que vous disiez qu'ils/elles disent	dis disons dites disant
DORMIR	je dors tu dors il/elle/on dort nous dormons vous dormez ils/elles dorment	je dormais tu dormais il/elle/on dormait nous dormions vous dormiez ils/elles dormaient	j'ai dormi tu as dormi il/elle/on a dormi nous avons dormi vous avez dormi ils/elles ont dormi	je dormirai tu dormiras il/elle/on dormira nous dormirons vous dormirez ils/elles dormiront	je dormirais tu dormirais il/elle/on dormirait nous dormirions vous dormiriez ils/elles dormiraient	que je dorme que tu dormes qu'il/elle/on dorme que nous dormions que vous dormiez qu'ils/elles dorment	dors dormons dormez dormant
ÉCRIRE (DÉCRIRE)	j'écris tu écris il/elle/on écrit nous écrivons vous écrivez ils/elles écrivent	j'écrivais tu écrivais il/elle/on écrivait nous écrivions vous écriviez ils/elles écrivaient	j'ai écrit tu as écrit il/elle/on a écrit nous avons écrit vous avez écrit ils/elles ont écrit	j'écrirai tu écriras il/elle/on écrira nous écrirons vous écrirez ils/elles écriront	j'écrirais tu écrirais il/elle/on écrirait nous écririons vous écririez ils/elles écriraient	que j'écrive que tu écrives qu'il/elle/on écrive que nous écrivions que vous écriviez qu'ils/elles écrivent	écris écrivons écrivez écrivant
ENVOYER (PAYER, ESSAYER)	j'envoie tu envoies il/elle/on envoie nous envoyons vous envoyez ils/elles envoient	j'envoyais tu envoyais il/elle/on envoyait nous envoyions vous envoyiez ils/elles envoyaient	j'ai envoyé tu as envoyé il/elle/on a envoyé nous avons envoyé vous avez envoyé ils/elles ont envoyé	j'enverrai tu enverras il/elle/on enverra nous enverrons vous enverrez ils/elles enverront	j'enverrais tu enverrais il/elle/on enverrait nous enverrions vous enverriez ils/elles enverraient	que j'envoie que tu envoies qu'il/elle/on envoie que nous envoyions que vous envoyiez qu'ils/elles envoient	envoie envoyons envoyez envoyant

INFINITIF	PRÉSENT	IMPARFAIT	PASSÉ COMPOSÉ	FUTUR	CONDITIONNEL	SUBJONCTIF PRÉSENT	IMPÉRATIF PART. PRÉSENT
FAIRE (DÉFAIRE, REFAIRE)	je fais tu fais il/elle/on fait nous faisons vous faites ils/elles font	je faisais tu faisais il/elle/on faisait nous faisions vous faisiez ils/elles faisaient	j'ai fait tu as fait il/elle/on a fait nous avons fait vous avez fait ils/elles ont fait	je ferai tu feras il/elle/on fera nous ferons vous ferez ils/elles feront	je ferais tu ferais il/elle/on ferait nous ferions vous feriez ils/elles feraient	que je fasse que tu fasses qu'il/elle/on fasse que nous fassions que vous fassiez qu'ils/elles fassent	fais faisons faites faisant
FALLOIR	il faut	il fallait	il a fallu	il faudra	il faudrait	qu'il faille	
FINIR	je finis tu finis il/elle/on finit nous finissons vous finissez ils/elles finissent	je finissais tu finissais il/elle/on finissait nous finissions vous finissiez ils/elles finissaient	j'ai fini tu as fini il/elle/on a fini nous avons fini vous avez fini ils/elles ont fini	je finirai tu finiras il/elle/on finira nous finirons vous finirez ils/elles finiront	je finirais tu finirais il/elle/on finirait nous finirions vous finiriez ils/elles finiraient	que je finisse que tu finisses qu'il/elle/on finisse que nous finissions que vous finissiez qu'ils/elles finissent	finis finissons finissez finissant
SE LEVER	je me lève tu te lèves il/elle/on se lève nous nous levons vous vous levez ils/elles se lèvent	je me levais tu te levais il/elle/on se levait nous nous levions vous vous leviez ils/elles se levaient	je me suis levé(e) tu t'es levé(e) il/elle/on s'est levé(e)(s) nous nous sommes levé(e)s vous vous êtes levé(e)(s) ils/elles se sont levé(e)s	je me lèverai tu te lèveras il/elle/on se lèvera nous nous lèverons vous vous lèverez ils/elles se lèveront	je me lèverais tu te lèverais il/elle/on se lèverait nous nous lèverions vous vous lèveriez ils/elles se lèveraient	que je me lève que tu te lèves qu'il/elle/on se lève que nous nous levions que vous vous leviez qu'ils/elles se lèvent	lève-toi levons-nous levez-vous se levant
LIRE (TRADUIRE, PLAIRE)	je lis tu lis il/elle/on lit nous lisons vous lisez ils/elles lisent	je lisais tu lisais il/elle/on lisait nous lisions vous lisiez ils/elles lisaient	j'ai lu tu as lu il/elle/on a lu nous avons lu vous avez lu ils/elles ont lu	je lirai tu liras il/elle/on lira nous lirons vous lirez ils/elles liront	je lirais tu lirais il/elle/on lirait nous lirions vous liriez ils/elles liraient	que je lise que tu lises qu'il/elle/on lise que nous lisions que vous lisiez qu'ils/elles lisent	lis lisons lisez lisant
MANGER	je mange tu manges il/elle/on mange nous mangeons vous mangez ils/elles mangent	je mangeais tu mangeais il/elle/on mangeait nous mangions vous mangiez ils/elles mangeaient	j'ai mangé tu as mangé il/elle/on a mangé nous avons mangé vous avez mangé ils/elles ont mangé	je mangerai tu mangeras il/elle/on mangera nous mangerons vous mangerez ils/elles mangeront	je mangerais tu mangerais il/elle/on mangerait nous mangerions vous mangeriez ils/elles mangeraient	que je mange que tu manges qu'il/elle/on mange que nous mangions que vous mangiez qu'ils/elles mangent	mange mangeons mangez mangeant
METTRE	je mets tu mets il/elle/on met nous mettons vous mettez ils/elles mettent	je mettais tu mettais il/elle/on mettait nous mettions vous mettiez ils/elles mettaient	j'ai mis tu as mis il/elle/on a mis nous avons mis vous avez mis ils/elles ont mis	je mettrai tu mettras il/elle/on mettra nous mettrons vous mettrez ils/elles mettront	je mettrais tu mettrais il/elle/on mettrait nous mettrions vous mettriez ils/elles mettraient	que je mette que tu mettes qu'il/elle/on mette que nous mettions que vous mettiez qu'ils/elles mettent	mets mettons mettez mettant
OUVRIR (OFFRIR, COUVRIR, DÉCOUVRIR)	j'ouvre tu ouvres il/elle/on ouvre nous ouvrons vous ouvrez ils/elles ouvrent	j'ouvrais tu ouvrais il/elle/on ouvrait nous ouvrions vous ouvriez ils/elles ouvraient	j'ai ouvert tu as ouvert il/elle/on a ouvert nous avons ouvert vous avez ouvert ils/elles ont ouvert	j'ouvrirai tu ouvriras il/elle/on ouvrira nous ouvrirons vous ouvrirez ils/elles ouvriront	j'ouvrirais tu ouvrirais il/elle/on ouvrirait nous ouvririons vous ouvririez ils/elles ouvriraient	que j'ouvre que tu ouvres qu'il/elle/on ouvre que nous ouvrions que vous ouvriez qu'ils/elles ouvrent	ouvre ouvrons ouvrez ouvrant
PARTIR (SORTIR)	je pars tu pars il/elle/on part nous partons vous partez ils/elles partent	je partais tu partais il/elle/on partait nous partions vous partiez ils/elles partaient	je suis parti(e) tu es parti(e) il/elle/on est parti(e)(s) nous sommes parti(e)s vous êtes parti(e)(s) ils/elles sont parti(e)s	je partirai tu partiras il/elle/on partira nous partirons vous partirez ils/elles partiront	je partirais tu partirais il/elle/on partirait nous partirions vous partiriez ils/elles partiraient	que je parte que tu partes qu'il/elle/on parte que nous partions que vous partiez qu'ils/elles partent	pars partons partez partant
PLEUVOIR	il pleut	il pleuvait	il a plu	il pleuvra	il pleuvrait	qu'il pleuve	
PRENDRE (APPRENDRE, COMPRENDRE)	je prends tu prends il/elle/on prend nous prenons vous prenez ils/elles prennent	je prenais tu prenais il/elle/on prenait nous prenions vous preniez ils/elles prenaient	j'ai pris tu as pris il/elle/on a pris nous avons pris vous avez pris ils/elles ont pris	je prendrai tu prendras il/elle/on prendra nous prendrons vous prendrez ils/elles prendront	je prendrais tu prendrais il/elle/on prendrait nous prendrions vous prendriez ils/elles prendraient	que je prenne que tu prennes qu'il/elle/on prenne que nous prenions que vous preniez qu'ils/elles prennent	prends prenons prenez prenant

INFINITIF	PRÉSENT	IMPARFAIT	PASSÉ COMPOSÉ	FUTUR	CONDITIONNEL	SUBJONCTIF PRÉSENT	IMPÉRATIF PART. PRÉSENT
POUVOIR	je peux	je pouvais	j'ai pu	je pourrai	je pourrais	que je puisse	
	tu peux	tu pouvais	tu as pu	tu pourras	tu pourrais	que tu puisses	
	il/elle/on peut	il/elle/on pouvait	il/elle/on a pu	il/elle/on pourra	il/elle/on pourrait	qu'il/elle/on puisse	
	nous pouvons	nous pouvions	nous avons pu	nous pourrons	nous pourrions	que nous puissions	
	vous pouvez	vous pouviez	vous avez pu	vous pourrez	vous pourriez	que vous puissiez	
	ils/elles peuvent	ils/elles pouvaient	ils/elles ont pu	ils/elles pourront	ils/elles pourraient	qu'ils/elles puissent	pouvant
RÉPÉTER	je répète	je répétais	j'ai répété	je répéterai	je répéterais	que je répète	répète
	tu répètes	tu répétais	tu as répété	tu répéteras	tu répéterais	que tu répètes	répétons
	il/elle/on répète	il/elle/on répétait	il/elle/on a répété	il/elle/on répétera	il/elle/on répéterait	qu'il/elle/on répète	répétez
	nous répétons	nous répétions	nous avons répété	nous répéterons	nous répéterions	que nous répétions	
	vous répétez	vous répétiez	vous avez répété	vous répéterez	vous répéteriez	que vous répétiez	
	ils/elles répètent	ils/elles répétaient	ils/elles ont répété	ils/elles répéteront	ils/elles répéteraient	qu'ils/elles répètent	répétant
RÉSOUDRE	je résous	je résolvais	j'ai résolu	je résoudrai	je résoudrais	que je résolve	résous
	tu résous	tu résolvais	tu as résolu	tu résoudras	tu résoudrais	que tu résolves	résolvons
	il/elle/on résout	il/elle/on résolvait	il/elle/on a résolu	il/elle/on résoudra	il/elle/on résoudrait	qu'il/elle/on résolve	résolvez
	nous résolvons	nous résolvions	nous avons résolu	nous résoudrons	nous résoudrions	que nous résolvions	
	vous résolvez	vous résolviez	vous avez résolu	vous résoudrez	vous résoudriez	que vous résolviez	
	ils/elles résolvent	ils/elles résolvaient	ils/elles ont résolu	ils/elles résoudront	ils/elles résoudraient	qu'ils/elles résolvent	résolvant
SAVOIR	je sais	je savais	j'ai su	je saurai	je saurais	que je sache	sache
	tu sais	tu savais	tu as su	tu sauras	tu saurais	que tu saches	sachons
	il/elle/on sait	il/elle/on savait	il/elle/on a su	il/elle/on saura	il/elle/on saurait	qu'il/elle/on sache	sachez
	nous savons	nous savions	nous avons su	nous saurons	nous saurions	que nous sachions	
	vous savez	vous saviez	vous avez su	vous saurez	vous sauriez	que vous sachiez	
	ils/elles savent	ils/elles savaient	ils/elles ont su	ils/elles sauront	ils/elles sauraient	qu'ils/elles sachent	sachant
SUIVRE	je suis	je suivais	j'ai suivi	je suivrai	je suivrais	que je suive	suis
	tu suis	tu suivais	tu as suivi	tu suivras	tu suivrais	que tu suives	suivons
	il/elle/on suit	il/elle/on suivait	il/elle/on a suivi	il/elle/on suivra	il/elle/on suivrait	qu'il/elle/on suive	suivez
	nous suivons	nous suivions	nous avons suivi	nous suivrons	nous suivrions	que nous suivions	
	vous suivez	vous suiviez	vous avez suivi	vous suivrez	vous suivriez	que vous suiviez	
	ils/elles suivent	ils/elles suivaient	ils/elles ont suivi	ils/elles suivront	ils/elles suivraient	qu'ils/elles suivent	suivant
VENIR (DEVENIR, REVENIR, TENIR, OBTENIR)	je viens	je venais	je suis venu(e)	je viendrai	je viendrais	que je vienne	viens
	tu viens	tu venais	tu es venu(e)	tu viendras	tu viendrais	que tu viennes	venons
	il/elle/on vient	il/elle/on venait	il/elle/on est venu(e)(s)	il/elle/on viendra	il/elle/on viendrait	qu'il/elle/on vienne	venez
	nous venons	nous venions	nous sommes venu(e)s	nous viendrons	nous viendrions	que nous venions	
	vous venez	vous veniez	vous êtes venu(e)(s)	vous viendrez	vous viendriez	que vous veniez	
	ils/elles viennent	ils/elles venaient	ils/elles sont venu(e)s	ils/elles viendront	ils/elles viendraient	qu'ils/elles viennent	venant
VIVRE	je vis	je vivais	j'ai vécu	je vivrai	je vivrais	que je vive	vis
	tu vis	tu vivais	tu as vécu	tu vivras	tu vivrais	que tu vives	vivons
	il/elle/on vit	il/elle/on vivait	il/elle/on a vécu	il/elle/on vivra	il/elle/on vivrait	qu'il/elle/on vive	vivez
	nous vivons	nous vivions	nous avons vécu	nous vivrons	nous vivrions	que nous vivions	
	vous vivez	vous viviez	vous avez vécu	vous vivrez	vous vivriez	que vous viviez	
	ils/elles vivent	ils/elles vivaient	ils/elles ont vécu	ils/elles vivront	ils/elles vivraient	qu'ils/elles vivent	vivant
VOIR	je vois	je voyais	j'ai vu	je verrai	je verrais	que je voie	vois
	tu vois	tu voyais	tu as vu	tu verras	tu verrais	que tu voies	voyons
	il/elle/on voit	il/elle/on voyait	il/elle/on a vu	il/elle/on verra	il/elle/on verrait	qu'il/elle/on voie	voyez
	nous voyons	nous voyions	nous avons vu	nous verrons	nous verrions	que nous voyions	
	vous voyez	vous voyiez	vous avez vu	vous verrez	vous verriez	que vous voyiez	
	ils/elles voient	ils/elles voyaient	ils/elles ont vu	ils/elles verront	ils/elles verraient	qu'ils/elles voient	voyant
VOULOIR	je veux	je voulais	j'ai voulu	je voudrai	je voudrais	que je veuille	
	tu veux	tu voulais	tu as voulu	tu voudras	tu voudrais	que tu veuilles	
	il/elle/on veut	il/elle/on voulait	il/elle/on a voulu	il/elle/on voudra	il/elle/on voudrait	qu'il/elle/on veuille	
	nous voulons	nous voulions	nous avons voulu	nous voudrons	nous voudrions	que nous voulions	
	vous voulez	vous vouliez	vous avez voulu	vous voudrez	vous voudriez	que vous vouliez	
	ils/elles veulent	ils/elles voulaient	ils/elles ont voulu	ils/elles voudront	ils/elles voudraient	qu'ils/elles veuillent	voulant

On trouvera ici les transcriptions des enregistrements dont le texte ne figure pas dans les leçons.

UNITÉ 1 : « Au fil des jours »

LEÇON 1

COMPÉTENCES

Activité 1, page 21

–Bienvenue à « Devinettes », notre jeu de l'été. Aujourd'hui, nous avons des invités un peu particuliers car ils ont moins de 9 ans. Voici Sonia, Karim et Loïc, qui vont nous définir une personne qu'ils connaissent bien. Vous, les enfants, si vous connaissez la réponse, téléphonez tout de suite au 04 68 35 21 12. On commence par la plus petite. Bonjour Sonia.
–Bonjour.
–Tu es prête ?
–Oui.
–Alors, tu commences.
–Elle me dit toujours que je suis comme maman.
–Ah ! Ça, c'est très bien. Maintenant, c'est le tour de Karim.
–Euh... elle me raconte des histoires, elle m'emmène au zoo et elle me fait des câlins.
–C'est génial, le zoo. N'est-ce pas ?
–Ouais.
–Et notre dernière définition pour cette personne, c'est Loïc qui va la faire.
–C'est la dame qui nous garde quand maman a des trucs à faire.
–C'est très important, ça... alors maintenant qu'on a les trois définitions... Oui ? On a un appel de... Florine. Allô ! Florine, bonjour ?
–Bonjour.
–Tu appelles d'où ?
–De Nîmes.
–Quel âge tu as ?
–8 ans.
–Très bien. Alors, tu as deviné ?
–Bon, enfin, je pense. C'est la grand-mère ?
–Bravo ! C'est qu'ils ont très bien expliqué, Sonia, Karim et Loïc. Tu veux essayer avec la deuxième personne ?
–Oui.
–Alors, Sonia. C'est ton tour !
–Oui... Je l'aime bien, elle me fait dessiner.
–Maintenant, c'est Karim...
–Il est gentil, mais je l'aime pas quand il me donne des lignes à copier.
–Ah ! ça ! Loïc...
–Ben, c'est quelqu'un qui aide ceux qui ne savent pas faire quelque chose. Quand on ne travaille pas ou qu'on n'est pas gentils, il nous gronde.
–Alors, Florine, tu sais que, si tu devines, tu gagnes une *Playstation* ?
–Oui, maman me l'a dit.
–Très bien. Alors, c'est qui ?
–C'est la maîtresse ?
–Exact ! La maîtresse ou le maître ! Florine, tu as gagné ta *Playstation,* tu es contente ?
–Très !
–Alors, on te fait une grosse bise. Ne raccroche pas, hein ?

LEÇON 2

COMPÉTENCES

Activité 1, page 32

–Bon, tout le monde est là ? Je lève mon verre à nos retrouvailles, 20 ans après l'école. Tchin, tchin !
–À l'époque, Loïc c'était celui qui organisait les jeux dans la cour de récré, un peu trop turbulent pour nous, les filles ! Il n'a pas changé !
–Toi, par contre, tu as trouvé ton style, et quel style, quelle classe !
–Merci, merci, ça veut dire quoi ? Que j'étais une petite fille banale ?
–Mais non, idiote, tu étais Chloé, ma préférée. Tu te rappelles quand on était allés voir l'expo *Nature* à la gare de la Bastille, où il y avait des vaches, des vraies... en plein Paris, tu voulais les dessiner, c'était rigolo !
–Tu dis ça maintenant mais toi, t'avais peur, tu tenais la main de la maîtresse.
–Mais non, toi, je t'aimais bien mais c'était de la maîtresse, de Mlle Chevallard, dont j'étais amoureux, en fait. Quand elle me caressait la tête pour me féliciter ou m'encourager, mon cœur faisait boum, boum !
–20 ans après, Latif révèle : « J'étais fou de mon instit ». C'est vrai, elle ne se fâchait jamais et elle savait jouer avec nous !
–Vous savez qui n'est pas là ? Stéphanie Levasseur...
–Oui, c'est vrai, mais Agnès doit avoir des nouvelles, n'est-ce pas Agnès ?
–Oui, Stéphanie habite maintenant en Nouvelle-Calédonie, c'est trop loin pour venir, on s'est téléphoné il y a 3 jours, je l'ai mise au courant de tout, elle va bien et elle était désolée de ne pas être là. J'ai plusieurs messages de sa part.
–On t'écoute, dis-nous tout.
–D'abord un grand bravo à Ange pour son prix de photo amateur et félicitations à Adeline pour la médaille de natation !
–Pour Ange et Adeline, hip, hip, hip hourrah !
–Ce n'est pas fini, elle envoie tous ses vœux de bonheur à ceux et celles qui se sont mariés ou qui ont eu des enfants.
–Stéphanie est géniale, transmets-lui un grand bonjour de tout le monde et plein de bises.

UNITÉ 2 : « Temps, contretemps »

LEÇON 4

COMPÉTENCES

Activité 1, page 53

Enregistrement 1

...Mais bien sûr madame, nous avons l'appartement dont vous avez besoin... Voyons... je vous propose un 5 pièces... Effectivement, oui... un F_5 très lumineux, totalement rénové et modernisé, oui... il donne sur la rue des Abbesses mais il est au dernier étage d'un petit immeuble, alors il est très silencieux... de plus, il a une petite terrasse qui donne sur Montmartre... Oui, il a une vue magnifique... S'il est en bon état ? Totalement ! Il vient d'être repeint et on a refait aussi toute l'installation électrique ! Je vous le recommande. Une très bonne affaire, le loyer demandé est vraiment modeste pour le quartier ! Mais il vaudrait mieux faire vite ! Que penseriez-vous de ce soir ? Mais bien sûr madame, prenez le temps de réfléchir ! Vous pouvez me contacter ici, à l'agence, jusqu'à midi trente... Entendu madame, bonne journée et à ce soir, j'espère ! Je vous promets que vous ne serez pas déçue !

Enregistrement 2

Lulu... écoute, c'est moi, Enrico... Je ne sais pas trop comment te le dire... Voilà... tu sais, le livre que tu m'as prêté, le mois dernier... eh ben, il est tout abîmé... je l'ai oublié dehors, il a plu et il s'est mouillé... Mais il y a un autre problème... je l'ai demandé en librairie, mais il paraît que l'édition est épuisée depuis six mois... on m'a recommandé de le demander un peu partout... En tout cas, je te promets que, quand je l'aurai trouvé, je te le rendrai immédiatement. Je regrette vraiment. Mais je te promets que je le cherche ! Je te rappelle !

Enregistrement 3

–Tu sais pas qui j'ai rencontré hier dans la rue ? Tu ne l'imagineras jamais ! Tu sais, la présentatrice du Journal de 20 heures sur France 3, pas celle de maintenant, celle qui le présentait il y a deux ans... Eh ben oui, je l'ai vue, avec un type pas mal du tout... elle sortait de sa voiture... mais elle, je t'assure, elle était bien mieux qu'à la télé, elle a rajeuni, minci...
–Mais de qui tu parles enfin ? Explique-toi mieux que ça !

Enregistrement 4

–Dans deux jours, les grands départs du mois d'août ! Voici les conseils de Bison futé !
–N'empruntez pas obligatoirement les grands axes routiers. Certaines routes

départementales sont beaucoup moins chargées que les nationales ou que les autoroutes !
–Évitez l'autoroute Lyon-Côte d'Azur : en raison de quelques travaux sur la chaussée, on prévoit des ralentissements et des bouchons sur plusieurs kilomètres ! Prenez l'itinéraire bis.
–Ne roulez pas trop vite sur les périphériques.
–Nous vous recommandons la plus grande prudence. Arrêtez-vous souvent, vous avez des aires de repos très bien équipées ! Souvenez-vous : Mieux vaut arriver tard que jamais !

UNITÉ 3 : « Terre des hommes »

LEÇON 5

SITUATIONS

Activité 2, page 63

1) –Moi, mes parents, bof ! Ils peuvent toujours dire que je suis insupportable, je m'en fiche, ça m'est complètement égal. Bah ! Ils disent aussi que je n'écoute rien, que ça rentre par une oreille et que ça sort par l'autre, j'en ai rien à faire ! Et les tiens, ils ne sont pas comme ça ?
2) –Mais tu peux pas faire attention à ce que tu dis. Zut ! t'es plus un enfant !
–Ah, je suis désolé, je ne savais pas, je ne recommencerai pas !
–C'est trop facile, chaque fois c'est la même chose, il y en a assez maintenant, j'en ai marre, tu comprends, plus que marre, je veux plus que tu te conduises comme ça, tu m'entends ? c'est la dernière fois !
3) –On a divorcé il y a quelques mois et maintenant on a chacun notre vie, mais j'ai du mal à accepter qu'elle refasse la sienne, c'est plus fort que moi, je ne supporte pas l'idée qu'elle puisse être heureuse avec un autre que moi.
4) –Tu connais la grande nouvelle ? On a enfin donné un poste de travail ici à Sandrine, c'est fantastique, non ? Elle me l'a annoncé hier soir, je l'ai regardée, elle était sur un petit nuage ! Elle flottait, elle avait les yeux qui brillaient, elle en pleurait presque.
5) –On est partis faire de l'escalade, juste quand on arrivait au passage difficile, l'orage a éclaté, Guillaume a glissé, aïe ! aïe ! aïe ! On a eu peur que la corde casse, on a eu des sueurs froides, mais on a pu s'en sortir, ouf !
6) –Ils n'ont pas voulu que les enfants aillent dormir avec les leurs, chez eux, après la fête de la Musique. Tout était prévu et au dernier moment, ils ont changé d'avis et ils ont dit non. Personne n'a compris pourquoi. Ça m'a fait mal de voir les enfants dans cet état, ils faisaient une tête..., ils ont pleuré. On se connaît bien, alors pourquoi ?
7) –Ça alors ! Je lui prête ma moto, il me la casse et en prime, il me traite d'imbécile et de mauvais prêteur, alors je vais te dire, j'ai la haine, pas question qu'il remette les pieds ici, je te jure, ah là, je lui en veux ! Faut pas qu'il me cherche, il va me trouver !
8) –Oh, t'es une gentille mamie, je veux bien que tu dormes dans ma chambre avec moi ; et mon papa, il dit qu'il dort avec ma maman parce qu'il l'aime, alors nous deux, c'est pareil ! Bon, c'est dommage que tu viennes pas plus souvent, Mamie, c'est bien quand t'es là ! On fait un câlin, dis ?

LEÇON 6

SITUATIONS

Activité 1, page 72

1) –Vous avez intérêt à assurer, hein, parce qu'on est derrière, hein !?
–C'est vrai que... Comment ?
–Oui, vous devez assurer parce qu'on est derrière vous, hein ?
–Exact, je sais qu'il va y avoir beaucoup de personnes derrière moi qui vont regarder mes résultats, qui vont m'attendre, mais je préfère ça parce que, quand j'ai couru pour le Tour l'année dernière, j'étais presque anonyme quoi... y avait que mes parents, ma copine, qui savaient que j'étais là. Et cette année y aura beaucoup de monde, mais je suis, je vais être très fier de porter le maillot bleu, blanc, rouge et je vais... pendant trois semaines j'aimerais y aller, quoi !
–Eh bien, ça, ça nous fait plaisir d'entendre un jeune cycliste avec autant de modestie, autant d'envie, qui va s'élancer sur le Tour de France avec le maillot tricolore. Sachez que beaucoup, beaucoup, beaucoup de Français seront derrière vous, Matthieu. Merci beaucoup !
–Ben, de rien.
–Merci d'avoir été avec nous. Bonsoir !
2) –Vous avez joué très tard, si je ne dis pas de bêtise, jusqu'à 39 ans, non ?
–Ouais, jusqu'à 40 ans.
–Oh là là ! Bon, oui, c'est assez exceptionnel, quand même, de tenir aussi longtemps dans ce sport, parce que c'est quand même un sport rude hein, j'invente rien ?
–C'est vrai, oui, c'est vrai que j'ai peut-être une constitution un peu exceptionnelle, c'est vrai que j'ai jamais été blessé, j'ai jamais eu de problème de genoux, à part les ménisques, mais bon, j'ai jamais eu de grosses blessures ; donc c'est vrai, j'aurais été cassé, c'est sûr..., on aurait toujours tendance à vouloir s'arrêter plus tôt, bon, j'ai eu la chance... eh ben, je touche du bois, j'ai eu la chance de jamais me blesser dans ma carrière.
–Une question bateau, mais c'est quoi le plus beau souvenir de votre carrière, même si elle a été longue ? Plus de vingt ans, c'est quelque chose !
–Le plus beau souvenir, c'est la demi-finale en Afrique du Sud, la coupe du monde 95, même si on la perd mais bon c'est vrai que c'était une belle aventure...
–Claude Padirac, vous êtes en direct avec nous, alors dites-nous un peu le programme de samedi parce que ça va être un jubilé, je crois qu'il y a quatre matchs au total ?
–Ouais, il y a quatre matchs.
–Alors Claude, un beau jubilé, on vous le souhaite à la hauteur de votre immense carrière, on espère qu'à la manière un peu anglo-saxonne, notamment le public Berjallien-Ysérois viendra vous exprimer sa gratitude. Et puis des remerciements aussi pour tout ce que vous avez apporté au rugby. Alors, bon jubilé, Claude, et surtout, merci d'avoir été avec nous. Dans un instant on va parler de voile.
3) –Loïc Ploumer, vous avez pas peur qu'il s'attaque un peu à votre trophée Jules Verne, un de ces quatre ?
–Ben, au contraire, j'espère bien qu'il va s'y mettre. Il devait y aller cette année avec nous, il y a pas été, donc l'hiver prochain, je pense qu'il fera partie de la bande qui va s'attaquer à notre score, avec Olivier, avec les Anglais. Il risque d'y avoir trois ou quatre géants sur le Jules Verne, l'année prochaine et un an après, c'est vrai. Et ça, c'est de très très bon augure pour la suite !

UNITÉ 4 : « Planète techno »

LEÇON 7

SITUATIONS

Activité 1, page 84

–Tiens, salut, je n'ai pas pu vous téléphoner hier... vrai, pas un moment de libre.
–Salut !
–C'est pas la peine de te justifier ! On te connaît ! Tu promets et après, tu ne tiens jamais !
–Mais si, je vous assure, en ce moment je suis débordé... Qu'est-ce que vous regardez ? Des pubs de voitures ? Pour vous ?
–Ah, si tu savais !
–On sort du salon de l'automobile et on est sous le choc !
–Sous le choc de quoi ?

–Marco et moi, on vient d'essayer la voiture de nos rêves, la vraie voiture intelligente et c'est hallucinant !
–Géniale ! Oh, ce que j'aimerais la conduire ! À côté de notre vieille bagnole qui en plus est trop petite pour nos skis et nos planches !
–Vous parlez sérieusement ?
Vous voudriez avoir une voiture « tech-no-lo-gique » ?
–Écoute ! Plus de clés, plus de frein à main, tout fonctionne grâce à une petite carte ! Un espace et un confort incroyables ! Un énorme écran sur lequel s'affichent toutes les informations ! Des prestations que t'imagines pas !
J'adorerais...
–Eh ben moi, je vous assure que, même si un jour j'ai de l'argent, c'est pas ça qui me fera craquer !
–Tu dis ça, mais tu verras ! Si t'obtiens ton poste de travail...
–Eh ben quoi ? Qu'est-ce que je ferai ?
–Tu changeras d'avis.
–Non ! Impossible !
–Pourquoi, impossible ?
–Parce que je me refuse à entrer dans cette stupide course à la consommation ! Je suis décidé à garder mon vélo ! Et je n'ai pas l'intention de changer ! Mais vous, sans blague, vous pensez vraiment acheter cette bagnole ?
–Oh, on ne sait pas encore ! Si je change de travail et que Marco obtient une augmentation, on se décidera peut-être ! Avec un bon financement ! Tu sais, il y a même un ordinateur de route, dernière génération et un radar anti-collision !
–Vous êtes fous... s'endetter à cause d'une voiture qui vous empêche de réfléchir ! Et si un jour, tout votre système de navigation tombe en panne, qu'est-ce que vous ferez, hein ?
–Mais ça ne peut pas arriver ! Il y a un système de dépannage incorporé et puis, que veux-tu ?, c'est le progrès : on est pour ou contre ! Et moi, je suis pour !

LEÇON 8

SITUATIONS

Activité 1, page 94

–Approchez, approchez, mesdames et messieurs, vous avez là une occasion à ne pas rater. Qui parmi vous aurait imaginé ce matin qu'il trouverait aujourd'hui-même la réponse à ses besoins en cuisine ? Personne, n'est-ce pas ? Eh bien si, elle est là devant vous... Ce superbe robot ménager multi-fonctions qui va révolutionner votre vie n'a pas son pareil dans le monde : rapide, moderne, fonctionnel et facile à l'emploi ! Par conséquent la cuisine devient un jeu d'enfant, tout se fait en un clin d'œil. Tenez, tenez, petite démonstration, le jus de fruits pour le goûter des enfants : je mets les fruits, j'appuie et voilà ! ! Vous voulez des frites à midi ? Alors on change, on met le disque à frites et hop, c'est coupé. Et puis une nouveauté, cette balance intégrée qui vous permet de peser vos aliments en même temps, donc de gagner du temps, de la place sur votre plan de travail, et d'avoir tout à portée de la main. Ah, Madame a une question. Vous auriez voulu un batteur avec ? Mais il est là, Madame, en option adaptable. Alors, Madame, c'est décidé ? Ah, là, Monsieur dit un mot à sa femme. Ah, vous voudriez savoir le prix ? 280 € et vous économiserez 10 % sur le prix de vente en magasin, payable en trois fois avec 18 mois de garantie... Et en prime, ces deux magnifiques cadeaux : le minuteur électronique que vous fixez sur votre poche, par exemple, et que vous pouvez entendre sans être dans la cuisine et cette superbe baguette magnétique pour soulever les couvercles de casserole sans vous brûler. Alors Madame, c'est oui ? vous me le prenez ? Bravo, voilà une maîtresse de maison qui sait vivre avec son temps ! Vous voyez, mesdames et messieurs, cela ne coûte rien ou presque de dire *oui* au confort dans la cuisine. Pensez-y bien. Vous allez rentrer chez vous et ce soir, ou demain, vous vous direz « Ah ! si j'avais su, je l'aurais acheté... » mais trop tard. Alors sautez sur l'occasion, n'hésitez plus...

SITUATIONS

Activité 1, page 95

Appel n°2 : Le portable

–Allô.
–C'est bien le magasin Ducrot ?
–Oui madame !
–Allô, voilà, j'ai un problème : on vient de m'offrir un portable et il marche très mal... Il se décharge tout le temps... Je suppose que c'est la batterie... Je voudrais savoir ce que je dois faire.
–Il est sous garantie ?
–Évidemment, on vient de me l'offrir ! Il est tout neuf !
–Il a bien été acheté ici ?
–Je ne sais pas vraiment... c'est un cadeau, par conséquent, je n'ai pas demandé !
–Mais madame, si vous ne l'avez pas acheté dans notre magasin, nous ne pouvons rien faire ! Demandez à la personne qui vous l'a offert où elle l'a acheté ou alors, téléphonez directement aux services après-vente de la marque !
–C'est que je ne voulais pas en parler à mon ami, pour ne pas l'ennuyer ! Je pensais que vous pourriez m'aider.
–Très bien, madame, alors regardez sur votre garantie l'adresse des services après-vente et portez-le vous-même. Je ne peux rien faire pour vous ! Je m'excuse, au revoir madame !
–Oh quand même !

Appel n°3 : la clim

–Allô, la réception ?
–Oui, madame !
–Excusez-moi mais la clim' ne fonctionne pas et je n'arrive pas à la mettre en marche...
–C'est normal, nous l'avons débranchée en tout début de matinée... pour vérification. Nos services de maintenance s'en occupent !
–Eh bien, franchement, vous auriez pu le dire quand nous avons pris cette chambre ! Si nous avions su qu'il n'y avait pas de clim', nous ne serions pas descendus ici ! Il fait vraiment une chaleur étouffante !
–Ne vous inquiétez pas, madame, on va la remettre en marche dans l'après-midi, je vous promets que votre chambre sera bien fraîche ce soir !
–Bon... espérons-le ! Mais, pour maintenant... nous avons voyagé toute la nuit, mon mari et moi, et nous voudrions nous reposer un moment. Vous n'auriez pas de ventilateur à nous monter ?
–Un ventilateur ? Voyons... Eh ben non, je ne crois pas que nous en ayons de disponible ! Si j'en avais un, je vous le monterais tout de suite mais il me semble que... Ah, attendez ! Mon collègue me dit qu'il y en a un, dans une chambre qui vient d'être libérée... Excusez-moi ! Je vous le fais monter immédiatement !
–Merci ! Vous êtes gentille !
–À votre service, madame !

UNITÉ 5 : « Dans tous ses états »

LEÇON 9

SITUATIONS

Activité 1, page 111

–Nous re-voilà sur *Radio Avenir*, vous pouvez faire les consultations que vous désirez sur vos animaux familiers... Pour cela, téléphonez-nous au 36 58 58. Nous avons avec nous, je vous le rappelle, le professeur Khalef, responsable d'une clinique vétérinaire de Liège... Alors professeur... on nous a demandé juste avant la publicité ce qu'il fallait... quels critères nous devions suivre pour acheter un chiot... Quels conseils pratiques pouvez-vous donner à nos auditeurs ?
–Eh bien d'abord, je voudrais insister sur un fait évident et qui pourtant n'est pas pris en compte... Il faut savoir que, quand vous achetez un chien, vous vous engagez pour plus de dix ans de vie commune... que c'est un animal très sensible, très fidèle et qui s'attache pour toujours à ses maîtres. Alors... malgré toute la publicité actuelle qui nous présente la famille idéale

accompagnée de son caniche ou autre, je le dis très clairement... si vous n'êtes pas sûrs de supporter un chien chez vous, n'en ayez pas ! J'ai déjà indiqué avant la pause qu'un chien donnait du travail, exigeait des soins et modifiait le style des vacances de ses maîtres... Je le répète encore une fois...
–C'est vrai ! Il faut en finir avec cette situation lamentable : tous les étés, des centaines de chiens sont abandonnés sur les routes ou les autoroutes parce qu'ils sont devenus gênants... Ceci dit, ce n'est pas parce que certains traitent injustement leurs chiens qu'il faut généraliser... Justement, une auditrice demande la parole... Allô... oui... Marielle Lecœur, de Bruxelles... Bonjour !
–Bonjour... oui... euh... d'abord... vous avez raison, je pense qu'on devrait punir sévèrement ceux qui ne prennent pas soin de leurs animaux... Ensuite... euh... voilà... en fait... je téléphone parce qu'on m'a conseillé d'offrir un chien à mon petit garçon de 9 ans, qui est très renfermé... Pourriez-vous me donner quelques conseils pratiques sur comment choisir l'animal adéquat ?
–Oui, bien sûr... Voyons... d'abord... c'est fondamental... choisissez une race qui convient à vos conditions de vie... certaines races sont très remuantes, par contre d'autres ont un caractère plus stable, démontrent plus facilement leur affection, sont plus patientes avec les enfants... Ensuite... ne vous précipitez pas, adressez-vous à un bon éleveur, spécialisé et sérieux... et enfin aussi, quand vous trouverez l'animal qui vous plaît vraiment, cherchez à savoir comment il a été élevé. C'est très important... Il faut que le chien ait passé au moins un mois avec sa mère pour être bien socialisé... Assurez-vous que l'animal n'a pas peur du bruit ni de la présence humaine.
–Oui, oui mais je voudrais surtout savoir ce qu'il faut observer... quelles parties du corps de l'animal il faut examiner pour s'assurer qu'il est sain.
–Eh bien... ce n'est pas tant un problème de membres courts ou longs ou maigres... c'est plutôt une question de comportement et... d'aspect général... Un chiot en bonne santé a un poil brillant... ses yeux ne pleurent pas, son nez ne coule pas... il a envie de jouer et de bouger. Et assurez-vous aussi qu'il accepte votre autorité... c'est-à-dire, par exemple... qu'il lèche vos mains quand vous le manipulez ou que vous l'immobilisez... C'est le plus important.
–Un auditeur maintenant, de Louvain-la-Neuve : Alain, bonjour ! Je crois que vous voulez parler de votre chat ?
–Eh ben oui... il est très nerveux en voiture... il miaule continuellement, il nous griffe dès que nous l'approchons, bien que ce soit un animal très affectueux normalement. Je voudrais savoir quel traitement lui donner.
–Essayez un traitement homéopathique, il y en a de très bons sur le marché... Parlez-en avec votre vétérinaire pour qu'il établisse son diagnostic, et rassurez-vous, ça peut très bien se soigner.
–Alors maintenant, une pause publicité, dans deux minutes, nous revenons à l'antenne !

COMPÉTENCES

Activité 1, page 117

–Nous reprenons, je vous rappelle que « l'heure du forum » vous propose aujourd'hui un débat sur la médecine. Alors, Jonathan, vous nous avez dit avant la pause que vous étiez plutôt pour les médecines naturelles, pourquoi cette préférence ?
–Eh bien, je vais vous donner une bonne raison : les médecines alternatives ont une approche plus globale, moins partielle du malade, et puis elles proposent des soins, une hygiène de vie et aussi, très important, la possibilité pour le malade de se prendre en charge pour guérir, de s'impliquer dans le processus. C'est un état d'esprit différent. Par contre, la médecine officielle s'intéresse plus à la maladie et à ses symptômes qu'au malade lui-même.
–Vous, Sonia, quand vous entendez cela, comment vous réagissez ?
–Je crois qu'il faut faire la différence entre la médecine en tant que science et les médecins. Vous ne me direz pas que les médecins de famille s'occupent plus de la maladie que du patient, ils les connaissent, leurs malades, et c'est eux qu'ils soignent, pas la maladie.
–Oui, je vous l'accorde... certains généralistes... peut-être... mais de quelle manière ? Car une chose est sûre, c'est que les médecines douces sont beaucoup moins agressives pour l'organisme et qu'elles tiennent compte de notre rythme biologique. Tenez, l'exemple, d'une voisine. Son petit garçon faisait otite sur otite, alors le médecin lui a conseillé de le faire opérer, mais elle hésitait : une opération c'est une violence pour le corps, non ? Elle s'est décidée à consulter un homéopathe, le gamin a suivi un traitement homéopathique et fini les otites !
–Ça, je ne conteste pas que dans certains cas..., mais pour les maladies graves, moi je crois plus à l'efficacité de la médecine occidentale, elle a fait des progrès considérables : rendez-vous compte ! les traitements au laser, les thérapies cardio-vasculaires, les greffes d'organes, c'est beaucoup de vies humaines qu'on sauve !
–Oui, il faut bien le reconnaître, ça, Jonathan. On a dû déjà vous demander ce que vous en pensiez ou si vous estimiez qu'on pouvait arriver à d'aussi bons résultats avec la médecine naturelle, non ?
–Oui, un naturopathe peut obtenir de très bons résultats comme stopper la progression d'un cancer, par exemple. Et je ne suis pas le seul à le croire : les gens autour de moi qui se sont fait soigner par l'homéopathie, l'ostéopathie, etc., en sont tous très satisfaits. Attention, même si je défends cette médecine, je ne suis pas totalement contre la médecine occidentale, ni contre ses acquis ou ses progrès. Je vais même plus loin, je pense qu'elles sont compatibles. La preuve aussi c'est qu'à l'heure actuelle, des médecins traditionnels s'intéressent à l'autre médecine.
–Vous voyez ! Moi, je dis qu'on peut faire confiance à notre médecine, elle est efficace, moderne.
–Bien, qu'en pensent nos auditeurs ? Nous allons prendre tout de suite un premier appel.

LEÇON 10

SITUATIONS

Activité 2, page 120

1) Un homme de soixante-cinq ans a été tué par une avalanche au-dessus de la Grave 2000, dans les Hautes-Alpes. Ce montagnard averti effectuait seul une randonnée sur un sommet qui domine la station. Il a été emporté sur plus de deux cents mètres par une plaque de neige et a chuté sur plusieurs barres rocheuses.
2) Hold-up spectaculaire hier à Lisses, dans l'Essonne. Une douzaine d'hommes armés a attaqué le siège de l'ATD, une société spécialisée dans les transports de fonds. Une bétonnière a été utilisée pour défoncer la porte d'entrée, puis de la dynamite pour faire sauter la porte de la salle des coffres. Tandis qu'ils tenaient en respect le personnel, les gangsters ont été surpris par l'arrivée d'un fourgon blindé. Ils ont ouvert le feu. Des projectiles ont même percé le blindage du véhicule. L'un des vigiles a riposté. Le commando a finalement pris la fuite en emportant un butin estimé à plusieurs milliers d'euros.
3) Les pompiers d'Orthez n'ont vraiment pas apprécié les plaisanteries du jeune Alexis. Insultes ou fausses alertes, depuis la cabine téléphonique, devant son collège, l'adolescent de douze ans appelait régulièrement le numéro d'urgence des sapeurs. Mais Alexis a été démasqué par son proviseur. Les pompiers ont choisi la punition : brosser et cirer les trente paires de bottes de la caserne.
4) Un mort et trois blessés lors d'une

sortie de route au rallye national de l'Ariège, hier après-midi. Une moto en compétition a fauché plusieurs spectateurs. Un enfant de 5 ans est dans le coma, un autre de 8 ans a été grièvement blessé. Selon les premières constatations, toutes les mesures de sécurité avaient pourtant été respectées. Les spectateurs se trouvaient bien en retrait à quatre mètres du bord de la route. La course a bien sûr été immédiatement arrêtée et les dernières étapes annulées.

SITUATIONS

Activité 1, page 121

–Eh bien voilà, je vous rappelle que tous les jours, depuis bientôt un mois, des dizaines d'incendies sont détectés en France... dans le sud, principalement... en Corse et dans les Landes... Des centaines d'hectares de bois sont brûlés, des arbres sont calcinés... Nous connaissons un été très sec... Il ne pleut pas depuis très longtemps et les dernières pluies ont été tellement courtes et torrentielles qu'elles n'ont apporté aucune solution au problème de la sécheresse... La situation est dramatique et c'est pourquoi nous sommes aujourd'hui avec Kevin, qui la connaît bien... Kevin, qui est pompier forestier en Corse, dans la prévention et l'extinction des incendies...
Bonjour Kevin ! Et d'abord, merci d'avoir accepté de parler sur *Radio Santé 2005* dans le cadre de notre émission *Témoignages de vie*. Vous êtes, comme je viens de le dire, pompier forestier, vous avez 24 ans, vous êtes originaire de Corse... Alors notre première question sera la suivante : votre lieu de naissance a-t-il joué un rôle important dans le choix de votre profession ?
–Eh ben, je ne sais pas... c'est pas évident de répondre à cette question... Il y a toujours un tas de hasards qui font qu'on choisit un métier... Mais... en gros... on peut dire que... oui... c'est vrai... j'ai été habitué, depuis tout petit à aimer et à faire attention à la forêt. Je suis né dans un tout petit village de l'intérieur de l'île et l'été, il fait tellement chaud qu'il suffit de très, très peu pour que le maquis s'enflamme... Une fois, j'étais petit, on a dû évacuer la maison de peur que le feu nous encercle, alors forcément... ça te marque... !
–En quoi consiste le travail de pompier forestier ? Quelle est votre journée-type en été et quand il fait chaud comme aujourd'hui ?
–Eh ben... on est chargé de la surveillance rapprochée de la forêt, on observe si tout est normal... s'il n'y a pas de fumée euh... pas de gens qui se promènent là où c'est interdit... pour éviter tout risque d'incendie... Alors on passe toute la journée à notre poste...
–Et quand un feu se déclare ?
–Eh ben... quand un feu se déclare, on est chargés d'arriver le plus vite possible sur le terrain afin d'éviter sa propagation... Je travaille sur un canadère... un petit avion quoi... et pour nos interventions, on va chercher de l'eau au plus près, dans un lac, un fleuve, ou une piscine même... et nous la lâchons au-dessus du feu pour tenter de l'éteindre. Parfois ça suffit mais, le plus souvent, il faut monter les dispositifs de lutte contre l'incendie et alors là... ça, c'est très dur... Quelquefois, il faut lutter corps à corps avec le feu en évitant d'être piégés par les flammes...
–Quelles sont, à votre avis, en résumant... les qualités essentielles du pompier forestier ?
–Les qualités... eh ben... le sang froid... il faut être très calme, très discipliné... il faut suivre les ordres qui nous sont donnés... il faut un grand esprit d'équipe... et puis aussi, il faut aimer les risques et avoir le sens de la solidarité...
–Merci bien Kevin, merci beaucoup... Je sais que vous devez partir immédiatement. Votre équipe vous attend... alors félicitations pour votre travail et votre dévouement... Bonne journée et bon courage...
–Je profite de l'occasion pour dire bonjour à mes copains, à mes frangins, à mes amis. Salut les gars ! Et à vous tous, merci et au revoir !
–Au revoir Kevin, et encore bravo ! Quant à vous chers auditeurs, rendez-vous la semaine prochaine, pour recevoir Lorena, hôtesse de l'air sur une grande ligne commerciale. Et maintenant, place à la publicité.

UNITÉ 6 : « Faits et merveilles »

LEÇON 11

COMPÉTENCES

Activité 1, page 140

–Si tu savais ce qui m'est arrivé hier... j'en suis encore toute bouleversée. En plus, j'ai honte mais... j'ai tellement besoin qu'on me réconforte !
–Ben, c'est vrai, tu as l'air toute drôle aujourd'hui ! Qu'est-ce que tu as ? Raconte...
–J'y vais... mais s'il te plaît, ne te moque pas trop de moi !
–Mais non, Marie ! Qu'est-ce qui s'est passé ? T'as fais une bêtise ? Tu sais, tu n'es pas seule à en faire... des bêtises.
–Eh ben voilà... Figure-toi que hier je sors à midi du congrès, tu sais « les soins dentaires chez les jeunes enfants », j'étais en pleine banlieue Sud que je ne connais pas du tout... J'étais loin du boulot et de chez moi, alors j'ai décidé d'avaler un sandwich dans un petit bistro. Au moment de payer, je me rends compte que je n'avais pas d'argent sur moi, pas de carnet de chèques, même pas de carte bancaire... l'horreur quoi ! J'avais changé de sac et voilà... Le patron du bar, pas très aimable au début... il croyait que je voulais resquiller... me propose de garder ma carte d'identité en attendant que je le rembourse. J'accepte, j'avais pas d'autre solution, et je pars en courant... pour avoir le temps d'aller chez moi, de repartir au bistro et de ne pas arriver trop en retard au rendez-vous que j'avais à l'hôpital avec un représentant prothésiste... tu vois l'histoire... Bon, je reviens chez moi, je prends mon porte-monnaie, mes cartes, je fonce au distributeur du coin pour retirer de l'argent... et je reprends le métro à toute vitesse. En sortant du métro, truc horrible, impossible de me rappeler où se trouvait mon bistro, ni comment il s'appelait, ni comment il était, ni à l'extérieur ni à l'intérieur... Le trou total... Tu sais quoi ? J'ai marché pendant une heure, je suis rentrée dans plein de bistros et je n'ai pas pu le retrouver... impossible... comme volatilisé... Finalement, je suis partie à toute vitesse à mon rendez-vous, le type... il était furieux de m'avoir attendue si longtemps et sur le point de repartir et voilà... je n'ai toujours pas retrouvé mon bistro, ni ma carte !
–Quelle histoire ! Mais, c'est incroyable ! Et qu'est-ce que tu vas faire ?
–Je ne sais pas... Chercher à nouveau ce maudit café, mais je ne sais pas où... je suis complètement découragée, j'ai l'impression d'avoir sillonné toute la banlieue... et si je ne le trouve pas, eh ben, j'irai au commissariat pour déclarer la perte de ma carte. Tu me vois en train de raconter cette histoire à un flic... Je vais me faire traiter de tous les noms d'oiseaux ! En plus, je venais juste de la faire renouveler !
–Tu crois qu'il va falloir la faire refaire ?
–Je suppose... Quand je pense aux queues qui m'attendent, à toutes les formalités et à tous les papiers qu'on va me faire remplir, je deviens folle ! Je t'assure, hein... j'en suis malade !
–Écoute, n'y pense pas... pas encore... attends quelques jours pour t'inquiéter... Tiens, ce soir, j'ai du temps, je t'accompagne. On va rentrer dans tous les bars, systématiquement, et tu verras on va la retrouver, ta carte !

COMPÉTENCES

Activité 1, page 141

Elle est tellement jolie
Elle est tellement tout ça

Elle est toute ma vie
Madeleine que j'attends là

Ce soir, j'attends Madeleine
Mais il pleut sur mes lilas
Il pleut comme toutes les semaines
Et Madeleine n'arrive pas.
Ce soir, j'attends Madeleine
C'est trop tard pour le tram trente-trois
Trop tard pour les frites d'Eugène
Et Madeleine n'arrive pas
Madeleine, c'est mon horizon
C'est mon Amérique à moi
Même qu'elle est trop bien pour moi
Comme dit son cousin Gaston
Mais ce soir j'attends Madeleine
Il me reste le cinéma
Je lui dirai des « je t'aime »
Madeleine, elle aime tant ça

Elle est tellement jolie
Elle est tellement tout ça
Elle est toute ma vie
Madeleine qui n'arrive pas

Ce soir, j'attendais Madeleine
Mais j'ai jeté mes lilas
Je les ai jetés comme toutes les semaines
Madeleine ne viendra pas
Ce soir, j'attendais Madeleine
C'est fichu pour le cinéma
Je reste avec mes « Je t'aime »
Madeleine ne viendra pas

Madeleine c'est mon espoir
C'est mon Amérique à moi
Sûr qu'elle est trop bien pour moi
Comme dit son cousin Gaspard
Ce soir j'attendais Madeleine
Tiens le dernier tram s'en va
On doit fermer chez Eugène
Madeleine ne viendra pas

Elle est tellement jolie
Elle est tellement tout ça
Elle est toute ma vie
Madeleine qui ne viendra pas

Demain j'attendrai Madeleine
Je rapporterai des lilas
J'en rapporterai toute la semaine
Madeleine elle aimera ça
Demain j'attendrai Madeleine
On prendra le tram trente-trois
Pour manger des frites chez Eugène
Madeleine elle aimera ça
Madeleine c'est mon espoir
C'est mon Amérique à moi
Tant pis si elle est trop bien pour moi
Comme dit son cousin Gaspard
Demain j'attendrai Madeleine
On ira au cinéma
Je lui dirai des « je t'aime »
Madeleine elle aimera ça

LEÇON 12

SITUATIONS

Activité 6, page 146

1) –Dans le cadre de notre émission « une vie, une histoire » nous allons écouter l'enregistrement que nous a envoyé madame Juliette Skoudy.
–Eh ben voilà, je m'appelle Juliette et j'ai 50 ans. J'ai eu pendant 48 ans une vie tout à fait normale...

2) Dans le nord et à l'est, le temps aujourd'hui est typiquement hivernal ; il a neigé au-dessus de 1 800 mètres et le verglas est abondant ! Températures en baisse sur toute la moitié nord de la France. Attention aux grippes et aux rhumes, prenez manteaux, gants et écharpes pour sortir ! La pluie et le vent sont au rendez-vous sur la façade ouest. Sur la partie sud, tendance à l'amélioration. Températures en légère hausse dans l'après-midi : 11/12 degrés !

3) Excusez-moi de vous interrompre, c'est l'heure de la publicité... Pendant ce temps, chers auditeurs et auditrices, la question est toujours : « Que pensez-vous de la mode actuelle ? » Prenez la parole, appelez Sandrine à notre standard et donnez-lui votre avis !

4) –Alors Janine, tu sais que si tu devines, tu gagnes une console vidéo ?
–Oui, maman me l'a dit.
–Très bien, alors c'est qui ?
–C'est la maîtresse ?
–Exact ! La maîtresse ou le maître... Florine, tu as gagné ta console vidéo, tu es contente ?
–Très !
–On t'envoie une grosse bise ! Ne raccroche pas, hein ?

5) –Bon, écoutez. Ça nous fait plaisir d'entendre un jeune coureur avec autant de modestie, autant d'envie de s'élancer sur le tour de France avec le maillot tricolore. Sachez que beaucoup, beaucoup de Français seront derrière vous, Matthieu. Merci beaucoup !

6) –RTU Info. Il est six heures dix. Raymond Labène est toujours à l'antenne et le thème du jour sont les écogestes, tous ces petits gestes simples que nous pouvons faire sans même nous rendre compte et qui, nous dit-on, auraient une grande répercussion sur l'environnement si nous étions nombreux à les faire... Nous vous rappelons que la revue *TOP Actualité* vient de sortir un dossier intitulé « Un bon geste pour la planète » et que nous voulons contribuer au débat qu'elle a lancé. Allô ! Oui ! Léa va nous donner son opinion : elle nous appelle de l'Indre-et-Loire. Bonjour Léa ! Qu'est-ce que vous voulez nous dire, là ?
–Moi... eh ben... heu, je suis complètement d'accord avec vous, oui, avec ce que vous avez dit avant...

7) –Merci bien, Kevin, merci beaucoup... Je sais que vous devez partir immédiatement... votre équipe vous attend... alors félicitations pour votre travail et votre dévouement... Bonne journée et bon courage...

8) –Un homme de 60 ans a été tué par une avalanche au-dessus de la Grave 2000 dans les Hautes-Alpes. Ce montagnard averti effectuait seul une randonnée sur un sommet qui domine la station. Il a été emporté sur plus de 200 mètres par une plaque de neige et a chuté sur plusieurs barres rocheuses.

Coordination éditoriale : Agnès Jouanjus
Direction éditoriale : Sylvie Courtier
Pour la présente édition : Martine Ollivier
Conception graphique : Zoográfico
Couverture : Avis de passage
Dessins : Jaume Gubianas, Bartolomé Segui, Zoográfico
Cartographie : Latitude-Cartagène

Photographies : J. M.ª Escudero; Michele di Piccione; A. G. E. FOTOSTOCK / Pedro Coll, Javier Larrea, A. Pasieka, Liane Cary; COVER/SYGMA/*James Andanson*; COVER/SYGMA/COLLECTION PRIVEE HENRI FERMIN; COVER/SYGMA/SIEMENS; COVER / CORBIS/Peter Turnley, Jerry Arcieri, Wolfgang Kaehler, Bernard Annebicque, LWA-Stephen Welstead, Ted Streshinsky, Owaki-Kulla, Nik Wheeler, Cathrine Wessel, Anthony Redpath, Kevin R. Morris, Peter M. Wilson, Philip Wallick, Mark E. Gibson, Eric Robert, KIPA/Didier Baverel, Larry Williams, Jean Bernard Vernier, Progressive Image/Bob Rowan, Paul Thompson; Eye Ubiquitous, James A. Sugar; DIGITALVISION; EFE / EPA PHOTO AFP/STF; INDEX; IP DIGITAL ESTUDIO 2; MARCO POLO / PHOTONONSTOP; MUSEUM ICONOGRAFÍA / The Bridgeman Art Library; STOCK PHOTOS; J. Carli; PHILIPS; SERIDEC PHOTOIMAGENES CD; ARCHIVES SANTILLANA

Fond du bloc *Le siècle au fil du timbre*, page 52 : conception graphique : Valérie Besser, station spatiale internationale : © Nasa / Ciel et Espace / CNES, © Airbus A300 : Airbus Industries, Renault 4L : Musée de La Poste / © Renault S. A., autocar : A. Gros, entrée du métro : © RATP. / F Mauboussin, Timbre *Concorde* : Airbus Industries, Timbre *Le TGV* : le train : SNCF-CAV / J.J. D'Agelo, fond SNCF-CAV / M. Urtado, Timbre *Le France*, le bateau : J.M. Chourgnoz / ™ French Lincs Diffusion, Paris 2002 (au lieu de 2001), fond : Editorial concepts / Cosmos, Timbre *La Mobylette* : Le deux-roues : S. Vielle / © MBK, fond : M. Gratton / Popperfoto / Cosmos, Timbre *La 2CV* : S. Vielle / © Citroën, fond : Risler / Gandeur Nature

Recherche iconographique : Mercedes Barcenilla
Coordination artistique : Carlos Aguilera
Direction artistique : José Crespo
Correction : Anne-Sophie Lesplulier, Patricia Scarampi
Coordination technique : Jesús Á. Muela

Nos remerciements à Zoe Romero et à Céline Lépine pour leur collaboration.

Les auteurs remercient toutes les personnes qui les ont aidées, et plus particulièrement, Michèle Pendanx.

N° d'éditeur : 10144773 - Dépôt légal : Août 2007
Imprimé en France par I.M.E. - 25110 Baume-les-Dames